A PIRÂMIDE VERMELHA

A PIRÂMIDE VERMELHA

RICK RIORDAN

TRADUÇÃO DE DÉBORA ISIDORO

Copyright © 2010 Rick Riordan
Edição em português negociada por intermédio de Gallt and Zacker Literary Agency LLC e Sandra Bruna Agencia Literaria, SL

TÍTULO ORIGINAL
The Red Pyramid

PREPARAÇÃO
Luciana Bastos Figueiredo

REVISÃO
Antônio dos Prazeres
Joana Milli
Clarissa Peixoto
Milena Vargas
Rodrigo Rosa
Shirley Lima

DIAGRAMAÇÃO
Ilustrarte Design e Produção Editorial

CIP-BRASIL. CATALOGAÇÃO-NA-FONTE.
SINDICATO NACIONAL DOS EDITORES DE LIVROS, RJ.

R452p

Riordan, Rick
    A pirâmide vermelha / Rick Riordan ; tradução de Débora Isidoro. - Rio de Janeiro : Intrínseca, 2010.
    (As crônicas dos Kane ; v.1)

    Tradução de: The red pyramid
    ISBN 978-85-98078-97-7

    1. História de aventuras - Literatura infantojuvenil. 2. Mitologia egípcia - Literatura infantojuvenil. 3. Literatura infantojuvenil americana. I. Isidoro, Débora. II. Título. III. Série.

10-5070.   CDD: 028.5
                                                                     CDU: 087.5

[2010]

Todos os direitos desta edição reservados à

EDITORA INTRÍNSECA LTDA.
Av. das Américas, 500, bloco 12, sala 303
22640-904 – Barra da Tijuca
Rio de Janeiro — RJ
Tel./Fax: (21) 3206-7400
www.intrinseca.com.br

*Para todos os meus amigos bibliotecários,
defensores dos livros, verdadeiros mágicos na Casa da Vida.
Sem vocês, o escritor estaria perdido no Duat.*

Sumário

	Aviso	9
1.	Uma morte na Agulha	11
2.	Uma explosão de Natal	24
3.	Aprisionada com minha gata	34
4.	Raptados por alguém não tão estranho	42
5.	Encontramos o macaco	51
6.	Café da manhã com um crocodilo	62
7.	Deixo um homenzinho cair de cabeça	81
8.	Muffin brinca com lâminas	99
9.	Fugimos de quatro caras de saia	107
10.	Bastet fica verde	114
11.	Conhecemos o lança-chamas humano	120
12.	Mergulhamos em uma ampulheta	129
13.	Eu encaro o peru assassino	133
14.	Um francês quase nos mata	143
15.	Uma festa de aniversário divina	153
16.	Como Zia perdeu as sobrancelhas	165
17.	Uma péssima viagem a Paris	180
18.	Quando os morcegos de frutas ficam maus	190
19.	Um piquenique no céu	208
20.	Eu visito a deusa estrelada	219
21.	Tia Kitty no resgate	227
22.	Leroy é apresentado ao armário da desgraça	236
23.	A prova final do Professor Tot	245
24.	Explodo alguns sapatos de camurça azul	261
25.	Ganhamos uma viagem com tudo pago para a morte	274
26.	A bordo do *Rainha Egípcia*	281

27.	Um demônio com amostras grátis	295
28.	Dou uma volta com o deus do papel higiênico	303
29.	Zia marca um encontro	321
30.	Bastet cumpre sua promessa	330
31.	Eu entrego um bilhete de amor	343
32.	O lugar das cruzes	350
33.	Entramos no ramo dos molhos	363
34.	Doughboy nos dá uma carona	372
35.	Homens pedindo informações (e outros sinais do Apocalipse)	377
36.	Nossa família vira vapor	383
37.	Leroy consegue sua vingança	393
38.	A Casa sente-se em casa	399
39.	Zia me conta um segredo	404
40.	Eu arruino um feitiço muito importante	412
41.	Paramos de gravar, por enquanto	427
	Nota do autor	447

AVISO

O que você vai ler neste livro é a transcrição de um registro digital. Em certos pontos, a qualidade do áudio era ruim, por isso algumas palavras e frases representam o melhor palpite do autor. Sempre que possível, ilustrações de símbolos importantes mencionados na gravação foram adicionadas. Ruídos de fundo, como os de xingamentos, agressões e tabefes entre os dois locutores, não foram transcritos. O autor não assegura a autenticidade do registro. Parece impossível que seja verdade o que dizem os dois jovens narradores, mas você, leitor, deverá decidir por si.

1. Uma morte na Agulha

C A R T E R

TEMOS APENAS ALGUMAS HORAS, por isso escute com atenção.

Se você está ouvindo esta história, já corre perigo. Sadie e eu podemos ser sua única chance.

Vá para a escola. Encontre o armário. Não vou dizer que escola ou que armário, porque, se você é a pessoa certa, vai encontrá-los. A combinação é 13/32/33. Quando você terminar de ouvir a gravação, vai saber o que esses números significam. Lembre-se apenas de que a história que estamos começando a contar ainda não terminou. O final vai depender de você.

O mais importante: quando abrir o embrulho e descobrir o que há dentro dele, *não* o guarde por mais de uma semana. Sim, será tentador. Mas o que quero dizer é que o que está nele vai lhe dar um poder quase ilimitado. E, se você ficar com ele por muito tempo, isso o consumirá. Domine rapidamente seus segredos e passe-o adiante. Esconda-o para ser achado pela pessoa seguinte, como Sadie e eu fizemos. Depois, prepare-se para ver sua vida ficar bem mais interessante.

Tudo bem, Sadie está me dizendo para parar de enrolar e continuar com a história. Bom, acho que tudo começou em Londres, na noite em que nosso pai explodiu o British Museum.

Meu nome é Carter Kane. Tenho quatorze anos e minha casa é uma mala. Você acha que estou brincando? Desde os meus oito anos, meu pai e eu viajamos pelo mundo. Nasci em Los Angeles, mas meu pai é arqueólogo, por isso seu trabalho o leva a muitos lugares. Vamos principalmente ao Egito, que é sua especialidade. Entre em uma livraria e encontre um livro sobre o Egito: há uma boa chance de que tenha sido escrito pelo Dr. Julius Kane. Quer saber como os egípcios tiravam o cérebro das múmias, construíram as pirâmides ou amaldiçoaram a tumba do Rei Tut? Meu pai tem a resposta. É claro, há outros motivos para ele ter mudado tanto de lugar, mas naquela época eu ainda não sabia seu segredo.

Não frequentei a escola. Meu pai me dava aulas em casa (se bem que não havia uma casa). Ele me ensinou o que considerava importante, por isso aprendi muito sobre o Egito, sobre estatísticas de basquete e sobre seus músicos favoritos.

Eu também leio muito — qualquer coisa que caia nas minhas mãos, dos livros de história de meu pai a romances de fantasia —, porque passo bastante tempo sentado em hotéis, aeroportos e sítios de escavação em países onde não conheço ninguém. Meu pai estava sempre me dizendo para deixar o livro de lado e ir jogar bola. Você já tentou encontrar alguém para bater uma bolinha em Assuã, no Egito? Não é fácil.

Enfim, meu pai me treinou desde cedo para manter todos os meus pertences em uma única mala que caiba no compartimento de bagagens acima do assento nos aviões.

Ele fazia o mesmo, mas tinha direito a uma bolsa extra, do tipo carteiro, para suas ferramentas arqueológicas. Regra número 1: eu não estava autorizado a espiar sua bolsa de trabalho. Essa é uma regra que eu nunca havia quebrado, até o dia da explosão.

Aconteceu na véspera do Natal. Estávamos em Londres, para o dia de visita a minha irmã, Sadie.

Entenda: meu pai só podia passar dois dias por ano com ela — um no inverno, um no verão —, porque nossos avós o odeiam. Depois que nossa mãe morreu, os pais dela (nossos avós) moveram uma grande batalha judicial contra meu pai. Após seis advogados, duas brigas de socos e um ataque quase fatal com uma espátula (nem me pergunte!), meus avós conquistaram o direito de manter Sadie com eles na Inglaterra. Ela só tinha seis anos, dois a menos que eu, e eles não podiam ficar com nós dois — ou essa foi a desculpa que deram para não ficar comigo também. Assim, Sadie cresceu nos colégios britânicos, e eu viajei pelo mundo com meu pai. Só a víamos duas vezes por ano, situação que, para mim, estava boa.

[Cale a boca, Sadie. Sim... já vou chegar a essa parte.]

Então, bem, meu pai e eu tínhamos acabado de aterrissar em Heathrow depois de alguns atrasos. Era uma tarde fria e úmida. No táxi, durante todo o trajeto até a cidade, meu pai parecia um pouco nervoso.

Papai é um homem bem grande. Era difícil imaginar algo que pudesse deixá-lo tenso. Ele tem a pele marrom-escura como a minha e olhos castanhos penetrantes, é careca e usa um cavanhaque, o que o deixa com jeito de "cientista do mal". Naquela tarde, ele estava de casaco e com seu melhor terno, marrom, que costumava usar para as palestras. Normalmente, ele transmite tamanha confiança que domina qualquer ambiente onde entra, mas, às vezes — como naquela tarde —, eu via outro lado dele que não conseguia entender. Meu pai olhava insistentemente para trás, como se estivéssemos sendo seguidos.

— Pai? — disse quando saíamos da A-40. — Algum problema?

— Nem sinal deles — resmungou ele. Deve ter percebido que tinha falado alto, porque depois me olhou meio assustado. — Não é nada, Carter. Está tudo bem.

Aquilo me incomodou, porque meu pai mentia muito mal. Eu sempre sabia quando ele estava escondendo algo, mas também sabia que poderia insistir à vontade e nunca conseguiria arrancar dele a verdade. Provavelmente, estava tentando me proteger, embora eu não soubesse de quê. Às vezes, eu me perguntava se ele teria algum segredo sombrio em seu passado, talvez algum antigo inimigo que o perseguia. Mas a ideia parecia ridícula. Meu pai era só um arqueólogo.

Outra coisa que me incomodava: papai estava agarrado à bolsa com o material de trabalho. Com frequência, quando ele faz isso, significa que estamos em perigo. Como quando atiradores invadiram nosso hotel no Cairo. Ouvi disparos no saguão e desci correndo para ver se havia acontecido algo com meu pai. Quando cheguei lá, ele estava totalmente tranquilo, fechando o zíper da bolsa, enquanto três atiradores inconscientes balançavam no ar, pendurados pelos pés no lustre, as cabeças cobertas pelas túnicas e, à mostra, as cuecas samba-canção. Papai disse não ter visto nada, e, no fim, a polícia atribuiu a ocorrência a um curto-circuito no lustre.

Em outra ocasião, fomos pegos no meio de um tumulto em Paris. Meu pai escolheu um carro estacionado perto de nós, empurrou-me para dentro, para o banco traseiro, e me disse que ficasse abaixado. Eu me joguei no piso do automóvel e mantive os olhos bem fechados. Podia ouvir meu pai no assento do motorista, vasculhando sua bolsa de trabalho, resmungando algo para si mesmo enquanto a multidão gritava e destruía coisas do lado de fora. Alguns minutos mais tarde, ele me disse que podíamos sair, que era seguro. Todos os outros carros no quarteirão haviam sido virados e incendiados. Já o nosso estava lavado e polido, com várias notas de vinte presas sob os limpadores de para-brisa.

De qualquer maneira, passei a respeitar aquela bolsa. Era nosso amuleto da sorte. E quando papai a mantinha por perto, significava que íamos mesmo precisar de sorte.

Atravessamos o centro da cidade rumo a leste, na direção da casa de meus avós. Passamos pelos portões dourados do Palácio de Buckingham e pela grande coluna de pedra na Trafalgar Square. Londres é um lugar muito legal, mas, depois de viajar por tanto tempo, todas as cidades começam a se misturar. Quando eu conheço outras crianças, elas costumam dizer: "Puxa, você tem sorte por viajar tanto." Mas o caso é que não passávamos o tempo conhecendo os lugares, nem tínhamos muito dinheiro para viajar com estilo. Já tínhamos estado em locais bem ruins, e raramente ficávamos por mais de alguns dias. Na maior parte do tempo, era como se fôssemos fugitivos, não turistas.

Quer dizer, ninguém podia imaginar que o trabalho do meu pai era perigoso. Ele faz palestras sobre assuntos como "A magia do Egito pode realmente matar você?", "As punições preferidas no mundo inferior egípcio" e outros pelos quais a maioria das pessoas não se interessa. Mas, como eu disse, ele tem aquele outro lado. Meu pai é sempre muito cauteloso, verifica cada quarto de hotel antes de entrarmos. Ele entra depressa em um museu, examina seus artefatos, faz as anotações e sai ainda mais rapidamente, como se tivesse medo de ser detectado pelas câmeras de segurança.

Uma vez, quando eu era mais novo, atravessamos correndo o aeroporto Charles de Gaulle para pegar um voo de última hora, e meu pai não relaxou até que o avião decolasse. Perguntei, objetivamente, do que ele estava fugindo, e ele me olhou como se eu tivesse acabado de remover o pino de uma granada. Por um segundo, tive medo de que me dissesse a verdade. No entanto, ele respondeu: "Carter, não é nada." Como se "nada" fosse a coisa mais terrível do mundo.

Depois disso, decidi que talvez fosse melhor não fazer perguntas.

Meus avós, os Faust, moram em um condomínio perto de Canary Wharf, bem às margens do rio Tâmisa. O táxi parou junto ao meio-fio e meu pai pediu que o motorista esperasse.

Estávamos na metade da calçada quando papai parou. Ele se virou e olhou para trás.

— O que é? — perguntei.

Então, eu vi o homem com o casaco comprido. Ele estava do outro lado da rua, apoiado em uma grande árvore morta. Era gordo, com pele da cor de café torrado. O casaco e o terno preto de risca de giz pareciam caros. Os cabelos longos estavam presos em uma trança e ele usava um chapéu Fedora, que de tão baixo no rosto encostava nos óculos escuros redondos. Ele me lembrava um daqueles músicos de jazz a que meu pai sempre me levava para assistir. Eu não conseguia ver seus olhos, mas tinha a impressão de que estavam focados em nós. Talvez fosse um velho amigo ou colega de papai. Qualquer que fosse nosso destino, meu pai sempre encontrava conhecidos. Mas achei estranho o homem estar esperando ali, do lado de fora da casa de meu avô. E ele não parecia muito satisfeito.

— Carter — disse meu pai —, entre na frente.

— Mas...

— Vá buscar sua irmã. Eu encontro vocês no táxi.

Ele atravessou a rua para ir ao encontro do homem de casaco comprido, o que me deixava com duas possibilidades: segui-lo e descobrir o que estava acontecendo ou fazer o que ele tinha mandado.

Decidi pelo caminho menos perigoso. Fui buscar minha irmã.

Antes que eu pudesse sequer bater, Sadie abriu a porta.

— Atrasado, como sempre.

Ela segurava sua gata, Muffin, que tinha sido um presente de "despedida" de meu pai seis anos antes. Muffin parecia não crescer nem envelhecer. Seu pelo era amarelo e preto, como um leopardo em miniatura, os olhos amarelos eram atentos e as orelhas pontudas pareciam grandes demais para sua cabeça. Um pingente egípcio prateado enfeitava sua coleira. A gata não se parecia muito com um *muffin*, mas Sadie era pequena quando escolheu o nome, então acho que devemos relevar.

Sadie também não havia mudado muito desde o último verão.

[Ela está aqui do meu lado enquanto gravo, olhando para mim de cara feia, por isso acho melhor tomar cuidado ao descrevê-la.]

Você nunca diria que ela é minha irmã. Para começar, ela mora em Londres há tanto tempo que já tem certo sotaque britânico. Depois, ela puxou à nossa mãe, que era branca, por isso tem a pele muito mais clara que a minha. Seus cabelos são lisos, cor de caramelo — não exatamente louros, mas claros —, e ela costuma fazer mechas com cores vibrantes. Naquele dia, tinha mechas vermelhas do lado esquerdo. Seus olhos são azuis. Estou falando sério! Olhos *azuis*, como os de nossa mãe. Ela só tem doze anos, mas é tão alta quanto eu, o que é realmente irritante. Sadie mascava chiclete, como sempre, e a roupa que escolheu para passar o dia com papai foi jeans surrados, jaqueta de couro e coturnos — parecia pronta para ir a um show de rock e pisotear algumas pessoas. Os fones de ouvido iam pendurados no pescoço, caso nós a entediássemos muito.

[Bem, ela não me bateu, o que significa que devo ter feito um bom trabalho ao descrevê-la.]

— Nosso voo atrasou — expliquei a ela.

Sadie estourou uma bola de chiclete, afagou a cabeça de Muffin e jogou a gata para dentro de casa.

— Vó, estou saindo!

De algum lugar da casa, vovó Faust disse alguma frase que não consegui ouvir, provavelmente "Não os deixe entrar!"

Sadie fechou a porta e me olhou como se eu fosse um rato morto que sua gata levara para ela.

— Então, aqui estão vocês outra vez.

— É.

— Vamos, então — suspirou Sadie. — Vamos logo com isso.

Ela era assim. Nada de "Oi! Como passou os últimos seis meses? Que bom vê-lo!" ou coisa parecida. Mas eu não me incomodava com isso. Quando você só vê a outra pessoa duas vezes ao ano, ela acaba parecendo mais um primo distante que uma irmã. Não tínhamos absolutamente nada em comum, exceto pai e mãe.

Nós descemos a escada. Eu ia pensando que o perfume de Sadie me lembrava uma combinação de casa de pessoas velhas e chiclete, quando ela parou tão de repente que me choquei contra ela.

— Quem é aquele? — perguntou.

Eu quase tinha esquecido o sujeito de casaco comprido. Papai e ele permaneciam em pé do outro lado da rua, ao lado da árvore grande, e pareciam estar no meio de uma discussão muito séria. Meu pai estava de costas para nós, não dava para enxergar seu rosto, mas eu via que ele gesticulava bastante, como faz quando está agitado. O outro homem fez cara feia e balançou a cabeça negativamente.

— Não sei — respondi. — Ele estava ali quando descemos do táxi.

— Parece que o conheço. — Sadie franziu a testa, como se tentasse lembrar. — Vamos.

— Papai disse que esperássemos no táxi — avisei, mesmo sabendo que era inútil: Sadie já estava andando.

Em vez de atravessar logo a rua, ela disparou pela calçada por meio quarteirão, abaixando-se atrás dos automóveis, depois atravessou para o outro lado e ficou encolhida atrás de um muro baixo de pedras. Então começou a se aproximar de nosso pai sorrateiramente. Eu não tinha alternativa se não fazer o mesmo, embora me sentisse meio estúpido agindo daquela maneira.

— Seis anos na Inglaterra e ela pensa que é James Bond — resmunguei.

Sadie fez um gesto de desdém, como se espantasse uma mosca, sem olhar para trás, e continuou se movendo.

Mais alguns passos e estávamos atrás da grande árvore morta. Eu ouvi meu pai falando do outro lado.

— ... é necessário, Amós. Você sabe que essa é a atitude correta.

— Não — respondeu o outro homem, que devia ser Amós. A voz era grave e firme, bastante obstinada. O sotaque era americano. — Se *eu* não o impedir, Julius, *eles* o impedirão. O Per Ankh está atrás de você.

Sadie se virou para mim e moveu os lábios formando as palavras: "Per o quê?"

Eu balancei a cabeça, tão confuso quanto ela.

— Vamos sair daqui — cochichei, porque achava que seríamos notados a qualquer momento, e estaríamos muito encrencados.

Sadie me ignorou, é claro.

— Eles não sabem dos meus planos — disse meu pai. — E quando descobrirem alguma coisa...

— E as crianças? — perguntou Amós.

Os pelos da minha nuca se arrepiaram.

— E quanto a elas? — insistiu ele.

— Já tomei providências para protegê-las — respondeu papai. — Além disso, se eu não fizer nada todos estaremos em perigo. Agora deixe-nos.

— Não posso, Julius.

— É o que você quer, me enfrentar? — O tom de meu pai tornou-se definitivamente sério. — Não poderia me vencer, Amós.

Eu não via meu pai recorrer à violência desde o Incidente da Grande Espátula, e não estava muito ansioso para assistir *àquilo* de novo, mas os dois homens pareciam estar indo na direção de um confronto.

Antes que eu pudesse reagir, Sadie se levantou e gritou:

— Papai!

Meu pai pareceu surpreso ao ser abraçado, mas não tanto quanto o outro homem, Amós. Ele recuou tão depressa que tropeçou no próprio casaco.

O homem tinha tirado os óculos, e não pude deixar de pensar que Sadie estava certa: ele parecia familiar, como uma lembrança muito distante.

— Eu... Eu preciso ir — anunciou Amós.

Ele ajeitou o chapéu na cabeça e se afastou apressadamente pela rua.

Nosso pai observou enquanto o homem ia embora, com um braço sobre os ombros de Sadie e uma das mãos no interior de sua bolsa de trabalho, pendurada no ombro. Finalmente, quando Amós dobrou a esquina e desapareceu, papai relaxou. Ele tirou a mão de dentro da bolsa e sorriu para Sadie.

— Oi, meu bem.

Sadie se afastou e cruzou os braços.

— Ah, agora é *meu bem*, não é? Você está atrasado. O Dia da Visita do Papai está quase acabando! E o que foi isso? Quem é Amós, e o que é Per Ankh?

Papai ficou tenso. Ele me olhou como se tentasse perceber quanto da conversa havíamos escutado.

— Não é nada — respondeu ele, tentando soar animado. — Planejei uma tarde maravilhosa. O que acham de uma visita especial ao British Museum?

Sadie afundou-se no banco traseiro do táxi, entre mim e meu pai.

— Não acredito nisso — resmungou ela. — Só temos algumas horas juntos e você quer fazer pesquisa.

Papai tentou sorrir.

— Meu bem, vai ser divertido. O curador da coleção egípcia nos convidou pessoalmente...

— Certo, grande surpresa. — Sadie soprou a franja de mechas vermelhas para longe dos olhos. — Véspera de Natal, e vamos ver relíquias egípcias emboloradas. Você nunca pensa em outra coisa?

Papai não ficou zangado. Ele nunca se zanga com Sadie. Simplesmente olhou pela janela, para o céu escuro e para a chuva.

— Sim — respondeu ele em voz baixa. — Eu penso.

Sempre que papai ficava assim quieto, olhando para o nada, eu sabia que ele estava pensando em nossa mãe. Nos últimos meses isso tinha acontecido bastante. Eu entrava no quarto de hotel e o encontrava com o celular na mão, a foto de mamãe sorridente olhando-o da tela — os cabelos dela presos sob um lenço, os olhos azuis brilhando muito na paisagem do deserto.

Ou estávamos em algum sítio de escavação e eu percebia papai olhando para o horizonte. Sabia que ele estava lembrando como a conhecera: dois jovens cientistas no Vale dos Reis, em uma escavação cujo propósito era encontrar a tumba perdida. Papai era egiptólogo. Mamãe era antropóloga e procurava DNA antigo. Ele tinha contado essa história mil vezes.

Nosso táxi seguia pela margem do Tâmisa. Quando passamos pela ponte Waterloo, meu pai ficou repentinamente tenso.

— Motorista — chamou ele —, pare aqui um instante.

O motorista parou na margem Victoria.

— O que é, pai? — perguntei.

Ele saiu do carro como se não tivesse me ouvido. Quando Sadie e eu nos juntamos a ele na calçada, papai estava olhando para a Agulha de Cleópatra.

Caso você nunca tenha visto: a Agulha é um obelisco, não uma agulha, e nada tem a ver com Cleópatra. Acho que os britânicos simplesmente decidiram que o nome soava legal quando levaram o monumento para Londres. O obelisco tem cerca de vinte metros de altura, o que teria sido realmente impressionante no Egito Antigo, mas, no Tâmisa, com todos aqueles edifícios enormes em volta, parecia pequeno e triste. Era possível passar de carro por ele sem sequer perceber que aquilo era alguma coisa milhares de anos mais velha que a cidade de Londres.

— Meu Deus. — Sadie andava em círculos, frustrada. — Precisamos parar em *todos* os monumentos?

Meu pai olhava para o topo do obelisco.

— Eu precisava vê-lo novamente — murmurou ele. — Onde aconteceu...

Um vento gelado soprou do rio. Eu queria voltar para o táxi, mas meu pai estava começando a me deixar realmente preocupado. Eu nunca tinha visto ele tão distraído.

— O que, pai? O que aconteceu aqui? — quis saber.

— Foi o último lugar onde a vi.

Sadie parou de andar. Ela me olhou carrancuda, confusa, depois olhou para nosso pai.

— Espere aí. Está falando da mamãe?

Meu pai ajeitou os cabelos de Sadie atrás de uma orelha, e ela ficou tão surpresa que nem o empurrou.

Eu tinha a sensação de que a chuva tinha me congelado. A morte da minha mãe sempre fora tema proibido. Eu sabia que ela havia morrido em um acidente em Londres. Sabia que meus avós culpavam papai. Mas ninguém jamais tinha nos contado os detalhes. Eu tinha desistido de perguntar a meu pai, em parte porque esse assunto o deixava muito triste, em parte porque ele se recusava a me dizer qualquer coisa.

"Quando você for mais velho", era sua resposta habitual, e a mais frustrante que eu podia ouvir.

— Está dizendo que ela morreu aqui — perguntei —, na Agulha de Cleópatra? O que aconteceu?

Ele abaixou a cabeça.

— Papai! — protestou Sadie. — Eu passo por aqui *todo dia*, e você está dizendo... esse tempo todo... e eu nem *sabia*?

— Você ainda tem sua gata? — perguntou meu pai, e essa parecia ser uma pergunta bem estúpida.

— É claro que ainda tenho minha gata! — respondeu ela. — O que isso tem a ver com o assunto?

— E seu amuleto?

Sadie levou a mão ao pescoço. Quando éramos pequenos, pouco antes da Sadie ir morar com nossos avós, meu pai tinha dado um amuleto egípcio para cada um de nós. O meu era um Olho de Hórus, um símbolo de proteção popular no Egito Antigo.

Na verdade, meu pai diz que o símbolo moderno do farmacêutico, ℞, é uma versão simplificada do Olho de Hórus, porque a medicina tem a função de proteger o homem.

De qualquer maneira, eu sempre levo meu amuleto pendurado no pescoço, sob a camisa, mas imaginava que Sadie havia perdido o dela, ou jogado fora.

Para minha surpresa, ela balançou a cabeça em sentido afirmativo.

— É claro que sim, pai, mas não mude de assunto. A vovó está sempre falando sobre como você causou a morte da mamãe. Isso não é verdade, é?

Nós esperamos. Pela primeira vez, Sadie e eu queríamos exatamente a mesma coisa. A verdade.

— Na noite em que sua mãe morreu — começou meu pai —, aqui na Agulha...

De repente um raio iluminou a margem. Eu me virei, meio cego, e por um momento vi duas figuras: um homem alto e pálido com uma barba bifurcada e túnica cor de creme, e uma garota de pele acobreada em trajes azul-escuros e com um lenço na cabeça — roupas como eu havia visto centenas de vezes no Egito. Eles estavam ali parados, lado a lado, uns cinco metros distantes de nós, observando-nos. Então, a luz desapareceu. As figuras se fundiram num borrão. Quando meus olhos se acostumaram à escuridão, eles tinham desaparecido.

— Hum... — disse Sadie em tom nervoso. — Viu aquilo?

— Entrem no táxi — ordenou meu pai, empurrando-nos na direção do carro. — Não temos muito tempo.

Desse ponto em diante, papai se fechou.

— Esse não é um bom lugar para conversarmos — comentou, olhando para trás. Ele prometeu ao motorista do táxi dez libras a mais se ele nos levasse ao museu em cinco minutos, e o homem não media esforços.

— Pai — tentei —, aquelas pessoas no rio...

— E o outro cara, Amós — acrescentou Sadie. — São da polícia egípcia ou coisa parecida?

— Ouçam, vocês dois, vou precisar da ajuda de vocês esta noite. Sei que é difícil, mas terão de ser pacientes. Prometo que vou explicar tudo, depois que chegarmos ao museu. Farei com que tudo fique bem outra vez.

— Como assim? — insistiu Sadie. — O *que* vai ficar bem?

A expressão de meu pai era mais que triste. Era quase culpada. Senti um arrepio ao pensar no que Sadie dissera: sobre nossos avós culparem papai pela morte da mamãe. Ele *não podia* estar falando sobre isso, podia?

O táxi entrou na rua Great Russell e parou diante da porta principal do museu com um cantar estridente dos pneus.

— Sigam minhas instruções — indicou meu pai. — Quando encontrarmos o curador, ajam com naturalidade.

Eu achava que Sadie nunca se comportava de um jeito *natural*, mas decidi ficar quieto.

Descemos do táxi. Peguei nossa bagagem enquanto papai entregava ao motorista um bolo de dinheiro. Depois, ele fez algo estranho. Jogou um punhado de pequenos objetos no banco traseiro. Pareciam pedrinhas, mas estava muito escuro, eu não podia ter certeza.

— Siga em frente — disse ele ao motorista. — Leve-nos para Chelsea.

Isso não fazia sentido, porque já estávamos fora do carro, mas o motorista pisou no acelerador. Eu olhei para meu pai, depois para o automóvel, e antes que o carro virasse na esquina e sumisse na escuridão, estranhei ver três passageiros no banco traseiro: um homem e duas crianças.

Eu pisquei. Era impossível que o táxi já tivesse parado para pegar outros três passageiros.

— Pai...

— Em Londres os táxis não ficam vazios por muito tempo — comentou ele em tom despreocupado. — Venham, crianças.

Ele já se dirigia para a entrada do museu. Por um segundo, Sadie e eu hesitamos.

— Carter, *o que* está acontecendo?

Eu balancei a cabeça.

— Não sei se quero saber.

— Bem, fique aqui fora, no frio, se quiser, mas *eu* não vou sair daqui sem uma explicação. — Ela se virou e foi atrás de papai.

Pensando bem, eu devia ter corrido. Devia ter arrastado Sadie para longe dali e me afastado o máximo possível. Mas, em vez disso, passei pela porta de entrada.

C
A
R
T
E
R

2. Uma explosão de Natal

Eu já tinha ido ao British Museum antes. Na verdade, já tinha estado em mais museus do que gostaria de admitir. Isso me faz parecer um *nerd* completo.

[Essa é Sadie ao fundo, gritando que eu *sou* um *nerd* completo. Obrigado, irmã.]

Enfim, o museu estava fechado e completamente escuro, mas o curador e dois seguranças esperavam por nós na escada da frente.

— Dr. Kane!

O curador era um sujeitinho engordurado metido num terno barato. Eu já tinha visto múmias com mais cabelos e dentes melhores. Ele apertou a mão do meu pai como se estivesse conhecendo um astro do rock.

— Seu último trabalho sobre Imhotep é brilhante! Não sei como traduziu aqueles encantamentos!

— Im-ho-quem? — cochichou Sadie, a meu lado.

— Imhotep — esclareci. — Alto sacerdote, arquiteto. Alguns dizem que era um mago. Projetou a primeira pirâmide com degraus. Você sabe.

— Não sei — respondeu Sadie. — Não me interessa. Mas, obrigada.

Papai agradeceu ao curador por nos receber em um feriado. Depois, pousou a mão em meu ombro.

— Dr. Martin, quero que conheça Carter e Sadie.

— Ah! Seu filho, obviamente, e... — O curador olhou hesitante para Sadie. — E essa jovenzinha?

— Minha filha — respondeu papai.

O rosto do Dr. Martin ficou inexpressivo por um instante. Não importa quanto as pessoas pensam ser receptivas ou educadas, há sempre aquele momento de confusão quando elas percebem que Sadie faz parte de nossa família. Odeio isso, mas, com o passar dos anos, aprendi a esperar essa reação.

O curador sorriu.

— Sim, sim, é claro. Por aqui, Dr. Kane. É uma honra recebê-lo.

Os seguranças trancaram as portas. Eles pegaram nossa bagagem e um deles estendeu a mão para a bolsa de trabalho de meu pai.

— Ah, não. — Papai reagiu com um sorriso tenso. — Eu levo esta aqui.

Os guardas permaneceram no saguão e nós seguimos o curador até o pátio interno, conhecido como Great Court. Era sombrio à noite. A luminosidade pálida do teto abaulado de vidro espalhava sombras que se cruzavam pelas paredes como uma gigantesca teia de aranha. Nossos passos ecoavam no piso de mármore.

— Então — disse meu pai —, a pedra.

— Sim! — respondeu o curador. — Mas não sei que nova informação poderá extrair dela. A morte já foi exaustivamente estudada. É nosso artefato mais famoso, é claro.

— É claro — concordou meu pai. — Mas você pode se surpreender.

— O que ele está tramando agora? — cochichou Sadie.

Eu não respondi. Tinha um palpite sobre que pedra eles estavam discutindo, mas não conseguia imaginar por que meu pai nos arrastaria para vê-la na véspera do Natal.

Fiquei me perguntando o que ele quase tinha nos dito na Agulha de Cleópatra: alguma coisa sobre nossa mãe e a noite em que ela havia morrido. E por que ele estava sempre olhando em volta, como se esperasse que aquelas pessoas que surgiram do nada na Agulha aparecessem novamente? Estávamos trancados em um museu cercado por guardas e aparato de segurança de alta tecnologia. Ninguém poderia nos incomodar ali... eu esperava.

Viramos à esquerda na ala egípcia. As paredes eram recobertas por grandiosas estátuas de faraós e deuses, mas meu pai passou por elas e caminhou diretamente para a atração principal no centro da sala.

— Linda — murmurou ele. — E não é uma réplica?

— Não, não — garantiu o curador. — Nem sempre mantemos a pedra verdadeira em exposição, mas, para você... Esta é real.

Olhávamos para um pedaço de rocha cinzenta com cerca de noventa centímetros de altura e sessenta de largura. Estava em um pedestal, dentro de uma cápsula de vidro. A superfície plana da pedra tinha sido entalhada com três linhas distintas de escrita. A linha superior era formada por desenhos que compunham a antiga escrita egípcia: hieróglifos. A linha do meio... tive de vasculhar meu cérebro para lembrar como meu pai chamava aqueles sinais: *demótico*, um tipo de escrita do período em que os gregos controlavam o Egito, quando muitas palavras gregas se misturaram ao idioma egípcio. A última linha era em grego.

— A Pedra de Roseta — concluí.

— Isso não é um programa de computador? — perguntou Sadie.

Senti vontade de dizer quanto ela era estúpida, mas o curador me impediu com sua risada nervosa.

— Mocinha, a Pedra de Roseta foi a chave para decifrar os hieróglifos! Foi descoberta pelo exército de Napoleão em 1799 e...

— Ah, tudo bem — interrompeu-o Sadie. — Já lembrei.

Eu sabia que ela só queria encerrar o discurso do curador, mas meu pai não desistia tão fácil.

— Sadie — começou ele —, até a pedra ser descoberta, simples mortais... Ah, quer dizer, ninguém foi capaz de ler os hieróglifos, por séculos. A linguagem escrita do Egito havia sido completamente esquecida. Então, um inglês chamado Thomas Young comprovou que os três idiomas da Pedra de Roseta transmitiam a mesma mensagem. Um francês chamado Champollion se dedicou a esse trabalho e decifrou o código de hieróglifos.

Sadie mascava seu chiclete sem demonstrar qualquer sinal de interesse.

— O que diz a mensagem, então?

Meu pai deu de ombros.

— Nada importante. É, basicamente, uma carta de agradecimento de alguns sacerdotes do Rei Ptolomeu V. Quando foi entalhada, a pedra não tinha grande importância. Mas, com o passar do tempo... Ao longo dos séculos ela se tornou um símbolo poderoso. Talvez a mais importante ligação entre o Egito Antigo e o mundo moderno. Fui tolo por não ter percebido seu potencial antes.

Agora eu estava confuso e, aparentemente, o curador também.

— Dr. Kane? — perguntou ele. — Sente-se bem?

Meu pai respirou profundamente.

— Peço desculpas, Dr. Martin. Estava apenas... pensando alto. Será que pode remover o vidro? E se puder buscar os artigos que solicitei, que integram seus arquivos...

Dr. Martin assentiu. Ele digitou um código em um pequeno controle remoto e a frente do vidro se abriu com um estalo.

— Vou precisar de alguns minutos para ir buscar as anotações — disse o Dr. Martin. — Se fosse qualquer outra pessoa, eu hesitaria em permitir acesso irrestrito à pedra, mas sei que você vai ser muito cuidadoso.

Ele olhou para nós como se pudéssemos criar problemas, Sadie e eu.

— Seremos todos muito cuidadosos — prometeu papai.

Assim que os passos do Dr. Martin se afastaram por um corredor, meu pai olhou para nós com uma expressão muito agitada.

— Crianças, isso é muito importante. Vocês precisam sair desta sala e ficar lá fora.

Ele tirou do ombro a alça da bolsa de trabalho e a abriu apenas o suficiente para pegar nela uma corrente de prender bicicleta e um cadeado.

— Sigam o Dr. Martin. Vão encontrar o escritório dele no final do Grand Court, à esquerda. Só há uma entrada. Quando estiverem lá, passem esta corrente por dentro dos puxadores da maçaneta e prendam com o cadeado. Precisamos atrasá-lo.

— Quer que tranquemos o curador no escritório? — perguntou Sadie, subitamente interessada. — Brilhante!

— Pai, o que está acontecendo? — eu quis saber.

— Não temos tempo para explicações — disse ele. — Esta será nossa única chance. Eles estão vindo.

— Quem está vindo? — indagou Sadie.

Papai segurou os ombros dela.

— Meu bem, eu amo você. E sinto muito... Lamento por muitas coisas, mas não temos tempo agora. Se isso der certo, prometo que farei tudo ser muito melhor para nós todos. Carter, você é meu homem valente. Precisa confiar em mim. Lembrem-se, tranquem o Dr. Martin. Depois, fiquem longe daqui!

Acorrentar a porta do escritório do curador foi fácil. Mas, assim que terminamos o trabalho, olhamos para o caminho que havíamos percorrido até ali e vimos uma luz azul surgindo da galeria egípcia, como se nosso pai tivesse instalado nela um gigantesco aquário cintilante.

Sadie olhou para mim.

— Sinceramente: tem alguma ideia sobre o que ele está tramando?

— Nenhuma. Mas ele tem se comportado de um jeito estranho ultimamente. Tem pensado muito na mamãe. Ele guarda a foto dela...

Eu não queria dizer mais nada. Felizmente, Sadie assentiu, indicando que havia entendido.

— O que ele carrega naquela bolsa?

— Não sei. Ele me disse que nunca olhasse dentro dela.

Sadie ergueu uma sobrancelha.

— E você nunca olhou? Meu Deus, é bem sua cara, mesmo, Carter! Você não tem jeito!

Eu queria me defender, mas, nesse momento, um tremor sacudiu o chão. Assustada, Sadie agarrou meu braço.

— Ele disse que devíamos ficar longe daquela sala. Suponho que vá obedecer a essa ordem também.

Na verdade, essa ordem parecia perfeitamente boa para mim, mas Sadie saiu correndo, e, depois de um instante, eu decidi segui-la.

Quando chegamos à entrada da galeria egípcia, paramos de repente. Nosso pai estava em pé diante da Pedra de Roseta, de costas para nós. Um círculo azul brilhava no chão, em volta dele, como se alguém tivesse acendido tubos de neon escondidos sob o piso.

Meu pai tinha tirado o casaco. A bolsa carteiro estava aberta a seus pés, revelando uma caixa de madeira de uns sessenta centímetros de comprimento decorada com imagens egípcias.

— O que ele está segurando? — cochichou Sadie. — Aquilo é um bumerangue?

Com toda certeza, quando meu pai levantou a mão, ele brandia uma espécie de bastão encurvado. Parecia um bumerangue. Mas, em vez de arremessar o objeto, ele o encostou na Pedra de Roseta. Sadie prendeu o fôlego. Meu pai estava *escrevendo* na pedra. Onde o bumerangue encostava, linhas azuis cintilantes surgiam no granito. Hieróglifos.

Não fazia sentido. Como ele podia escrever palavras cintilantes com um bastão? Mas a imagem era clara e brilhante: chifres de carneiro sobre um quadrado e um X.

— *Abra* — murmurou Sadie.

Eu olhei para ela, porque tive a impressão de que minha irmã tinha traduzido a palavra, mas isso era impossível. Eu vivia com meu pai havia anos e não conseguia ler mais do que alguns poucos hieróglifos. Era algo muito difícil de aprender.

Meu pai levantou os braços. Ele entoou: "*Wo-seer, i-ei*", e mais dois símbolos hieroglíficos surgiram azuis e brilhantes na superfície da Pedra de Roseta.

Mesmo perplexo, reconheci o primeiro. Era o nome do deus egípcio da morte.

— Wo-seer — sussurrei. Jamais ouvira pronunciado daquele jeito, mas sabia que o significado era o mesmo. — Osíris.

— *Osíris, venha* — disse Sadie, como se estivesse em transe. Então, seus olhos se arregalaram. — Não! — gritou ela. — Papai, não!

Nosso pai se virou, surpreso.

— Crianças... — começou a dizer.

Mas era tarde demais. O chão tremeu. A luz azul se tornou assustadoramente branca, e a Pedra de Roseta explodiu.

Quando recuperei a consciência, a primeira coisa que ouvi foi uma risada — um som horrível, eufórico — misturada ao alarme do museu.

Eu me sentia como se tivesse sido atropelado por um trator. Estava tonto, e cuspi um pedaço da Pedra de Roseta. A galeria estava em ruínas. Ondas de fogo tremulavam em poças no chão. Estátuas gigantescas estavam caídas. Sarcófagos haviam sido derrubados de seus pedestais. Pedaços da Pedra de Roseta haviam sido arremessados em todas as direções com tanta força que se cravaram nas colunas, nas paredes e nos artefatos expostos.

Sadie estava desmaiada a meu lado, mas não parecia ferida. Eu a sacudi, segurando seus ombros.

— Ugh — resmungou ela.

Diante de nós, onde antes estivera a Pedra de Roseta, havia agora um pedestal fumegante, destruído. O piso estava coberto por uma fuligem escura, exceto pelo círculo azul e brilhante em torno de nosso pai.

Ele olhava em nossa direção, mas não parecia estar olhando para nós. Um corte em sua cabeça sangrava. Ele segurava o bumerangue com força.

Eu não entendia o que ele estava olhando. Então, a horrível gargalhada ecoou novamente pela sala, e percebi que ela soava à direita, à minha frente.

Havia alguma coisa entre meu pai e nós. No início, quase não consegui distinguir — era apenas um calor, uma energia tremulante. Quando me concentrei, porém, pude enxergar uma forma vaga: o nebuloso contorno de um homem de fogo.

Ele era mais alto que papai, e sua gargalhada era cortante, assustadora.

— Bom trabalho — disse ele. — Muito bom trabalho, Julius.

— Você não foi invocado! — A voz de meu pai tremia.

Ele levantou o bumerangue, mas o homem estalou um dedo e o bastão voou de sua mão, estilhaçando-se contra uma parede.

— Eu nunca sou invocado, Julius — respondeu o homem em voz baixa. — Mas quando você abre a porta, deve estar preparado para receber visitas.

— Volte para o Duat! — ordenou meu pai com firmeza. — Eu tenho o poder do Grande Rei!

— Ah, que medo — respondeu o homem de fogo em tom debochado. — Mesmo que soubesse usar esse poder, e você não sabe, ele nunca me dominou. Eu sou o mais forte. Agora vai ter o mesmo destino que ele.

Eu não conseguia entender nada, mas sabia que devia ajudar meu pai. Tentei pegar o fragmento de pedra mais próximo de mim, mas estava tão apavorado que sentia meus dedos imóveis, paralisados. Minhas mãos para nada serviam.

Papai olhou para mim como se dissesse: *Saia*. Percebi que ele se esforçava para manter o homem de costas para nós, esperando que Sadie e eu escapássemos sem sermos notados.

Sadie ainda estava atordoada. Consegui arrastá-la para trás de uma coluna, para as sombras. Quando ela começou a protestar, cobri sua boca com a mão. Isso a despertou completamente. Ela viu o que acontecia e parou de lutar contra mim.

Alarmes soaram. O fogo bloqueava as portas da galeria. Os seguranças deviam estar a caminho, mas eu não sabia se isso era bom para nós.

Meu pai se abaixou, mantendo os olhos fixos no inimigo, e abriu a caixa de madeira pintada. Tirou dela uma vareta parecida com uma régua. Murmurou algumas palavras, e a vareta se transformou em um cajado do tamanho dele.

Sadie sufocou um grito. Eu também não conseguia acreditar no que via, mas as coisas ficaram ainda mais esquisitas.

Papai jogou o cajado aos pés do homem, e a coisa se transformou em uma enorme serpente — três metros de comprimento e tão larga quanto eu —, com escamas acobreadas e olhos vermelhos e brilhantes. Ela atacou o homem, que a agarrou pelo pescoço sem esforço algum. A mão do homem explodiu em chamas, e a cobra queimou até virar cinzas.

— Um truque velho, Julius — debochou o homem de fogo.

Meu pai olhou para nós, silenciosamente nos incentivando a fugir. Parte de mim se negava a acreditar que aquilo fosse real. Talvez eu estivesse inconsciente, tendo um pesadelo. A meu lado, Sadie pegou um fragmento de pedra.

— Quantos? — perguntou meu pai ao homem de fogo, tentando desviar sua atenção de nós. — Quantos eu libertei?

— Bem, os cinco — respondeu ele, como se explicasse alguma coisa para uma criança. — Você devia saber que formamos um grupo, Julius. Logo eu libertarei ainda mais, e todos eles serão muito gratos. Serei nomeado rei outra vez.

— Os Dias do Demônios — lembrou meu pai. — Eles o deterão antes que o fim chegue.

O homem de fogo riu.

— Acha que a Casa pode me deter? Aqueles velhos tolos não conseguem nem parar de discutir entre eles. Deixe que a história seja agora recontada. E, desta vez, você *jamais* se reerguerá!

O homem de fogo moveu a mão. O círculo azul em torno de meu pai ficou escuro. Papai tentou agarrar a caixa de ferramentas, mas ela deslizou pelo chão.

— Adeus, Osíris — disse o homem de fogo.

Com outro movimento da mão, ele conjurou um esquife cintilante em torno de nosso pai. No início, era transparente, mas, à medida que papai se debatia e batia contra as laterais, o caixão foi se tornando mais e mais sólido: um sarcófago egípcio dourado cravejado de joias. Meu pai olhou para mim uma última vez e moveu os lábios formando a palavra *fuja*, antes de o caixão afundar no chão, como se o piso tivesse se transformado em água.

— Pai! — gritei.

Sadie arremessou a pedra, mas ela atravessou a cabeça do homem de fogo sem lhe causar dano.

Ele se virou, e por um terrível momento seu rosto apareceu entre as chamas. O que eu vi não fazia sentido. Era como se alguém tivesse sobreposto duas faces diferentes. Uma quase humana, com pele pálida, traços cruéis, angulosos, e olhos vermelhos brilhantes; a outra, como a de um animal de pelagem escura e presas afiadas. Pior que um cachorro, um lobo ou um leão — algum animal que eu jamais tinha visto. Aqueles olhos vermelhos me olharam, e eu soube que ia morrer.

Atrás de mim, passos pesados ecoaram no piso de mármore do Grand Court. Vozes gritavam ordens. Os seguranças, talvez a polícia — mas eles não chegariam a tempo.

O homem de fogo investiu contra nós. Quando ele já estava a poucos centímetros de meu rosto, algo o empurrou para trás. O ar parecia estalar com a eletricidade. O amuleto pendurado em meu pescoço ficou quente a ponto de tornar-se desconfortável.

O homem de fogo sibilou, olhando para mim com mais atenção.

— Então... é *você*.

O prédio tremeu novamente. Do outro lado da sala, parte da parede explodiu num raio brilhante de luz. Duas pessoas passaram pela abertura: o homem e a garota que tínhamos visto na Agulha, suas vestes tremulando. Ambos seguravam cajados.

O homem de fogo rosnou. Ele me olhou uma última vez.

— Em breve, menino.

Então, toda a sala explodiu em chamas. Uma eclosão de calor sugou todo o ar dos meus pulmões e eu caí.

Minha última lembrança é do homem de barba bifurcada e da garota de azul em pé ao meu lado. Ouvi os seguranças gritando, aproximando-se correndo. A garota se debruçou sobre mim e tirou da cintura uma adaga curva.

— Precisamos agir depressa — disse ao homem.

— Ainda não — retrucou ele com alguma relutância. Seu forte sotaque parecia francês. — Devemos ter certeza antes de destruí-los.

Eu fechei os olhos e mergulhei na inconsciência.

S
A
D
I
E

3. Aprisionada com minha gata

[Dê logo a droga do microfone.]

Oi. Aqui é Sadie. Meu irmão é uma droga como contador de histórias. Peço desculpas por isso. Mas agora eu estou aqui, então tudo vai ficar bem.

Vejamos. A explosão. A Pedra de Roseta em um milhão de pedaços. O diabo de fogo. Papai dentro de um caixão. O francês apavorante e a garota árabe com uma faca. Nós dois desmaiados. Certo.

Assim que acordei, a polícia já estava lá, como era de esperar. Eles me separaram do meu irmão. Eu não me incomodei com essa parte. Ele é mesmo chato. Mas me trancaram no escritório do curador por *séculos*. E, sim, eles usaram *nossa* corrente de prender bicicleta para isso. Cretinos.

Eu estava arrasada, é claro. Tinha acabado de ser nocauteada por um sei lá o quê de fogo. Tinha visto meu pai ser encaixotado em um sarcófago e afundar no chão. Tentei contar tudo isso à polícia, mas eles se interessaram? Não.

Pior de tudo: eu sentia um arrepio persistente, como se alguém enfiasse agulhas geladas em minha nuca. Começou quando eu olhei para aquelas palavras azuis e brilhantes que meu pai escrevera na Pedra de Roseta e *soube* o que significavam. Uma doença de família, talvez? Pode o conhecimento dessas chatices sobre o Egito ser hereditário? Com a sorte que eu tenho...

Muito tempo depois de meu chiclete ter perdido o sabor, a policial finalmente me deixou sair do escritório. Não me fizeram perguntas. Apenas me conduziram até uma viatura policial e me levaram para casa. Mesmo então, não tive permissão para explicar nada a meus avós. A policial simplesmente me levou para meu quarto e lá eu esperei. E esperei.

Não gosto de esperar.

Andei de um lado para o outro. Meu quarto não tinha nada de especial, era só um sótão com uma janela, uma cama e uma escrivaninha. Não havia muito o que fazer ali. Muffin farejou minhas pernas e sua cauda se arrepiou como uma escova de dentes. Acho que ela não gosta do cheiro de museus. Ela sibilou e desapareceu embaixo da cama.

— Muito obrigada — resmunguei.

Abri a porta, mas a policial estava em pé do lado de fora.

— O inspetor virá falar com você logo — informou ela. — Por favor, fique lá dentro.

Eu podia ver lá embaixo: apenas um vislumbre rápido de meus avós andando pela sala, retorcendo as mãos, enquanto Carter e o inspetor de polícia conversavam no sofá. Não consegui ouvir o que eles diziam.

— Posso ir ao banheiro? — perguntei à gentil policial.

— Não. — Ela fechou a porta na minha cara.

Como se eu pudesse provocar uma explosão no banheiro. Francamente.

Peguei meu iPod e examinei a *playlist*. Nada me interessava. Aborrecida, eu me joguei na cama. Quando estou distraída demais para a música, a situação é realmente triste. Por que Carter tinha sido o primeiro a falar com a polícia? Isso não era justo.

Mexi no colar que papai tinha me dado. Nunca soube ao certo o significado daquele símbolo. O de Carter era um olho, evidentemente, mas o meu parecia um anjo, ou talvez um robô alienígena assassino.

Por que meu pai perguntou se eu ainda tinha o amuleto? *É claro* que eu ainda o tinha. Era o único presente que ele um dia me dera. Bem, além da

Muffin, e com o comportamento daquela gata, eu não sabia se podia chamá-la mesmo de presente.

Papai praticamente me abandonara quando eu tinha seis anos, afinal. O colar era o único elo que eu tinha com ele. Nos dias bons, eu olhava para o amuleto e me lembrava de papai com carinho. Nos dias ruins (que eram muito mais frequentes), eu o jogava do outro lado do quarto e pisava nele, e amaldiçoava meu pai por não estar por perto, uma atitude que eu achava muito terapêutica. Mas, no final, sempre devolvia o pingente ao meu pescoço.

De qualquer maneira, durante toda aquela esquisitice no museu — e eu não estou inventando nada disso —, o colar tinha ficado *mais quente*. Eu quase o tirei, mas não podia deixar de pensar se ele estava realmente me protegendo de alguma forma.

"Farei tudo ser muito melhor", papai tinha dito com aquela expressão culpada que ele sempre exibe quando está comigo.

Bem, tinha sido um fracasso colossal, pai.

O que ele estava pensando? Eu queria acreditar que tudo não tinha passado de um pesadelo: os hieróglifos brilhantes, o cajado que virava cobra, o caixão. Essas coisas simplesmente não acontecem. Mas eu sabia que não era exatamente assim. Eu não teria sido capaz de sonhar com nada tão horrível quanto o rosto do homem de fogo quando ele se virou para nós. "Em breve, menino", ele tinha dito a Carter, como se pretendesse nos encontrar. Imaginar era suficiente para fazer minhas mãos tremerem. Eu também não conseguia deixar de pensar na parada na Agulha de Cleópatra, em como papai tinha insistido em ver aquele lugar, como se estivesse tomando coragem, como se o que ele pretendia fazer no British Museum tivesse alguma relação com minha mãe.

Meus olhos vagaram pelo quarto e pararam na escrivaninha.

Não, pensei. *Não vou fazer isso.*

Mas eu fui até lá e abri a gaveta. Empurrei para o lado algumas moedas velhas, meu estoque de doces, uma coleção de lições de matemática que eu tinha esquecido de entregar e algumas fotos com minhas amigas Liz e Emma, experimentando chapéus ridículos no Camden Market. E embaixo de tudo isso estava o retrato de mamãe.

Meus avós tinham pilhas de fotos. Eles mantinham um altar para Ruby no armário do corredor: trabalhos de arte que minha mãe tinha feito na infância, suas notas sempre fabulosas, a foto da formatura na universidade, suas joias favoritas. É absolutamente doentio. Eu estava determinada a não ser como eles, a não viver no passado. Mal me lembrava de minha mãe, afinal, e nada podia mudar o fato de ela estar morta.

Mas eu guardava aquela única foto. Mamãe e eu em nossa casa em Los Angeles, logo depois de eu ter nascido. Ela estava em pé na varanda, com o oceano Pacífico atrás, segurando um bebê gordinho e cheio de dobras que um dia cresceria e se tornaria uma pessoa. O bebê nem chamava muita atenção, mas mamãe estava linda, mesmo de short e camiseta velha. Seus olhos eram azuis. Os cabelos louros estavam presos por uma fivela. A pele era perfeita. Comparada à dela, a minha é deprimente. As pessoas sempre dizem que sou parecida com ela, mas eu não conseguia nem ao menos me livrar das espinhas, que dirá parecer assim tão linda e madura.

[Pare de fazer careta, Carter.]

A foto me fascinava porque eu quase não me lembrava do tempo que tivemos juntas. Mas a principal razão para eu guardar aquele retrato era o símbolo na camiseta de minha mãe: um daqueles símbolos de vida — um *ankh*.

☥

Minha mãe, morta, ostentando um símbolo de vida. Nada podia ser mais triste. Mas ela sorria para a câmera como se soubesse um segredo. Como se ela e meu pai compartilhassem uma piada só deles.

Lá no fundo, alguma coisa me incomodava. Aquele homem encorpado no casaco comprido, aquele que estivera conversando com meu pai na frente de casa — ele tinha dito alguma coisa sobre o Per Ankh.

Será que ele estava se referindo ao *ankh* símbolo da vida? E, se sim, o que era um *per*? Não podia ser pera, podia? A fruta?

Eu tinha a sinistra sensação de que, se visse as palavras *Per Ankh* escritas em hieróglifos, saberia o significado.

Guardei a fotografia de mamãe. Peguei um lápis e virei uma das folhas do dever de casa que eu não tinha chegado a entregar. O que aconteceria se eu tentasse *desenhar* as palavras *Per Ankh*? Eu saberia qual era o desenho correto?

Quando encostei o lápis no papel, a porta de meu quarto se abriu.

— Srta. Kane?

Eu me virei e deixei cair o lápis.

Um inspetor de polícia estava parado na porta, sério.

— O que está fazendo?

— Dever de matemática — respondi.

O pé-direito era baixo, por isso o inspetor precisou se abaixar para entrar. Ele vestia um terno de cor neutra, que combinava com os cabelos acinzentados e o rosto pálido.

— Muito bem, Sadie. Sou o inspetor Williams. Vamos conversar, está bem? Sente-se.

Eu não me sentei, nem ele, o que provavelmente o aborreceu. É difícil parecer uma figura de autoridade quando você está curvado como o Quasímodo.

— Fale tudo o que sabe, por favor — pediu ele. — Desde o momento em que seu pai chegou para buscá-la.

— Eu já disse tudo à polícia no museu.

— Conte mais uma vez, se não se importar.

Eu disse tudo de novo. Por que não? A sobrancelha esquerda dele subia cada vez mais, empurrada pelos trechos mais estranhos de meu depoimento, como as letras brilhantes e o cajado que virava serpente.

— Muito bem, Sadie — disse o inspetor. — Você tem uma imaginação incrível.

— Não estou mentindo, inspetor. E acho que sua sobrancelha está tentando fugir.

Ele tentou olhar para as próprias sobrancelhas, depois franziu a testa.

— Escute, Sadie, tenho certeza de que tudo isso é muito difícil para você. Entendo que queira proteger a reputação de seu pai. Mas ele já se foi...

— Foi afundado no chão dentro de um caixão, você quer dizer — insisti. — Ele *não* está morto.

O inspetor Williams abriu as mãos.

— Sadie, eu sinto muito. Mas precisamos descobrir por que ele praticou esse ato de... bem...

— Ato de *quê*?

Ele pigarreou incomodado.

— Seu pai destruiu artefatos muito valiosos e, aparentemente, acabou se matando nesse processo. Gostaríamos muito de saber por quê.

Eu o encarei.

— Está dizendo que meu pai é um terrorista? Você é *louco*?

— Telefonamos para alguns conhecidos de seu pai. Soubemos que o comportamento dele tornou-se estranho depois da morte de sua mãe. Ele se retraiu e desenvolveu certa obsessão por seus estudos, passando mais e mais tempo no Egito...

— Ele é egiptólogo! Você devia estar procurando por ele, em vez de fazer perguntas estúpidas!

— Sadie — começou o inspetor, e sua voz sugeria que ele continha com esforço o impulso de me estrangular. É estranho, eu sempre provoco esse tipo de reação nos adultos. — Existem grupos de terroristas extremistas no Egito, e eles não concordam que artefatos egípcios sejam mantidos em museus de outros países. Essas pessoas podem ter procurado seu pai. Talvez, no estado em que estava, seu pai tenha se tornado alvo fácil para eles. Se tiver ouvido ele mencionar algum nome...

Eu passei por ele e fui até a janela. Estava tão furiosa que não conseguia pensar. Eu me recusava a acreditar que papai estivesse morto. Não, não, não. E um terrorista? Por favor! Por que os adultos eram sempre tão idiotas? Eles sempre repetem "diga a verdade", e quando você diz, eles não acreditam no que ouvem. De que adianta?

Olhei para a rua escura. De repente, aquela sensação de arrepio gelado ficou pior do que nunca. Foquei a árvore morta onde havia encontrado meu pai mais cedo. No mesmo local, sob uma lâmpada da rua, olhando para mim, estava o sujeito do casaco comprido, dos óculos redondos e do chapéu — o homem que meu pai tinha chamado de Amós.

Suponho que eu deveria me sentir ameaçada ao descobrir que um homem me encarava da escuridão da noite. Mas sua expressão era de autêntica preocupação. E ele me parecia *muito* familiar. Era irritante não conseguir lembrar por quê.

Atrás de mim, o inspetor pigarreou.

— Sadie, ninguém a culpa pelo ataque ao museu. Compreendemos que você foi levada ao local contra sua vontade.

Eu me virei para ele.

— Contra minha vontade? Eu tranquei o curador no escritório.

A sobrancelha do inspetor voltou a subir.

— Mesmo assim, você não sabia quais eram as intenções de seu pai. É possível que seu irmão esteja envolvido?

Eu ri.

— Carter? Por favor!

— Então, está determinada a protegê-lo, também. Acha mesmo que ele é seu irmão?

Eu não podia acreditar no que ouvia. Queria socar o nariz dele.

— O que você quer dizer com isso? É porque ele não tem a mesma *aparência* que eu?

O inspetor piscou.

— Eu só quis dizer...

— Eu *sei* o que você quis dizer. É claro que ele é meu irmão!

O inspetor Williams levantou as mãos pedindo desculpas, mas eu ainda estava furiosa. Por mais que Carter me aborrecesse, eu odiava quando as pessoas imaginavam que nós não éramos irmãos, ou quando olhavam meu pai com espanto quando ele dizia que éramos os três da mesma família. As pessoas olhavam para nós como se tivéssemos feito algo errado. O estúpido Dr. Martin no museu. O inspetor Williams. Acontecia o tempo todo, sempre que papai, Carter e eu estávamos juntos. Todas as vezes.

— Sinto muito, Sadie — desculpou-se o inspetor. — Só quero me certificar de distinguir culpados de inocentes. Vai ser mais fácil para todo mundo se você colaborar. Qualquer informação serve. Alguma coisa que seu pai tenha dito. Pessoas que ele tenha mencionado.

— Amós — falei, só para ver como ele reagiria. — Ele encontrou um homem chamado Amós.

O inspetor Williams suspirou.

— Sadie, isso é impossível. E você com certeza sabe disso. Falamos com Amós há menos de uma hora, e ele nos atendeu por telefone, da casa dele em Nova York.

— Ele não está em Nova York! — insisti. — Está bem...

Olhei pela janela e Amós havia desaparecido. Típico.

— Isso não é possível — afirmei.

— Exatamente — o inspetor concordou.

— Mas ele estava aqui! — exclamei. — Quem é ele? Um dos colegas de papai? Como você sabia para onde devia telefonar?

— Sadie, é melhor parar com a farsa.

— *Farsa?*

O inspetor me estudou por um momento, depois ergueu o queixo como se tivesse tomado uma decisão.

— Carter já nos disse a verdade. Não queria incomodá-la, mas ele nos contou tudo. Ele entende que é inútil tentar proteger seu pai agora. É melhor que também coopere conosco, e não haverá nenhuma acusação contra você.

— Você não devia mentir para crianças! — gritei, esperando que alguém me ouvisse lá embaixo. — Carter jamais diria uma palavra contra papai, e eu também não direi!

O inspetor não teve nem a decência de se mostrar constrangido. Ele cruzou os braços.

— Lamento que pense dessa maneira, Sadie. Bem, acho que é hora de descermos... para discutir as consequências com seus avós.

S
A
D
I
E

4. Raptados por alguém não tão estranho

Eu simplesmente adoro reuniões de família. Muito aconchegantes, com as guirlandas de Natal emoldurando a lareira, um delicioso bule de chá e um detetive da Scotland Yard pronto para prender você.

Carter estava encolhido no sofá, abraçado à bolsa carteiro de nosso pai. Não sei por que a polícia permitiu que ele ficasse com aquilo. Devia ser uma prova ou alguma coisa do tipo, mas o inspetor nem parecia notá-la.

Carter parecia horrível — quer dizer, ainda pior do que de costume. Francamente, o menino nunca tinha estado em uma escola de verdade, e ele se vestia como um professor em início de carreira, com calça cáqui, camisa de botões e mocassins nos pés. Ele não é feio, acho. É razoavelmente alto, está em forma, e os cabelos não são tão ruins. Ele tem os olhos do papai, e minhas amigas Liz e Emma até disseram que ele é *sexy* quando viram sua foto, um comentário que devo considerar com certa moderação porque (a) ele é meu irmão e (b) minhas amigas são meio malucas. Com relação às roupas, Carter não saberia reconhecer o que é *sexy* nem que caísse sobre sua cabeça.

[Ah, não olhe para mim desse jeito, Carter. Você sabe que é verdade.]

De qualquer maneira, eu não devia ser tão dura com ele. Meu irmão estava ainda pior do que eu com o desaparecimento de papai.

Vovó e vovô estavam sentados com ele, um de cada lado, e pareciam bem nervosos. O bule de chá e um prato com biscoitos haviam sido deixados sobre a mesa, mas ninguém se servia. O inspetor Williams ordenou que eu me sentasse na única cadeira disponível. Em seguida, começou a andar diante da lareira com ar de grande importância. Dois outros policiais estavam parados diante da porta da frente — a mulher de antes e um guarda grandalhão que não tirava os olhos dos biscoitos.

— Sr. e Sra. Faust — começou o inspetor Williams —, receio termos aqui duas crianças que não querem cooperar.

Vovó mexia na bainha do vestido. É difícil acreditar que ela tenha algum parentesco com nossa mãe. Vovó é frágil e sem cor, como uma pessoa desenhada com palitinhos, enquanto, nas fotos, mamãe parece sempre muito feliz e cheia de vida.

— São só crianças — ela conseguiu dizer. — Certamente, não pode culpá-las.

— *Ah!* — exclamou meu avô. — Isso é ridículo, inspetor. Eles não são responsáveis!

Meu avô é ex-jogador de rúgbi. Ele tem braços grandes, a barriga redonda demais para caber na camisa e olhos fundos, como se alguém os tivesse socado (bem, na verdade, meu pai os socou há alguns anos, mas essa é outra história). A aparência de vovô é assustadora. Normalmente, as pessoas desviam do caminho dele, mas o inspetor Williams não parecia impressionado.

— Sr. Faust — disse ele —, já imaginou como serão as manchetes dos jornais de amanhã? "British Museum atacado. Pedra de Roseta destruída." Seu genro...

— Meu *ex*-genro — corrigiu vovô.

— ... provavelmente foi pulverizado na explosão, ou fugiu, e nesse caso...

— Ele não fugiu! — gritei.

— Precisamos saber onde ele está — continuou o inspetor. — E as únicas testemunhas, seus netos, recusam-se a dizer a verdade.

— Nós *dissemos* a verdade — retrucou Carter. — Papai não está morto. Ele afundou no chão.

O inspetor Williams olhou para meu avô como se dissesse: *Pronto, está vendo?* Depois, ele se virou para Carter.

— Mocinho, seu pai cometeu um ato criminoso. E deixou para vocês as consequências.

— Isso não é verdade! — disparei, ouvindo minha voz tremer de raiva.

Não podia acreditar que papai nos deixaria intencionalmente à mercê da polícia, é claro. Mas a ideia de ser abandonada por ele... bem, talvez eu já tenha mencionado, esse é um assunto delicado para mim.

— Querida, por favor — disse vovô —, o inspetor só está fazendo o trabalho dele.

— Malfeito! — respondi.

— Vamos todos tomar chá — sugeriu vovó.

— Não! — Carter e eu gritamos ao mesmo tempo, o que me fez me sentir mal pela vovó, que praticamente se encolheu no sofá.

— Nós *podemos* denunciá-lo — disse o inspetor, olhando para mim. — Podemos e vamos...

Ele parou de repente. Depois piscou várias vezes, como se tivesse esquecido o que estava fazendo.

Vovô estranhou a atitude do policial.

— *Ah*, inspetor?

— Sim... — o inspetor Williams murmurou sonhador. Ele pôs a mão no bolso e retirou dele um livreto de capa azul: um passaporte americano. E o jogou no colo de Carter. — Você está sendo deportado — anunciou. — Deve deixar o país em vinte e quatro horas. Se precisarmos interrogá-lo novamente, o FBI entrará em contato.

Carter estava boquiaberto. Ele olhou para mim, e eu sabia que não estava imaginando toda aquela situação estranha. O inspetor havia mudado completamente de atitude. Pouco antes se preparava para nos prender, eu estava certa disso, e, de repente, do nada, ele deportava Carter? Até os outros policiais pareciam confusos.

— Senhor? — a policial manifestou-se. — Tem certeza...?

— Quieta, Linley. Vocês dois podem ir.

Os policiais hesitaram até Williams fazer um gesto com a mão, expulsando-os. Então, eles se retiraram e fecharam a porta ao sair.

— Espere aí — disse Carter. — Meu pai desapareceu e você quer que eu deixe o país?

— Ou seu pai está morto ou ele é um fugitivo, filho — respondeu o inspetor. — Deportação é a opção mais generosa. E já foi providenciada.

— Por quem? — quis saber meu avô. — Quem autorizou?

— Foram... — O inspetor adotou novamente aquela expressão estranha, vazia. — Foram as autoridades competentes. Acredite, é melhor do que a detenção.

Carter parecia devastado demais para falar, mas, antes que eu pudesse sentir pena dele, o inspetor Williams olhou para mim.

— E você também, mocinha.

Era como se ele tivesse me atingido com uma marreta.

— Está *me* deportando? — perguntei. — Eu moro aqui!

— É cidadã americana. E, nas atuais circunstâncias, é melhor você voltar para casa.

Eu o encarei sem dizer nada. Não conseguia me lembrar de nenhuma outra casa além daquela em que eu morava. Meus amigos na escola, meu quarto, *tudo* o que eu conhecia estava ali.

— Para onde eu vou?

— Inspetor — minha avó falou com voz trêmula —, isso não é justo. Não creio que...

— Vou lhe dar tempo para se despedir — o inspetor a interrompeu. Depois franziu a testa, como se estranhasse as próprias atitudes. — Eu... preciso ir.

Nada fazia sentido, e o inspetor parecia perceber que tudo ali era absurdo, mas já se dirigia à porta mesmo assim. Quando ele a abriu, eu quase pulei da cadeira, porque o homem de preto, Amós, estava parado do outro lado. Ele tinha se livrado do casaco e do chapéu, mas ainda usava o mesmo terno risca de giz e os mesmos óculos redondos. Seus cabelos trançados reluziam com contas douradas.

Eu achei que o inspetor ia dizer alguma coisa ou manifestar surpresa, mas ele nem reparou na presença de Amós. Apenas passou por ele e caminhou para a noite.

Amós entrou e fechou a porta. Meus avós se levantaram.

— Você — disparou meu avô, furioso. — Eu devia saber. Se fosse mais jovem, ia surrá-lo até deixá-lo no chão.

— Olá, Sr. e Sra. Faust — cumprimentou Amós. Ele olhou para Carter e para mim como se fôssemos problemas que ele devesse solucionar. — É hora de termos uma conversa.

Amós estava bem à vontade. Ele se acomodou no sofá e se serviu de uma xícara de chá. E comeu um biscoito, o que era bem perigoso, porque os biscoitos da vovó eram horríveis.

Eu tinha a impressão de que a cabeça de meu avô ia explodir. Seu rosto estava vermelho-vivo. Ele se aproximou de Amós pelas costas e levantou a mão como se fosse agredi-lo, mas o homem continuou comendo o biscoito.

— Por favor, sentem-se — disse ele.

E todos nós nos sentamos. Isso era o mais estranho — quase como se esperássemos por sua ordem. Até meu avô baixou a mão e deu a volta no sofá. Ele se sentou ao lado de Amós com um suspiro aborrecido.

Amós bebia seu chá e olhava para mim com algum desprazer. Isso não era justo, eu pensei. Eu não tinha uma aparência *tão* ruim, considerando tudo o que tínhamos acabado de passar. Em seguida, ele olhou para Carter e grunhiu.

— O momento é péssimo — resmungou. — Mas não tem outro jeito. Eles terão de vir comigo.

— Como disse? — perguntei. — Não vou a lugar nenhum com um desconhecido com o rosto sujo de biscoito!

Ele realmente tinha migalhas de biscoito no rosto, mas, aparentemente, não se importava, porque nem se deu o trabalho de verificar.

— Não sou um desconhecido, Sadie — disse ele. — Não lembra?

Era assustador ouvi-lo falar comigo daquele jeito tão familiar. Eu sentia que *devia* conhecê-lo. Olhei para Carter, mas ele parecia tão intrigado quanto eu.

— Não, Amós — vovó manifestou-se, tremendo. — Não pode levar Sadie. Temos um acordo.

— Julius rompeu esse acordo hoje — retrucou Amós. — Sabe que não pode mais cuidar de Sadie. Não depois do que aconteceu. A única chance deles é virem comigo.

— Por que iríamos com você a algum lugar? — perguntou Carter. — Você quase brigou com meu pai!

Amós olhou para a bolsa no colo de Carter.

— Vejo que está com a bolsa de seu pai. Isso é bom. Vai precisar dela. Quanto a me meter em brigas, Julius e eu brigávamos muito. Se não percebeu, Carter, eu estava tentando *impedi-lo* de fazer uma bobagem. Se ele tivesse me ouvido, agora não estaríamos nesta situação.

Eu não tinha ideia do que ele estava falando, mas meu avô parecia entender.

— Você e suas superstições! — exclamou ele. — Eu disse que não queríamos nos meter nisso.

Amós apontou para o quintal nos fundos. Pelas portas envidraçadas era possível ver as luzes brilhando sobre o Tâmisa. Era uma vista belíssima à noite, quando não se podia notar quanto alguns edifícios estavam malconservados.

— Superstição, é? — perguntou Amós. — Mas você achou um lugar para morar na margem *leste* do rio.

Vovô ficou ainda mais vermelho.

— Foi ideia de Ruby. Ela achou que isso nos protegeria. Mas Ruby se enganou sobre muitas coisas, não é? Por exemplo, ela confiou em Julius e em você!

Amós parecia inatingível. Ele tinha um perfume interessante — temperos antigos, goma-copal e âmbar, como o cheiro das lojas de incenso em Covent Garden.

Ele terminou de beber seu chá e olhou diretamente para minha avó.

— Sra. Faust, a senhora sabe o que começou. A polícia é a menor de suas preocupações.

Minha avó engoliu em seco.

— Você... *você* mudou o pensamento do inspetor. Você o fez deportar Sadie.

— Era isso ou as crianças irem presas.

— Espere aí — interrompi os dois. — Você *mudou* os pensamentos do inspetor Williams? Como?

Amós deu de ombros.

— Não é nada permanente. Na verdade, precisamos chegar a Nova York na próxima hora, mais ou menos, antes que o inspetor comece a se perguntar por que os deixou escapar.

Carter ria com incredulidade.

— Ninguém consegue ir de Londres a Nova York em uma hora. Nem mesmo o avião mais veloz...

— Não — concordou Amós. — Um avião não consegue. — Ele olhou novamente para vovô como se tudo estivesse resolvido. — Sra. Faust, Carter e Sadie só têm uma opção segura. Sabe disso, não é? Eles irão para a mansão no Brooklyn. Lá poderei protegê-los.

— Você tem uma mansão — disse Carter. — No Brooklyn.

Amós sorriu para ele como se o comentário o divertisse.

— É a mansão da família. Lá vocês estarão seguros.

— Mas nosso pai...

— Vocês nada podem fazer por ele agora — declarou Amós com tristeza. — Lamento, Carter. Explicarei mais tarde, mas posso garantir que Julius ia querer que ficassem em segurança. E, para isso, precisamos ser rápidos. Receio ser tudo o que você tem.

Foi um comentário meio grosseiro, eu achei. Carter olhou para vovô e para vovó. Depois, ele assentiu, triste. Sabia que eles não o queriam por perto. Carter era, para eles, um lembrete constante de nosso pai. E, sim, essa era uma razão estúpida para não acolher o próprio neto, mas era assim.

— Bem, Carter pode fazer o que ele quiser — eu me manifestei. — Mas *eu moro aqui*. E não vou a lugar algum com um estranho, vou?

Olhei para vovó esperando obter apoio, mas ela olhava para as toalhinhas de renda sobre a mesa como se, de repente, elas fossem muito interessantes.

— Vovô, com certeza...

Mas ele também não olhava para mim. Seus olhos estavam fixos em Amós.

— Pode tirá-los do país?

— Espere aí! — protestei.

Amós levantou-se e limpou as migalhas do paletó. Ele caminhou até as portas envidraçadas e olhou para o rio.

— Logo a polícia estará de volta. Digam o que quiserem aos oficiais. Eles não nos encontrarão.

— Você vai nos *raptar*? — perguntei, chocada. Olhei para Carter. — Acredita nisso?

Carter pendurou a bolsa no ombro. Em seguida, ele se levantou como se estivesse pronto para partir. Era possível que só quisesse sair da casa de nossos avós.

— Como planeja chegar a Nova York em uma hora? — perguntou ele a Amós. — Já disse que um avião não poderia...

— Não — concordou Amós. Ele aproximou o dedo da janela embaçada e fez um desenho: outro maldito hieróglifo.

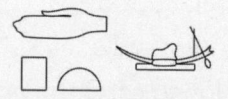

— Um barco — disse eu, percebendo em seguida que tinha traduzido aquilo em voz alta, e eu não deveria saber fazer isso.

Amós olhou para mim por cima dos óculos redondos.

— Como...

— Quis dizer que esse último desenho parece ser de um barco — expliquei, apressada. — Mas não pode ser isso. Seria ridículo.

— Veja! — Carter gritou.

Eu me aproximei dele e da porta que levava aos fundos. No píer, vimos um barco ancorado. Mas não era um barco comum. Não, era um barco egípcio com duas tochas acesas na frente e um grande leme na parte de trás. Uma figura de casaco longo preto com a cabeça coberta por um chapéu — possivelmente Amós — esperava na posição do condutor da embarcação.

Vou confessar que, pela primeira vez, fiquei sem palavras.

— Vamos viajar naquilo — Carter deduziu — para o Brooklyn.

— É melhor irmos logo — disse Amós.

Eu me virei para minha avó.

— Vovó, por favor!

Ela limpou uma lágrima do rosto.

— É para seu bem, minha querida. Leve Muffin.

— Ah, sim — concordou Amós. — Não podemos esquecer a gata.

Ele se dirigiu à escada. Como se atendesse a um chamado, Muffin desceu nesse momento e saltou para meus braços. E ela *nunca* fazia isso.

— Quem é você? — perguntei a Amós. Era evidente que eu não tinha opção, mas queria respostas, pelo menos. — Não podemos simplesmente partir com um desconhecido.

— Não sou um desconhecido. — Amós sorriu para mim. — Sou da família.

E, de repente, eu me lembrei daquele rosto sorrindo, dizendo: "Feliz Aniversário, Sadie". Era uma recordação tão distante que eu quase a tinha esquecido.

— Tio Amós? — perguntei, atordoada.

— Exatamente, Sadie — respondeu ele. — Sou irmão de Julius. Agora, venham comigo. Temos um longo caminho a percorrer.

5. Encontramos o macaco

CARTER FALANDO NOVAMENTE. DESCULPEM. Precisamos desligar o gravador por um tempo porque estávamos sendo seguidos por... bem, vamos falar sobre isso mais tarde.

Sadie estava contando como saímos de Londres, certo?

Então, seguimos Amós até aquele barco esquisito ancorado no píer. Eu carregava a bolsa de nosso pai embaixo do braço. Ainda não conseguia acreditar que ele se fora. Sentia-me culpado por deixar Londres sem ele, mas acreditava em Amós com relação a uma coisa: naquele momento não podíamos ajudar meu pai. Eu não confiava em Amós, mas deduzi que, se quisesse descobrir o que havia acontecido a papai, teria de ir com ele. Ele era o único que parecia saber algo.

Amós entrou no barco egípcio. Sadie o seguiu, mas eu hesitei. Havia visto barcos como aquele no Nilo anteriormente, e eles nunca me pareceram muito sólidos.

A embarcação era feita basicamente de uma trama de fibras vegetais, quase um gigantesco tapete flutuante. E as tochas na frente não eram uma boa ideia, pensei, porque, se não afundássemos, queimaríamos. Na popa, o leme era manejado por um pequeno homem com o casaco e o chapéu de Amós. O chapéu encobria seu rosto, de forma que eu não podia vê-lo. Mãos e pés estavam cobertos pelas sobras do casaco.

— Como essa coisa se move? — perguntei a Amós. — Não há vela.

— Confie em mim. — Ele me estendeu a mão.

A noite era fria, mas, quando entrei no barco, senti a temperatura mais elevada, como se as tochas nos envolvessem com sua luminosidade protetora. No meio do barco havia uma cabana feita de tapetes. No colo de Sadie, Muffin farejou a cabana e ronronou.

— Sentem-se lá dentro — sugeriu Amós. — A viagem pode ser um pouco difícil.

— Vou ficar em pé, obrigada. — Sadie notou o condutor no fundo da embarcação. — Quem é ele?

Amós agiu como se não ouvisse a pergunta.

— Segurem-se, todos!

Ele fez um sinal para o condutor e o barco acelerou.

A sensação era difícil de descrever. Sabe aquele frio na boca do estômago quando você está numa montanha-russa descendo em queda livre? Era mais ou menos assim, exceto por não estarmos caindo e pelo fato de a sensação não passar. O barco se movia a uma velocidade espantosa. As luzes da cidade saíram de foco, e, de repente, fomos tragados por uma névoa densa. Sons estranhos ecoaram na escuridão: sibilos e assobios, gritos distantes, vozes sussurrando em idiomas que eu não entendia.

O frio no estômago transformou-se em náusea. Os sons foram se tornando mais altos, até eu mesmo estar prestes a gritar. Então, subitamente, o barco reduziu a velocidade. Os barulhos cessaram e a neblina se dissipou. As luzes da cidade voltaram, mais brilhantes que antes.

Sobre nós havia uma ponte, muito mais alta que qualquer uma em Londres. Meu estômago revirou lentamente. À esquerda, vi uma silhueta de arranha-céus familiar: o Edifício Chrysler, o Empire State.

— Impossível. Aqui é Nova York.

Sadie parecia tão enjoada quanto eu. Ela ainda segurava Muffin nos braços, e o animal estava de olhos fechados. A gata parecia ronronar.

— Não pode ser — murmurou Sadie. — Só viajamos por alguns minutos.

Mas lá estávamos nós, navegando pelo rio East, passando por baixo da ponte Williamsburg. Nossa viagem chegou ao fim em um pequeno píer na margem do Brooklyn. À nossa frente havia um terreno industrial ocupado por pilhas de restos de metal e por equipamento de construção abandonado. No centro disso tudo, bem perto da água, erguia-se um galpão imenso, uma fábrica coberta de pichações e com as janelas quebradas.

— Isso não é uma mansão — constatou Sadie.

Sua capacidade de percepção era realmente espantosa.

— Olhe novamente. — Amós apontava para o topo do edifício.

— Como... como você... — Minha voz falhou. Eu não sabia ao certo por que não vira antes, mas agora era óbvio: uma mansão de cinco andares em cima do galpão, como mais uma camada em um bolo. — Não pode ter construído uma mansão lá em cima!

— É uma longa história — respondeu Amós. — Mas precisávamos de um local discreto.

— E estamos na margem leste? — quis saber Sadie. — Disse alguma coisa sobre isso em Londres... sobre meus avós morarem na margem leste.

Amós sorriu.

— Sim. Muito bom, Sadie. Nos tempos antigos, a margem leste do Nilo era sempre o lado dos vivos, o lado onde nasce o sol. Os mortos eram enterrados na margem oeste. Era considerado de má sorte, até perigoso, viver lá. A tradição ainda é forte entre... nosso povo.

— Nosso povo? — perguntei, mas Sadie forçou outra questão.

— Então não se pode morar em Manhattan? — disparou.

Amós franziu a testa e olhou para o Empire State.

— Manhattan tem outros problemas. Outros deuses. É melhor mantermos tudo separado.

— Outros o quê? — reagiu Sadie.

— Nada.

Amós passou por nós em direção ao condutor do barco. Ele retirou o casaco e o chapéu do homem... e não havia ninguém ali. O condutor simplesmente não estava ali. Amós pôs o chapéu na cabeça, pendurou o casaco no braço e apontou uma escada de metal que subia em caracol pela lateral do galpão até a mansão no telhado.

— Todos a bordo — disse ele. — E bem-vindos ao Vigésimo Primeiro Nomo.

— Gnomo? — perguntei, quando já subíamos a escada. — Aqueles homenzinhos pequenos?

— Céus, não! — respondeu Amós. — Odeio gnomos. Eles cheiram muito mal.

— Mas você disse...

— *Nomo*, n-o-m-o. Para delimitar uma área, uma região. O termo é dos tempos antigos, quando o Egito era dividido em quarenta e duas províncias. Hoje, o sistema é um pouco diferente. Nós nos tornamos globalizados. O mundo se divide em trezentos e sessenta nomos. O Egito é o primeiro, é claro. A Grande Nova York é o vigésimo primeiro.

Sadie olhou para mim e girou o dedo indicador ao lado da cabeça.

— Não, Sadie — disse Amós sem olhar para trás —, não sou maluco. Você tem muito o que aprender.

Chegamos ao topo da escada. Olhei para a mansão e tive dificuldade de entender o que via. A casa tinha uns quinze metros de altura, pelo menos, e era feita de imensos blocos de calcário com janelas emolduradas em aço. Havia hieróglifos desenhados em torno das janelas, e as paredes eram iluminadas, o que dava à casa uma aparência que misturava museu moderno e templo antigo. Porém, o mais esquisito era que, se eu desviasse o olhar, todo o edifício parecia desaparecer. Tentei várias vezes, só para ter certeza. Se eu olhasse para a mansão pelo canto do olho, ela não estava ali. Eu tinha de me esforçar para meus olhos reencontrarem o foco e a casa, e ainda assim precisava de muita força de vontade.

Amós parou diante da entrada, que era do tamanho de uma porta de garagem: um pesado e escuro quadrado de madeira sem maçaneta ou fechadura aparente.

— Carter, você primeiro.

— Ah, eu... como vou...

— Como você acha?

Ótimo, mais um mistério. Eu estava quase sugerindo que corrêssemos de cabeça contra a porta para ver se dava certo. Então, olhei outra vez e tive uma sensação estranha. Estendi o braço. Lentamente, sem tocar a porta, ergui a mão e ela acompanhou meu movimento: deslizou para cima até desaparecer no teto.

Sadie ficou chocada.

— Como...

— Não sei — admiti, um pouco constrangido. — Sensor de movimento, talvez?

— Interessante. — Amós parecia um pouco perturbado. — Eu não teria resolvido dessa maneira, mas é muito bom. Bom mesmo.

— Obrigado, acho.

Sadie tentou entrar primeiro, mas, assim que pisou na soleira, Muffin miou estridentemente e quase usou as garras para escapar de seus braços.

Minha irmã recuou.

— O que foi isso, gata?

— Ah, é claro — disse Amós. — Peço desculpas. — Ele pôs a mão na cabeça do animal e disse com grande formalidade: — Você pode entrar.

— A gata precisa de permissão? — perguntei.

— Circunstâncias especiais — respondeu Amós, o que não era lá uma grande explicação, mas ele entrou sem dizer mais nada.

Nós o seguimos, e, dessa vez, Muffin ficou quieta.

— Ah, meu Deus... — Sadie estava boquiaberta. Ela olhava para cima, para o teto, e eu tive a impressão de que o chiclete ia cair de sua boca.

— Sim — disse Amós. — Este é o Grande Salão.

A origem do nome era evidente. O teto de vigas de cedro era muito alto, quatro andares, e sustentado por pilares de pedra com hieróglifos gravados. Uma estranha coleção de instrumentos musicais e armas do Egito Antigo decorava as paredes. Três níveis de balcões contornavam a sala, com fileiras de portas que se abriam para a área principal. A lareira era grande o bastante para estacionar nela um carro, com uma televisão de plasma acima do console e enormes sofás de couro dos dois lados. No chão, havia um tapete de pele de cobra, mas tinha uns doze metros de comprimento e uns cinco de largura — maior que qualquer cobra. Do lado de fora, através das paredes de vidro, eu podia ver a varanda que contornava toda a casa. Havia ainda uma piscina, uma sala de jantar e uma fogueira. E, no final do Grande Salão, havia uma porta dupla marcada com o Olho de Hórus e fechada com meia dúzia de cadeados. Eu me perguntava o que poderia haver atrás dela.

Mas o verdadeiro espetáculo era a estátua no centro do Grande Salão. Devia ter uns nove metros de altura e era de mármore negro. Eu podia dizer que era de um deus egípcio, porque a figura tinha corpo humano e cabeça de animal — uma cegonha ou uma garça, com pescoço longo e bico bem comprido.

O deus usava as vestes do estilo antigo, com saia, faixa e colar no pescoço. Ele segurava um estilo em uma das mãos e uma tábua de escriba na outra, como se tivesse acabado de escrever os hieróglifos que ali estavam: o *ankh* — a cruz egípcia — com um retângulo em torno do arco na parte superior.

— É isso! — Sadie exclamou. — Per Ankh!

Eu olhei para ela, incrédulo.

— Muito bem, como consegue ler isso?

— Não sei — respondeu ela. — Mas é óbvio, não é? A parte de cima tem a forma do piso plano de uma casa.

— De onde tirou isso? É só uma caixa.

Mas Sadie estava certa. Eu reconhecia o símbolo, e era *mesmo* a imagem simplificada de uma casa com uma porta, mas isso não devia ser óbvio para a maioria das pessoas, especialmente para uma pessoa chamada Sadie. Mas ela parecia absolutamente certa.

— É uma casa — insistia ela. — E a imagem na parte inferior é o *ankh*, símbolo da vida. Per Ankh: Casa da Vida.

— Muito bem, Sadie. — Amós estava impressionado. — E essa é a estátua do único deus ainda permitido na Casa da Vida... pelo menos, normalmente. Você o reconhece, Carter?

Só então eu percebi: a ave era uma íbis, uma ave ribeirinha do Egito.

— Tot — respondi. — O deus do conhecimento. Ele inventou a escrita.

— Isso mesmo — confirmou Amós.

— Por que as cabeças de animais? — perguntou Sadie. — Todos aqueles deuses egípcios têm cabeças de animais. Eles parecem tão bobos!

— Normalmente, não é essa a impressão que causam — respondeu Amós. — Não na vida real.

— Vida real? — repeti. — Ah, tá! Está falando como se os conhecesse pessoalmente.

A expressão de Amós não me tranquilizou. Ele parecia estar lembrando alguma coisa desagradável.

— Os deuses podem aparecer em muitas formas, é normal que surjam como inteiramente humanos ou animais. Mas, às vezes, eles aparecem na forma híbrida, como essa. São forças primais, uma espécie de ponte entre a humanidade e a natureza. São retratados com cabeças de animais para mostrar que existem em dois mundos diferentes ao mesmo tempo. Entendem?

— Nem um pouquinho — respondeu Sadie.

— *Hum.* — Amós não se mostrava surpreso. — Sim, temos um extenso treinamento pela frente. De qualquer modo, o deus diante de vocês, Tot, fundou a Casa da Vida, da qual esta mansão é o quartel-general na região. Ou era... Sou o único membro remanescente no Vigésimo Primeiro Nomo. Ou *era*, até vocês dois chegarem.

— Espere aí. — Eu tinha muitas perguntas, tantas que nem conseguia pensar por qual começar. — O que é a Casa da Vida? Por que Tot é o único deus permitido nela, e por que você...

— Carter, entendo como se sente. — Amós sorriu com simpatia. — Mas é melhor discutirmos essas questões à luz do dia. Você precisa dormir, e não quero que tenha pesadelos.

— Você acha que vou conseguir dormir?

— *Miau.*

Muffin se espreguiçou nos braços de Sadie e deixou escapar um longo bocejo.

Amós bateu palmas.

— Khufu!

Eu pensei que ele tinha espirrado, porque Khufu é um nome esquisito, mas um homenzinho com uns noventa centímetros de altura, pelos dourados e uma camisa roxa desceu a escada com um jeito engraçado de andar. Levei um segundo para perceber que era um babuíno vestindo uma camiseta dos Los Angeles Lakers.

O babuíno deu um salto e aterrissou em nossa frente. Ele mostrou os dentes e fez um som que era meio rugido, meio arroto. Seu hálito cheirava a Doritos sabor *nacho*.

E tudo que consegui dizer foi:

— Eu torço para os Lakers!

O babuíno bateu com as duas mãos na cabeça e gritou novamente.

— Ah, Khufu gosta de você — constatou Amós. — Vão se dar muito bem.

— Certo. — Sadie parecia atordoada. — Você tem um macaco como mordomo. Por que não?

Muffin ronronou no colo de Sadie, como se o babuíno não a incomodasse em nada.

— *Agh!* — fez o babuíno.

Amós riu.

— Ele quer jogar com você, Carter. Para... saber como você se sai.

Eu me movi, inquieto.

— Ah, sim. É claro. Talvez amanhã. Mas como consegue entender...

— Carter, vai ter que se acostumar com muitas coisas por aqui — disse Amós. — Mas, se quiser sobreviver e salvar seu pai, precisa descansar um pouco.

— Desculpe — interferiu Sadie. — Você disse *sobreviver e salvar seu pai*? Pode ser mais claro?

— Amanhã — respondeu Amós. — Começaremos a orientação de vocês de manhã. Khufu, mostre a eles onde ficam os quartos, por favor.

— *Agh-uhh!* — grunhiu o babuíno.

Ele se virou e caminhou para a escada. Infelizmente, a camiseta dos Lakers não cobria todo seu traseiro colorido.

Estávamos nos preparando para seguir o macaco quando Amós chamou.

— Carter, a bolsa, por favor. Acho melhor trancá-la na biblioteca.

Eu hesitei. Quase havia esquecido a bolsa pendurada em meu ombro, mas aquilo era tudo o que eu tinha de meu pai. Eu não tinha nem nossa bagagem, porque tudo havia ficado no British Museum. Francamente, era surpreendente que a polícia não houvesse levado a bolsa também, mas nenhum dos homens pareceu notá-la.

— Você a terá de volta — prometeu Amós. — Quando chegar a hora.

Ele pedia com educação, mas algo em seus olhos me dizia que, na verdade, eu não tinha escolha.

Entreguei a bolsa. Amós a pegou com cuidado, como se ela estivesse cheia de explosivos.

— Até amanhã.

Ele se virou e seguiu na direção das portas fechadas com cadeados. Elas se destrancaram e abriram apenas o suficiente para Amós passar, sem que pudéssemos ver o que havia do outro lado. Depois, as correntes e os cadeados se trancaram novamente atrás dele.

Eu olhei para Sadie, sem saber o que fazer. Ficarmos sozinhos no Grande Salão com a sinistra estátua de Tot não parecia algo muito divertido, por isso seguimos Khufu escada acima.

Sadie e eu fomos instalados em quartos vizinhos no terceiro andar, e, tenho de admitir, eram mais legais do que qualquer outro lugar onde já me hospedei.

Eu tinha uma minicozinha, estocada com minhas guloseimas preferidas: *ginger ale* [Não, Sadie. Isso não é refrigerante de velho. Fique quieta!], Twix e Skittles. Parecia impossível. Como Amós sabia do que eu gostava? Televisão, computador e som eram de última geração. No banheiro, havia minha marca habitual de creme dental, desodorante, tudo. A cama *king size* também era incrível, embora o travesseiro fosse um pouco estranho. Em vez de um travesseiro de tecido, havia ali um descanso de mármore para cabeça, como os que eu tinha visto nas tumbas egípcias. Era decorado com desenhos de leões e (é claro) mais hieróglifos.

O quarto tinha até um deque de onde se viam o Porto de Nova York, trechos de Manhattan e a Estátua da Liberdade ao longe, mas as portas de correr de vidro estavam trancadas. Essa foi a primeira indicação de que algo estava errado.

Eu me virei para olhar Khufu, mas ele havia desaparecido. A porta do quarto estava fechada. Tentei abri-la, mas estava trancada.

Uma voz abafada soou no quarto vizinho.

— Carter?

— Sadie.

Tentei a porta de comunicação entre os quartos, mas também estava trancada.

— Somos prisioneiros — concluiu ela. — Acha que Amós... Quer dizer, podemos confiar nele?

Depois de tudo o que eu tinha visto naquele dia, não confiava em *nada*, mas podia ouvir o medo na voz de Sadie. E ele desencadeava um sentimento desconhecido em mim, como se eu precisasse acalmá-la. A ideia parecia ridícula. Sadie sempre havia parecido mais corajosa que eu: fazia o que queria, nunca se importava com as consequências. Era eu quem sempre se assustava. Mas, naquele momento, eu sentia que devia desempenhar um papel que não representava havia muito, muito tempo: o de irmão mais velho.

— Vai ficar tudo bem — falei, tentando demonstrar confiança. — Escute, se Amós quisesse nos fazer mal, já teria feito. Tente dormir.

— Carter?

— Sim?

— Foi magia, não foi? O que aconteceu com papai no museu. O barco de Amós. A casa. Tudo isso é magia.

— Acho que sim.

Eu a ouvi suspirar.

— Que bom. Pelo menos não estou ficando maluca.

— Durma bem que o bicho-papão não vem — brinquei. Percebi que não fazia essa brincadeira com Sadie desde que morávamos juntos em Los Angeles, quando mamãe ainda estava viva.

— Sinto falta do papai — disse ela. — Eu quase não o via, eu sei, mas... sinto falta dele.

Meus olhos lacrimejaram, mas eu respirei fundo. Não iria fraquejar desse jeito. Sadie precisava de mim. Papai precisava de nós.

— Nós vamos encontrá-lo — afirmei. — Durma bem.

Agucei os ouvidos, mas o único som que escutei foi Muffin miando e andando pelo quarto, explorando o novo espaço. Pelo menos a gata não parecia infeliz.

Eu me preparei para dormir e fui para a cama. As cobertas eram quentes e confortáveis, mas o travesseiro era estranho demais. Fazia meu pescoço doer, por isso eu o deixei no chão e dormi sem ele.

Meu primeiro grande erro.

CARTER

6. Café da manhã com um crocodilo

COMO DESCREVER? Não foi um pesadelo. Era muito mais real e assustador.

Enquanto eu dormia, senti que não tinha mais peso. Eu flutuava e, quando me virei, vi meu corpo adormecido lá embaixo.

Estou morrendo, pensei. Mas também não era isso. Eu não era um fantasma. Tinha uma nova forma, dourada e cintilante, com asas em vez de braços. Era uma espécie de pássaro. [Não, Sadie, não era uma galinha. Quer me deixar contar a história, por favor?]

Eu sabia que não estava sonhando, porque não sonho em cores. E certamente não sonho com os cinco sentidos. O quarto tinha um suave cheiro de jasmim. Eu podia ouvir as bolhas de gás na lata de refrigerante que eu deixara aberta sobre o criado-mudo. Sentia o vento frio em minhas penas e percebi que as janelas estavam abertas. Não queria sair, mas uma corrente de ar forte me puxou para fora do quarto, como se eu fosse uma folha na tempestade.

As luzes da mansão enfraqueceram lá embaixo. A paisagem de Nova York perdeu a nitidez e desapareceu. Eu voava cortando a névoa e a escuridão, e vozes estranhas sussurravam à minha volta. Meu estômago formigava como antes, naquela noite, a bordo do barco de Amós. Depois, a neblina clareou e eu me vi em um lugar diferente.

Flutuei sobre uma montanha árida. Longe, lá embaixo, uma rede de luzes urbanas se estendia pelo vale. Definitivamente, não era Nova York. Era noite, mas eu podia afirmar que estava no deserto. O vento era tão seco que a pele de meu rosto parecia papel. E eu sei que isso não faz sentido, mas meu rosto estava normal, como se essa parte de mim não tivesse se transformado em pássaro. [Tudo bem, Sadie. Pode me chamar de galinha com cabeça de Carter. Feliz?]

Embaixo de mim, em um cume, havia duas figuras. Elas não pareciam me notar, e eu percebi que não estava mais brilhando. Na verdade, eu era praticamente invisível, flutuando na escuridão. Não conseguia enxergar as duas formas com nitidez, mas sabia que não eram humanas. Olhando mais atentamente, vi que uma delas era baixa, atarracada e careca, com uma pele viscosa que brilhava à luz das estrelas — como um anfíbio apoiado nas patas traseiras. A outra figura era alta, magra como um espantalho, com pés de galo em vez de pés humanos. Eu não conseguia ver seu rosto muito bem, mas parecia ser vermelho, úmido e... bem, digamos apenas que eu estava feliz por não conseguir vê-lo melhor.

— Onde ele está? — grasnou o baixinho, nervoso.

— Ainda não encontrou um hospedeiro permanente — respondeu o sujeito de pés de galo. — Só pode aparecer por pouco tempo.

— Tem certeza de que o lugar é este?

— Sim, idiota! Ele vai chegar assim que...

Uma forma de fogo surgiu no cume. As duas criaturas caíram no chão, rastejando na terra, e eu rezei como louco para estar realmente invisível.

— Meu senhor — disse o sapo.

Mesmo no escuro, era difícil ver o recém-chegado, a imagem era só a silhueta de um homem contornada por chamas.

— Como chamam este lugar? — perguntou o homem. Assim que ele falou, eu tive certeza de que era o mesmo cara que havia atacado meu pai no British Museum. Todo o medo que senti no museu voltou de repente, paralisando-me. Eu me lembrei de ter tentado pegar aquela pedra estúpida para arremessar, mas nem isso fora capaz de fazer. Havia falhado com meu pai.

— Meu senhor — disse Pé de Galo. — A montanha é chamada de Camelback. E a cidade é Phoenix.

O homem de fogo riu: um som retumbante como um trovão.

— Phoenix! Que apropriado! E o deserto lembra minha casa. Só falta banir dele toda a vida. O deserto deve ser um lugar estéril, não acham?

— Ah, sim, meu senhor — concordou o sapo. — Mas e os outros quatro?

— Um já foi sepultado — respondeu o homem de fogo. — A segunda é fraca. Ela será manipulada com facilidade. Isso deixa apenas dois. E eles serão eliminados rapidamente.

— Ah... como? — quis saber o tipo com jeito de sapo.

O homem de fogo brilhou mais intensamente.

— Você é um girino bem curioso, não é? — Ele apontou para o sapo, e a pele da pobre criatura começou a ferver.

— Não! — o sapo implorou. — Nãããããoooo!

Eu não suportei olhar aquilo. E não quero descrever. Mas, se você já ouviu falar no que acontece quando crianças cruéis jogam sal em lesmas, então pode ter uma boa ideia do que aconteceu com o sapo. Logo não restava nada.

Pé de Galo recuou com um passo nervoso. Eu não o criticaria por isso.

— Vamos construir meu templo aqui — comentou o homem de fogo, como se nada tivesse acontecido. — Esta montanha servirá como meu local de idolatria. Quando estiver tudo pronto, invocarei a maior tempestade que já houve. Limparei tudo. *Tudo*.

— Sim, meu senhor — concordou, apressado, Pé de Galo. — E, ah, se me permite sugerir, meu senhor, para aumentar seu poder...

A criatura se curvou e ciscou, movendo-se para a frente, como se quisesse sussurrar no ouvido do homem de fogo.

Quando eu já estava certo de que Pé de Galo ia virar frango frito, ele disse alguma coisa ao homem de fogo que eu não consegui entender, e as chamas brilharam mais.

— Excelente! Se conseguir fazer o que diz, será recompensado. Se não...

— Entendo, meu senhor.

— Então vá — ordenou o homem de fogo. — Libere nossas forças. Comece com os pescoços longos. Isso deverá acalmá-los. Traga as crianças para mim. Quero-os vivos, antes que tenham tempo de tomar conhecimento dos próprios poderes. Não me decepcione.

— Não, senhor.

— Phoenix — resmungou o homem de fogo. — Gosto muito disso. — Ele moveu a mão, apontando o horizonte, como se imaginasse a cidade em chamas. — Logo eu me erguerei de suas cinzas. Será um lindo presente de aniversário.

Acordei com o coração disparado, eu de volta em meu corpo. Eu me sentia quente, como se o homem de fogo começasse a me queimar. Depois, percebi que havia um gato sobre meu peito.

Muffin me observava com os olhos semicerrados.

— *Miau.*

— Como entrou aqui? — murmurei.

Eu me sentei e, por um segundo, não tive certeza de onde estava. Algum hotel em outra cidade? Quase chamei meu pai... e então lembrei.

Ontem. O museu. O sarcófago.

Tudo voltou tão depressa que eu quase não conseguia respirar.

Pare, disse a mim mesmo. *Você não tem tempo para tristeza.* E isso vai soar estranho, mas a voz dentro de minha cabeça quase parecia a de outra pessoa — alguém mais velho, mais forte. Ou isso era um bom sinal ou eu estava ficando maluco.

Lembre-se do que você viu, disse a voz. *Ele está atrás de você. Precisa estar preparado.*

Eu estremeci. Queria acreditar que tudo havia sido um pesadelo, mas sabia que não era só isso. Tinha vivido muitas coisas no dia anterior para duvidar do que vi. De algum jeito, eu tinha mesmo deixado meu corpo enquanto dormia. Tinha *estado* em Phoenix — milhares de quilômetros distante. O homem de fogo estava lá. Eu não havia entendido muito do que ele disse, mas falou sobre enviar forças para capturar as crianças. Caramba, quem poderiam ser?

Muffin pulou da cama e foi farejar o apoio de cabeça, olhando para mim como se tentasse me dizer alguma coisa.

— Pode ficar com ele — falei. — É incômodo.

Ela inclinou a cabeça para o objeto de mármore e me olhou com ar de acusação.

— *Miau*.
— Tanto faz, gata.

Eu me levantei e fui tomar uma ducha. Quando fui me vestir, descobri que minhas roupas tinham desaparecido em algum momento da noite. Tudo o que havia no armário era do meu tamanho, mas muito diferente do que eu costumava usar — calça larga de elástico na cintura e camisetas soltas, tudo de linho branco, e túnicas para o tempo frio, o tipo de roupa que os felás, os camponeses no Egito, vestiam. Não era exatamente meu estilo.

Sadie gosta de me dizer que eu não *tenho* estilo. Ela reclama que me visto como um velho: camisas de botão, calça social, mocassim. Tudo bem, talvez sim. Mas vou dizer uma coisa: meu pai sempre enfiou na minha cabeça que eu precisava me vestir bem.

Eu me lembro da primeira vez que ele me explicou isso. Eu tinha dez anos. Estávamos a caminho do aeroporto de Atenas, a temperatura era de quarenta e quatro graus do lado de fora e eu me queixava, dizendo que queria vestir short e camiseta. Por que não podia ficar confortável? Não íamos a nenhum lugar importante naquele dia... apenas viajar.

Papai tocou meu ombro.

— Carter, você está crescendo. É um afro-americano. As pessoas o julgarão de maneira mais dura, por isso deve se apresentar sempre impecável.

— Isso não é justo — insisti.

— Justiça não significa que todos recebem as mesmas coisas — respondeu meu pai. — Justiça é garantir que todos recebam o que é necessário. E a única maneira de ter o que é necessário é *você mesmo* fazer acontecer. Entendeu?

Eu respondi que não. Mas fiz o que ele pedia — como me interessar pelo Egito, por basquete e por música. Como viajar com uma única mala. E eu me vestia como meu pai queria, porque ele geralmente estava certo. Na verdade, não me lembro de nenhuma vez em que ele estivesse errado... até a noite no British Museum.

Tirei as roupas de linho do armário. Os chinelos eram confortáveis, mas duvidei que fossem bons para correr.

A porta para o quarto de Sadie estava aberta, mas ela não estava lá.

Felizmente, meu quarto não estava mais trancado. Muffin desceu a escada comigo, e passamos por muitos aposentos desocupados pelo caminho. A mansão poderia acomodar com facilidade cem pessoas, mas, em vez disso, estava vazia e triste.

No Grande Salão, Khufu, o babuíno, estava sentado no sofá com uma bola de basquete entre as pernas e um pedaço de carne de aparência estranha nas mãos. Estava coberto de penas cor-de-rosa. A televisão estava sintonizada na ESPN, e Khufu assistia aos melhores momentos dos jogos da noite anterior.

— Ei — chamei, mesmo achando esquisito falar com ele. — Os Lakers ganharam?

Khufu olhou para mim e bateu na bola como se quisesse jogar.

— Agh, agh.

Ele estava com uma pena cor-de-rosa pendurada no queixo, e a imagem fez meu estômago revirar lentamente.

— Ah, sim. Jogaremos mais tarde, está bem?

Vi Sadie e Amós na varanda, tomando o café da manhã à beira da piscina. Devia estar gelado lá fora, mas o fogo ardia na lareira externa, e os dois não pareciam sentir frio. Caminhei na direção deles, mas hesitei ao passar pela estátua de Tot. À luz do dia, o deus com cabeça de pássaro não parecia tão assustador. Mesmo assim, eu podia jurar que aqueles olhos redondos me olhavam cheios de expectativa.

O que o homem de fogo dissera na noite anterior? Algo sobre nos pegar antes que descobríssemos nossos poderes. Parecia ridículo, mas, por um momento, senti uma onda de força — como na noite anterior, quando abri a porta simplesmente erguendo a mão. Poderia levantar qualquer coisa, inclusive aquela estátua de nove metros de altura, se eu quisesse. Em uma espécie de transe, dei um passo para a frente.

Muffin miou impaciente e pisou em meu pé. A sensação foi embora.

— Tem razão — disse à gata. — Ideia estúpida.

Além do mais, eu agora já sentia o cheiro da comida — torrada, bacon, chocolate quente — e não podia criticar Muffin por estar com pressa. Eu a segui até a varanda.

— Ah, Carter — disse Amós. — Feliz Natal, garoto. Junte-se a nós.

— Finalmente — resmungou Sadie. — Estou acordada há séculos.

Mas ela me encarou por um momento, como se pensasse a mesma coisa que eu: *Natal*. Não passávamos uma manhã de Natal juntos desde que mamãe morrera. Eu me perguntava se Sadie lembrava como costumávamos fazer a decoração de olho do deus com lã e palitos de pirulito.

Amós serviu-se de uma xícara de café. Suas roupas eram semelhantes à do dia anterior, e devo admitir que o cara tinha estilo. O terno era de lã azul, o chapéu Fedora era da mesma cor e os cabelos tinham sido trançados com lápis-lazúli, uma das pedras que os egípcios costumavam usar para criar joias. Até os óculos combinavam. As lentes redondas eram azuis. Um saxofone tenor repousava em um pedestal perto do círculo de pedras que delimitava a fogueira, e eu podia perfeitamente imaginá-lo tocando bem ali, fazendo uma serenata para o rio East.

Quanto a Sadie, ela vestia um pijama de linho branco parecido com o meu, só que de algum jeito tinha conseguido salvar os coturnos. Provavelmente havia dormido com eles. Minha irmã estava realmente engraçada com os cabelos de mechas vermelhas e aquela roupa, mas, como eu não estava muito melhor, decidi não debochar dela.

— Ah... Amós? — chamei. — Você não tinha nenhuma ave de estimação, tinha? Khufu comeu alguma coisa com penas cor-de-rosa.

— *Hum*... — Amós bebeu seu café. — Lamento se isso o incomoda. Khufu é muito seletivo. Ele só come alimentos que terminem em *o*. Dorito, burrito, flamingo.

Eu pisquei.

— Você disse...

— Carter — Sadie me advertiu. Ela parecia um pouco impaciente, como se já tivesse tido aquela conversa. — Não pergunte.

— Tudo bem — concordei. — Não vou perguntar.

— Por favor, Carter, sirva-se. — Amós apontou para um bufê repleto de comida. — Vamos começar logo com as explicações.

Eu não vi nenhum flamingo entre as opções de pratos, o que era ótimo, mas havia praticamente de tudo ali. Peguei algumas panquecas com manteiga e calda, um pouco de bacon e um copo de suco de laranja.

Então notei um movimento com o canto do olho. Olhei para a piscina. Algo comprido e pálido deslizava sob a superfície da água.

Eu quase derrubei o prato.

— Aquilo é...

— Um crocodilo — confirmou Amós. — Para dar sorte. Ele é albino, mas, por favor, não comente esse detalhe. Ele é muito sensível.

— O nome dele é Filipe da Macedônia — Sadie me informou.

Eu não entendia como Sadie podia estar tão calma no meio de tudo aquilo, mas deduzi que, se ela não estava surtando, eu também não devia perder a cabeça.

— É um nome bem comprido — respondi.

— Ele é um crocodilo comprido — comentou Sadie. — Ah, e ele gosta de bacon.

Para provar o que dizia, minha irmã jogou um pedaço de bacon por cima do ombro. Filipe lançou-se para o alto e abocanhou o presente. Ele era branco e tinha olhos cor-de-rosa. Sua boca era tão grande que ele poderia ter abocanhado o porco inteiro.

— Ele é totalmente inofensivo aos meus amigos — Amós garantiu. — Nos velhos tempos, nenhum templo era completo sem um lago cheio de crocodilos. Eles eram criaturas mágicas poderosas.

— É claro — concordei. — Assim como o babuíno, o crocodilo... Mais algum animal sobre o qual eu deva saber?

Amós pensou por um momento.

— Visíveis? Não, acho que são só esses.

Eu me sentei na cadeira mais distante da piscina. Muffin se enroscou em minhas pernas e ronronou. Eu esperava que ela tivesse o bom senso de ficar bem longe de crocodilos mágicos chamados Filipe.

— Então, Amós — comecei a falar entre um pedaço e outro de panqueca —, as explicações.

— Sim — concordou ele. — Por onde começar...

— Nosso pai — sugeriu Sadie. — O que aconteceu com ele?

Amós respirou fundo.

— Julius tentava invocar um deus. Infelizmente, ele conseguiu.

Era meio difícil levar Amós a sério, especialmente quando ele falava sobre invocar um deus enquanto passava manteiga no pão.

— Algum deus em particular? — indaguei em tom casual. — Ou ele simplesmente estava invocando qualquer um?

Sadie me chutou por baixo da mesa. Ela estava séria, como se realmente acreditasse no que Amós dizia.

Amós mordeu um pedaço do pão.

— Há muitos deuses egípcios, Carter. Mas seu pai estava atrás de um em particular.

Ele me lançou um olhar expressivo.

— Osíris — lembrei. — Quando papai estava diante da Pedra de Roseta, disse "Osíris, venha". Mas Osíris é uma lenda. É faz de conta.

— Gostaria que fosse mesmo — comentou Amós, olhando para o rio East e, além dele, para a paisagem de Manhattan brilhando ao sol da manhã. — Os antigos egípcios não eram tolos, Carter. Eles construíram as pirâmides. Criaram o primeiro grande Estado Nacional. Essa civilização durou milhares de anos.

— Sim. E agora eles não existem mais.

Amós balançou a cabeça.

— Um legado tão poderoso não desaparece. Comparados aos egípcios, gregos e romanos eram bebês. Nossas nações modernas, como a Inglaterra e os Estados Unidos? Um piscar de olhos. O mais antigo pilar das civilizações, pelo menos da civilização ocidental, é o Egito. Veja a pirâmide na nota de um dólar. Veja o Monumento a Washington: o maior obelisco egípcio do mundo. O Egito ainda está bem vivo. E, infelizmente, também estão vivos seus deuses.

— Ah, por favor — discordei. — Quer dizer... Mesmo que eu acreditasse na existência de uma coisa chamada magia... acreditar em antigos deuses é totalmente diferente. Está brincando, não está?

Mas, enquanto eu falava, pensei no homem de fogo no museu, em como seu rosto se alterava entre humano e animal. E na estátua de Tot, em seus olhos me seguindo.

— Carter — disse Amós —, os egípcios não teriam sido estúpidos a ponto de acreditar em deuses imaginários. Os seres que eles descreveram em sua mitologia eram muito, muito reais. Nos velhos tempos, os sacerdotes do Egito invocavam esses deuses para canalizar seus poderes e realizar grandes feitos. Essa é a origem do que hoje chamamos de magia. Como muitas coisas, a magia foi inventada pelos egípcios. Cada templo tinha um grupo de magos e era chamado de Casa da Vida. Seus magos eram conhecidos por todo o mundo antigo.

— E você é um desses magos egípcios.

Amós assentiu.

— Como seu pai. Você mesmo viu ontem à noite.

Eu hesitei. Era difícil negar que meu pai havia feito coisas estranhas no museu... coisas que pareciam magia.

— Mas ele é arqueólogo — insisti, teimoso.

— Isso é só um disfarce. Deve lembrar que ele é especialista em tradução de encantamentos antigos, o que é muito difícil de entender, a menos que o próprio tradutor pratique magia. Nossa família, a família Kane, tem sido parte da Casa da Vida praticamente desde o início. E a família de sua mãe é quase tão antiga quanto a nossa.

— Os Faust?

Tentei imaginar vovô e vovó Faust praticando magia, mas, a menos que assistir aos jogos de rúgbi pela televisão e queimar biscoitos fossem magia, eu não conseguia visualizar a cena.

— Eles não praticam magia há muitas gerações — admitiu Amós. — Não praticavam até sua mãe chegar. Mas, sim, é uma linhagem muito antiga.

Sadie balançou a cabeça incrédula.

— Então a mamãe também era maga. Está brincando?

— Não é brincadeira — garantiu Amós. — Vocês dois... vocês têm a combinação do sangue de duas famílias muito antigas, ambas com uma longa e complicada história com os deuses. São os Kane mais poderosos que nasceram em muitos séculos.

Tentei assimilar aquilo. No momento, não me sentia poderoso. Tudo o que sentia era enjoo.

— Está me dizendo que nossos pais idolatravam secretamente deuses com cabeça de animal? — perguntei.

— Não idolatravam — corrigiu-me Amós. — No final dos tempos antigos, os egípcios já haviam aprendido que seus deuses não deveriam ser idolatrados. São seres poderosos, forças primais, mas sua divindade não é como concebemos Deus. Eles são entidades criadas, como os mortais. Porém, com um poder muito maior. Podemos respeitá-los, temê-los, usar seu poder ou até enfrentá-los, para mantê-los sob controle...

— *Enfrentar* deuses? — interrompeu Sadie.

— Constantemente — respondeu Amós. — Lutamos contra eles, mas não os idolatramos. Tot nos ensinou isso.

Olhei para Sadie pedindo ajuda. O cara devia ser maluco. Mas ela parecia acreditar em cada palavra do que ele dizia.

— Então... — falei. — Por que papai quebrou a Pedra de Roseta?

— Ah, tenho certeza de que ele não pretendia quebrá-la — respondeu Amós. — Isso o teria horrorizado. Na verdade, imagino que a essa altura meus irmãos em Londres já tenham reparado o dano. Logo os curadores irão examinar seus cofres e descobrirão que a Pedra de Roseta milagrosamente sobreviveu à explosão.

— Mas ela explodiu em um milhão de pedaços! — exclamei. — Como pode ser restaurada?

Amós pegou um prato e o jogou no chão de pedra. O prato se estilhaçou.

— Isso foi *destruir* — disse ele. — Eu poderia ter feito o mesmo usando magia, *ha-di*, porém é mais simples quebrar. E agora... — Amós estendeu a mão. — Juntar. *Hi-nehm*.

Um símbolo hieroglífico azul brilhou no ar, acima de sua mão.

Os pedaços do prato voaram para a mão dele e se uniram como peças de um quebra-cabeça; até os menores fragmentos voltaram a seus lugares. Amós pôs o prato sobre a mesa.

— É algum truque — consegui dizer.

Tentei soar calmo, mas estava pensando nas situações estranhas que haviam acontecido com meu pai e comigo ao longo dos anos, como aqueles atiradores no hotel no Cairo, que acabaram pendurados no lustre pelos pés. Papai poderia ter feito aquilo usando algum tipo de encantamento?

Amós despejou leite no prato e o pôs no chão. Muffin se aproximou.

— De qualquer forma, seu pai jamais teria danificado intencionalmente uma relíquia. Ele simplesmente não sabia quanto poder continha a Pedra de Roseta. Com o desaparecimento do Egito, a magia daquela antiga civilização se reuniu e se concentrou nas relíquias que restaram. Muitas delas, é claro, permanecem no Egito. Mas é possível encontrar outras em quase todos os grandes museus. Um mago pode usar esses artefatos como pontos focais para produzir encantamentos ainda mais poderosos.

— Não entendi — confessei.

Amós abriu as mãos.

— Lamento, Carter. São necessários anos de estudo para entender a magia, e estou tentando explicar tudo em uma única manhã. O que importa é que, nos últimos seis anos, seu pai tem procurado um meio de invocar Osíris, e ontem à noite ele pensou ter encontrado o artefato ideal para isso.

— Espere aí, por que ele queria Osíris?

Sadie me olhou com impaciência.

— Carter, Osíris era o deus da morte. O papai estava falando sobre tudo ficar bem outra vez. Ele se referia à mamãe.

De repente, a manhã pareceu mais fria. O fogo na lareira tremulou com o vento que vinha do rio.

— Ele queria trazer a mamãe de volta da morte? — perguntei. — Mas isso é loucura!

Amós hesitou.

— Teria sido perigoso. Desaconselhável. Tolo. Mas não seria loucura. Seu pai é um mago poderoso. De fato, era exatamente isso que ele queria, e teria conseguido usando o poder de Osíris.

Eu encarei minha irmã.

— Acredita nisso? Acredita mesmo?

— Você viu a magia no museu. O fogo. Papai invocou alguma coisa que estava dentro da pedra.

— Sim — concordei, lembrando meu sonho. — Mas não foi Osíris, foi?

— Não — respondeu Amós. — Seu pai obteve mais do que esperava. Ele libertou o espírito de Osíris. Na verdade, acho até que ele conseguiu se unir ao deus...

— Unir-se a ele?

Amós ergueu uma das mãos.

— Outra longa conversa. Por ora, digamos apenas que ele absorveu o poder de Osíris. Mas não teve oportunidade de usá-lo, porque, de acordo com o que Sadie me contou, parece que Julius libertou *cinco* deuses da Pedra de Roseta. Cinco deuses que estavam aprisionados juntos.

Eu olhei para Sadie.

— Você contou tudo a ele?

— Ele vai nos ajudar, Carter.

Eu ainda não me sentia preparado para confiar naquele homem, mesmo sendo nosso tio, mas decidi que não tinha escolha.

— Tudo bem, é verdade — confirmei. — O homem de fogo disse algo do tipo "Você libertou os cinco". O que ele quis dizer?

Amós bebeu um gole de café. Seu olhar distante lembrava meu pai.

— Não quero assustar você.

— Tarde demais.

— Os deuses do Egito são muito perigosos. Nos últimos dois mil anos, mais ou menos, nós, os magos, passamos muito tempo controlando e banindo todos que apareciam. Na verdade, nossa lei mais importante, imposta pelo Sacerdote-leitor Chefe Iskandar nos tempos de Roma, proíbe libertar os deuses ou usar seus poderes. Seu pai já havia desrespeitado essa lei antes, uma vez.

Sadie empalideceu.

— Isso tem alguma relação com a morte de nossa mãe? Com a Agulha de Cleópatra, em Londres?

— Tem *tudo* a ver com isso, Sadie. Seus pais... bem, eles acreditavam estar fazendo algo bom. Correram um risco terrível, e isso custou a vida de sua mãe. Seu pai assumiu a culpa. E foi exilado, pode-se dizer. Banido. Forçado a se mudar constantemente, porque a Casa monitorava as atividades dele. Eles temiam que ele continuasse com a... pesquisa. Como, de fato, continuou.

Pensei em como meu pai olhava para trás, por cima do ombro, enquanto copiava algumas inscrições antigas, em quando ele me acordava às três da manhã dizendo que precisávamos trocar de hotel ou me dizia para não olhar sua bolsa de trabalho ou para não copiar certas imagens das paredes de um velho templo... como se nossa vida dependesse disso.

— Por isso você nunca estava por perto? — perguntou Sadie. — Porque papai foi banido?

— A Casa me proibiu de vê-lo. Eu amava Julius. Era um sofrimento ficar longe de meu irmão e dos filhos dele. Mas eu não podia ver vocês... até ontem à noite, quando simplesmente não tive escolha senão tentar ajudar. Julius estava obcecado pela ideia de encontrar Osíris havia anos. Ele vivia consumido pela dor da perda de sua mãe, pelo que havia acontecido a ela. Quando eu soube que Julius se preparava para desrespeitar a lei novamente, tentei impedir, consertar as coisas. Eu precisava detê-lo. Uma segunda transgressão significaria pena de morte. Infelizmente, fracassei. Deveria saber que ele era teimoso demais.

Olhei meu prato. Meus pés estavam gelados. Muffin saltou sobre a mesa e se esfregou em minha mão. Como não a impedi, ela começou a comer meu bacon.

— Ontem à noite, no museu — comecei —, a garota com a adaga, o homem com a barba bifurcada... Também eram magos? Eram da Casa da Vida?

— Sim — confirmou Amós. — Estavam vigiando seu pai. Tiveram sorte por eles deixarem vocês saírem de lá.

— A garota queria nos matar — lembrei. — Mas o homem com a barba bifurcada disse "ainda não".

— Eles não matam, a menos que seja absolutamente necessário — explicou Amós. — Vão esperar para ver se vocês representam uma ameaça.

— Por que seríamos uma ameaça? — quis saber Sadie. — Somos crianças! Invocar o deus não foi ideia nossa!

Amós empurrou o prato.

— Há um motivo para vocês terem sido criados separados.

— Sim, os Faust levaram nosso pai aos tribunais. — Fui bem direto. — E meu pai perdeu. Esse é o motivo.

— Foi muito mais do que isso — retrucou Amós. — A Casa insistiu em separar vocês dois. Seu pai queria mantê-los com ele, mesmo sabendo quanto isso poderia ser perigoso.

Sadie parecia ter recebido um soco na testa.

— Ele queria?

— É claro que sim. Mas a Casa interferiu e se certificou de que seus avós teriam sua custódia, Sadie. Se você e Carter fossem criados juntos, poderiam se tornar muito poderosos. Talvez já tenham sentido as mudanças nos últimos dias.

Pensei nas ondas de força que eu experimentava, e em como Sadie parecia saber ler o idioma do Egito Antigo. Então eu me lembrei de algo ainda mais distante.

— Seu aniversário de seis anos — eu disse a Sadie.

— O bolo — respondeu ela imediatamente, a lembrança passando entre nós como uma fagulha de eletricidade.

Na festa do sexto aniversário de Sadie, o último que comemoramos como uma família, ela e eu brigamos. Não lembro por quê. Acho que eu queria soprar as velas por ela. Começamos a gritar. Ela agarrou minha camisa. Eu a empurrei. Lembro que papai correu para nos separar, tentando acabar com a briga, mas, antes que ele pudesse intervir, o bolo explodiu. A cobertura voou nas paredes, em nossos pais e nos amigos de Sadie, que tinham seis anos. Papai e mamãe nos separaram. Eles me mandaram para meu quarto. Mais tarde, disseram que devíamos ter batido no bolo acidentalmente enquanto brigávamos, mas eu sabia que não tínhamos tocado nele. Alguma coisa sinistra e muito mais estranha o fizera explodir, como se o bolo respondesse à nossa raiva. Eu me lembro de ver Sadie chorando por causa de um pedaço de bolo na testa, de uma vela colada no teto de cabeça para baixo, com o pavio ainda aceso, e de um adulto, algum amigo de meus pais, com os óculos cobertos de chantili.

Olhei para Amós.

— Era você. Você estava na festa de Sadie.

— A cobertura era de baunilha — recordou ele. — Muito saborosa. E já estava claro naquela época que seria muito difícil criar vocês dois na mesma casa.

— Então... — hesitei. — O que vai acontecer conosco agora?

Eu não queria admitir, mas não suportava a ideia de ser separado de Sadie outra vez. Ela não era grande coisa, mas era tudo o que eu tinha.

— Vocês precisam de treinamento adequado — respondeu Amós. — Com ou sem a aprovação da Casa.

— E por que não aprovariam? — perguntei.

— Vou explicar tudo, não se preocupe. Mas precisamos começar as aulas, ou não teremos qualquer chance de encontrar seu pai e consertar tudo isso. Caso contrário, o mundo todo estará em perigo. Se ao menos soubéssemos onde...

— Phoenix — disparei.

Amós olhou para mim.

— O quê?

— Ontem à noite eu tive... bem, não foi um sonho, exatamente...

Eu me sentia estúpido, mas contei a ele o que havia acontecido enquanto eu dormia.

A julgar pela expressão de Amós, as notícias eram ainda piores do que eu imaginara.

— Tem *certeza* de que ele disse "presente de aniversário"? — indagou.

— Sim, mas o que isso significa?

— E um hospedeiro permanente — continuou Amós. — Ele ainda não tinha um?

— Bem, foi o que disse o sujeito de pés de galo...

— Era um demônio — revelou Amós. — Um escravo do caos. E se os demônios estão perambulando pelo mundo mortal, não temos muito tempo. Isso é mau, muito mau.

— Para quem mora em Phoenix — concordei.

— Carter, nosso inimigo não vai parar em Phoenix. Se ele está se tornando tão poderoso tão depressa... O que ele disse sobre a tempestade, exatamente?

— Disse: "Invocarei a maior tempestade que já houve."

Amós franziu a testa.

— Na última vez que disse isso, ele criou o Saara. Uma tempestade desse porte pode destruir a América do Norte, gerando a partir do caos energia suficiente para dar a ele uma forma invencível.

— Do que está falando? Quem é esse sujeito?

Amós ignorou minha pergunta com um gesto.

— Mais importante agora é saber por que não dormiu com o apoio de cabeça.

Eu dei de ombros.

— Era desconfortável. — Olhei para Sadie, tentando conseguir algum apoio. — Você também não usou o seu, usou?

Sadie revirou os olhos.

— É claro que usei. Ele estava lá por alguma razão, *obviamente*.

Às vezes, eu sinto um ódio real da minha irmã. [Ai! Esse pé é meu!]

— Carter — disse Amós —, dormir é perigoso. É um portal para o Duat.

— Adorável — resmungou Sadie. — Outra palavra estranha.

— Ah... sim, sinto muito — desculpou-se Amós. — O Duat é o mundo dos espíritos e da magia. Existe embaixo do mundo desperto, como um vasto oceano, com muitas camadas e regiões. Ontem à noite, submergimos logo abaixo da superfície para chegar a Nova York, porque viajar pelo Duat é muito mais rápido. Carter, sua consciência também passou pelas correntes mais rasas enquanto você dormia, e foi assim que testemunhou o que aconteceu em Phoenix. Felizmente, sobreviveu a essa experiência. Mas, quanto mais profundamente você mergulha no Duat, mais coisas horríveis encontra, e mais difícil é retornar. Há reinos inteiros cheios de demônios, palácios onde os deuses existem em sua forma pura, tão poderosos que a simples presença queimaria um humano e o transformaria em cinzas. Há prisões que detêm seres de maldade indescritível, e alguns abismos tão profundos e caóticos que nem mesmo os deuses ousam explorá-los. Agora que seus poderes estão despertando, você não deve dormir sem proteção, ou vai ficar exposto às investidas do Duat ou... a jornadas não intencionais nele. O apoio de cabeça é encantado, serve para manter sua consciência ancorada no corpo.

— Quer dizer que eu realmente *estive*... — Senti na boca um gosto metálico. — Ele poderia ter me matado?

A expressão de Amós tornou-se grave.

— O fato de sua alma poder viajar dessa maneira significa que está progredindo mais depressa do que eu imaginava. Mais depressa do que deveria ser possível. Se o Lorde Vermelho houvesse notado você...

— Lorde Vermelho? — interrompeu-o Sadie. — O cara de fogo?

Amós levantou-se.

— Preciso saber mais. Não podemos simplesmente esperar que ele os encontre. E se ele provocar mesmo a tempestade em seu aniversário, se usar todo seu poder...

— Você está dizendo que vai a Phoenix? — Eu mal conseguia falar. — Amós, aquele homem de fogo derrotou meu pai como se a magia dele fosse uma piada! Agora ele tem demônios, e está ficando mais forte e... Você será morto!

Amós sorriu para mim secamente, como se já tivesse ponderado todos os perigos e não precisasse de um lembrete. Sua expressão era, para mim, uma dolorosa lembrança de papai.

— Não pense que seu tio vai desaparecer assim tão fácil. Eu também tenho minha magia. Além do mais, preciso ver o que está acontecendo, ou não teremos chance de salvar seu pai e deter o Lorde Vermelho. Serei rápido e cuidadoso. Fiquem aqui. Muffin vai protegê-los.

Eu pisquei.

— A gata vai nos proteger? Não pode nos deixar aqui! E nosso treinamento?

— Quando eu voltar — prometeu Amós. — Não se preocupem, a mansão é protegida. Não saiam daqui. Não se deixem enganar para abrir a porta. Não abram para ninguém. E, aconteça o que acontecer, *não entrem* na biblioteca. Estão absolutamente proibidos. Eu volto no fim da tarde.

— Não! — gritou Sadie, quando ele pulou da varanda.

Corremos até a amurada e olhamos para baixo, para a descida de trinta metros até o rio East. Não havia nem sinal de Amós. Ele simplesmente tinha desaparecido.

Filipe da Macedônia se divertia na piscina. Muffin subiu na amurada, pedindo carinho.

Estávamos sozinhos em uma mansão estranha com um babuíno, um crocodilo e uma gata sinistra. E, aparentemente, o mundo todo corria perigo.

Eu olhei para Sadie.

— O que fazemos agora?

Ela cruzou os braços.

— Bom, é evidente, não é? Vamos explorar a biblioteca.

7. Deixo um homenzinho cair de cabeça

SADIE

FRANCAMENTE, CARTER É TÃO BURRO que às vezes não consigo acreditar que somos parentes.

Quer dizer, quando alguém diz *eu proíbo*, significa que o que é proibido vale a pena ser feito. Eu segui diretamente para a biblioteca.

— Espere! — gritou Carter. — Você não pode simplesmente...

— Irmão querido — comecei —, sua alma deixou seu corpo outra vez enquanto Amós estava falando ou você *ouviu* o que ele disse? Os deuses egípcios são *reais*. Lorde Vermelho é *mau*. O aniversário do Lorde Vermelho: muito em breve, muito ruim. A Casa da Vida: velhos magos encrenqueiros que odeiam nossa família porque papai foi meio rebelde, e, a propósito, você podia aprender algumas lições com ele. Assim, sobramos nós, *apenas* nós, com um pai desaparecido, um deus mau prestes a destruir o mundo e um tio que acabou de pular do alto do prédio onde estamos, e não posso culpá-lo por isso. — Parei para respirar. [Sim, Carter, eu preciso respirar de vez em quando.] — Esqueci alguma coisa? Ah, sim, também tenho um irmão supostamente poderoso, de uma linhagem de sangue muito antiga, blá-blá-blá etc., mas que tem muito medo de visitar uma biblioteca. E então, você vem comigo ou não?

Carter piscou como se eu tivesse lhe dado um tabefe, o que, de certa forma, foi o que fiz.

— Eu só... — Ele hesitou. — Só acho que devemos ser cuidadosos.

Percebi que o pobre garoto estava apavorado, uma constatação que eu não podia criticar, mas que me amedrontava. Carter é meu irmão *mais velho*, afinal — maior que eu, mais sofisticado, quem viajou pelo mundo com papai. Irmãos mais velhos servem para nos defender, não servem? E as irmãzinhas... Ah, nós também podemos nos defender, não? Mas percebi que talvez, só talvez, eu tenha sido dura demais com ele.

— Olhe — recomecei —, precisamos ajudar papai, certo? Deve haver coisas muito poderosas naquela biblioteca, ou Amós não a manteria trancada. Quer ajudar nosso pai?

Carter se moveu com evidente desconforto.

— Quero, claro...

Bem, esse era um problema resolvido, por isso seguimos para a biblioteca. Mas, assim que Khufu percebeu o que estávamos fazendo, desceu do sofá com sua bola de basquete e pulou na frente da porta da biblioteca. Quem teria imaginado que os babuínos são tão rápidos? Ele gritou conosco, e devo dizer que os babuínos têm dentes *enormes*. E não ficam mais bonitos depois de mastigarem aves de penas cor-de-rosa.

Carter tentou argumentar com ele.

— Khufu, não vamos roubar nada. Só queremos...

— *Agh!* — Khufu quicou a bola de basquete com bastante força.

— Carter, você não está ajudando. Olhe aqui, Khufu, Eu tenho... *tá-da!* — Mostrei uma pequena caixa amarela de cereal que havia tirado da mesa do café da manhã. — Cheerios! Termina com o! Delicioso!

— *Aghhh!* — Khufu grunhiu, mais animado do que irritado.

— Quer? — Eu o provoquei. — Leve a caixa para o sofá e finja que não nos viu, está bem?

Joguei a caixa de cereal na direção do sofá e o babuíno correu atrás dela. Agarrou a caixa no ar. Estava tão agitado que continuou correndo e foi se sentar sobre o console da lareira, onde, animadamente, começou a pegar os Cheerios e comê-los, um de cada vez.

Carter olhou para mim com um misto de inveja e de admiração.

— Como você...?

— Algumas pessoas pensam no amanhã. Agora, vamos abrir aquela porta.

Não foi fácil. As portas eram de madeira maciça, trancadas por grossas correntes de aço e vários cadeados. Um exagero.

Carter deu um passo à frente. Ele tentou abrir as portas levantando a mão, um gesto que havia sido bem impressionante na noite anterior, mas que agora não surtia resultado algum.

Depois, ele sacudiu as correntes à moda antiga e puxou os cadeados com força.

— Inútil — concluiu.

Agulhas geladas pinicavam minha nuca. Era quase como se alguém — ou alguma coisa — cochichasse uma ideia em minha cabeça.

— Qual foi mesmo a palavra que Amós usou à mesa do café quando quebrou aquele prato?

— Para "juntar" os pedaços? — Carter quis me corrigir. — *Hi-nehm* ou algo parecido.

— Não, a outra, para destruir.

— Ah, foi *ha-di*. Mas você precisa conhecer a magia e os hieróglifos, não? E mesmo assim...

Eu levantei a mão para a porta. Apontei dois dedos e o polegar — um gesto estranho que eu nunca havia feito, como uma arma de faz de conta, mas com o dedão paralelo ao chão.

— *Ha-di!*

Brilhantes hieróglifos dourados iluminaram o cadeado maior.

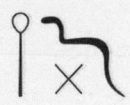

E as portas explodiram. Carter caiu no chão quando as correntes partidas e os fragmentos de aço voaram pelo Grande Salão. Quando a poeira diminuiu, ele se levantou coberto de farpas de madeira. Eu estava bem. Muffin rodeava meus pés, miando satisfeita, como se tudo aquilo fosse muito normal.

Carter olhou para mim.

— Como exatamente...

— Não sei — confessei. — Mas a biblioteca está aberta.

— Não acha que exagerou um pouco? Vamos ter problemas...

— Nós vamos encontrar um jeito de fechar a porta novamente, não vamos?

— Chega de magia, por favor — pediu Carter. — Essa explosão poderia ter nos matado.

— Ah, acha que se eu tentasse esse encantamento em uma pessoa...

— Não! — Ele recuou nervoso.

Fiquei feliz por saber que eu podia assustá-lo, mas tentei não sorrir.

— Vamos ver o que há na biblioteca, está bem?

A verdade era que eu não ia *ha-di*zar ninguém. Assim que passei pela porta, senti uma fraqueza tão grande que quase caí.

Carter me segurou antes que eu desabasse.

— Você está bem?

— Sim — consegui responder, embora me sentisse mal. — Estou cansada — meu estômago roncou — e faminta.

— Você acabou de tomar café. E comeu muito.

Era verdade, mas eu me sentia como se não comesse havia semanas.

— Não se incomode — respondi. — Eu vou conseguir...

Carter me estudou, cético.

— Aqueles hieróglifos que você criou eram dourados. Os que papai e Amós criaram eram azuis. Por quê?

— Talvez cada um tenha sua própria cor — sugeri. — A sua pode ser pink.

— Engraçadinha.

— Vamos lá, mago pink — chamei. — Vamos entrar.

A biblioteca era tão fabulosa que quase esqueci minha tontura. Era maior do que eu tinha imaginado, um aposento redondo e fundo cavado na rocha, como um poço gigante. Isso não fazia sentido, porque a mansão ficava em cima da fábrica abandonada. Mas, pensando bem, nada naquele lugar era normal.

Do tablado onde estávamos, uma escada descia três andares até o piso inferior. As paredes, o chão e o teto abobadado eram decorados com fotos multicoloridas de pessoas, deuses e monstros. Eu tinha visto ilustrações semelhantes nos livros de papai (sim, é isso mesmo, às vezes, quando estava na livraria em Piccadilly, ia até a seção sobre o Egito e dava uma espiada nos livros de meu pai, só para sentir alguma ligação com ele, não porque desejasse lê-los), mas as fotos eram sempre desbotadas e borradas. As da biblioteca pareciam recém-pintadas, fazendo de todo o aposento uma obra de arte.

— É lindo — comentei.

Um céu azul e estrelado brilhava no teto, mas não era uma área sólida de azul. Não, o céu era pintado num estranho padrão giratório. Percebi que a forma lembrava a de uma mulher. Ela estava deitada de lado, encolhida — o corpo, os braços e as pernas azuis, um azul-escuro e salpicado de estrelas. Embaixo, o piso da biblioteca tinha aspecto semelhante, a terra marrom e verde com a forma do corpo de um homem, pontilhado por florestas, colinas e cidades. Um rio sinuoso atravessava seu peito.

A biblioteca não tinha livros. Nem mesmo prateleiras. As paredes eram cobertas por pequenos compartimentos redondos, cada um deles contendo uma espécie de cilindro de plástico.

Em cada um dos quatro pontos cardeais havia uma estátua de cerâmica em um pedestal. Tinham metade do tamanho de um humano e usavam saiotes e sandálias, os cabelos eram pretos e brilhantes, com corte arredondado, e os olhos eram contornados por delineador preto.

[Carter disse que o delineador tem nome, *kohl*, como se isso fosse importante.]

Como eu dizia, uma estátua segurava um buril e um pergaminho. Outra segurava uma caixa. Outra tinha um cajado curto e encurvado. A última estava de mãos vazias.

— Sadie. — Carter apontou para o centro da sala. Ali, sobre uma mesa comprida de pedra, estava a bolsa carteiro de papai.

Carter olhou para a escada, mas eu o segurei pelo braço.

— Espere. E se houver armadilhas?

Ele franziu a testa.

— Armadilhas?

— As tumbas dos egípcios não tinham armadilhas?

— Bem... às vezes. Mas não estamos em uma tumba. Além do mais, é mais comum que existam maldições, como a do fogo, a do burro...

— Ah, maravilha! Isso soa bem melhor.

Ele desceu a escada, o que me fez sentir ridícula, porque normalmente sou eu quem abre caminho. Mas concluí que se alguém poderia ser amaldiçoado com uma erupção na pele ou atacado por um burro mágico, era melhor que fosse Carter, não eu.

Chegamos ao centro do cômodo sem entusiasmo algum. Carter abriu a bolsa. Até ali, nenhuma armadilha ou maldição. Ele tirou de dentro a caixa estranha que papai tinha usado no British Museum.

Era de madeira, e do tamanho certo para guardar uma baguete. A tampa era decorada como a biblioteca, com deuses e monstros e pessoas que apreciam andar de lado.

— Como os egípcios se moviam desse jeito? — pensei em voz alta. — Todos de lado, com braços e pernas virados para fora. Parece bem bobo.

Carter olhou para mim como se dissesse *Meu Deus, como você é estúpida*.

— Eles não andavam assim de verdade, Sadie.

— Bem, então por que eram pintados assim?

— Porque consideravam as pinturas mágicas. Eles acreditavam que, se você fizesse uma pintura de si próprio, precisava mostrar completamente braços e pernas. Caso contrário, na pós-vida, você podia renascer sem alguma parte.

— E por que os rostos virados para o lado? Eles nunca olham diretamente para quem os observa. Isso não quer dizer que eles vão perder o outro lado do rosto?

Carter hesitou.

— Acho que tinham medo de que a imagem fosse *muito* humana se estivesse olhando diretamente para eles. Ela poderia tentar *se tornar* quem a estivesse observando.

— Afinal, havia alguma coisa de que *não* tivessem medo?

— De irmãs mais novas. Quando elas falavam demais, os egípcios as jogavam para os crocodilos.

Ele me enganou por um segundo. Eu não estava acostumada com a demonstração do senso de humor de meu irmão. Quando percebi que era brincadeira, bati nele.

— Abra logo a droga da caixa.

A primeira coisa que ele tirou de lá foi uma bola de um material branco e grudento.

— Cera — anunciou Carter.

— Fascinante. — Peguei uma agulha de madeira e uma paleta com pequenas cavidades na superfície para colocar tinta, e, depois, alguns potes de vidro contendo tinta: preta, vermelha e dourada. — Um *kit* de pintura pré-histórico.

Carter tirou da caixa vários pedaços de barbante marrom, uma pequena estátua de um gato de ébano e um rolo de papel grosso. Não, não era papel. Papiro. Eu me lembrei de meu pai explicando como os egípcios produziam o papiro com uma planta ribeirinha, porque eles não inventaram o papel. Aquela coisa era tão grossa e áspera que me fazia pensar nos pobres egípcios que precisavam usar papiro higiênico. Pensando nisso, dá para entender por que eles andavam de lado.

Finalmente, eu peguei a estatueta de cera.

— *Eca*.

Era um homenzinho malfeito, como se o escultor tivesse pressa. Seus braços estavam cruzados no peito, a boca aberta e as pernas cortadas na altura dos joelhos. Havia uma mecha de cabelos humanos enrolada em sua cintura.

Muffin pulou de cima da mesa e foi farejar a imagem. Pareceu considerá-la bem interessante.

— Não há nada aqui — concluiu Carter.

— O que você quer encontrar? Temos cera, papiro higiênico, uma estátua horrorosa...

— Alguma coisa que explique o que aconteceu a papai. Como o trazemos de volta? Quem era o homem de fogo que ele invocou?

Eu levantei a estátua de cera.

— Você ouviu, sujeitinho. Conte tudo o que sabe.

Eu só estava brincando, mas o homem de cera tornou-se macio e quente como carne. Ele disse:

— Eu respondo ao chamado.

Eu gritei e deixei a estátua cair de cabeça na mesa. Bem, quem pode me criticar por isso?

— *Ai!* — reclamou ele.

Muffin aproximou-se para cheirá-lo, e o homenzinho começou a xingar em outro idioma, provavelmente egípcio antigo. Ao perceber que não surtia resultado, ele gritou em inglês:

— Saia daqui! Não sou um rato!

Eu peguei Muffin e a coloquei no chão.

O rosto de Carter estava tão caído e pálido quanto o do homenzinho.

— O que você *é?* — indagou ele.

— Sou um *shabti*, é claro! — A estátua esfregou a cabeça amassada. Ele ainda parecia um pouco disforme, mas agora tinha vida. — O mestre me chama de Doughboy, embora eu considere esse nome ofensivo. *Menino de Massa?* Não! Podem me chamar de Força Suprema Que Esmaga Seus Inimigos!

— Tudo bem, Doughboy — respondi.

Ele me olhou de cara feia, eu acho, embora fosse difícil ter certeza, com aquele rosto estragado.

— *Não devia* ter me despertado! Só o mestre é capaz disso.

— O mestre é meu pai — deduzi. — *Eh*, Julius Kane?

— Ele mesmo — resmungou Doughboy. — Satisfeita? Já cumpri meu dever?

Carter me olhava perplexo, confuso, mas eu achava que estava começando a entender.

— Então, Doughboy — Eu me dirigi ao boneco falante. — Você foi despertado quando eu o peguei e dei uma ordem direta: "Conte tudo que sabe." Certo?

Doughboy cruzou os braços roliços.

— Agora você só está brincando comigo. *É claro* que é isso. Só o mestre deveria ser capaz de me despertar, aliás. Não sei como você conseguiu, mas ele a fará em pedacinhos quando descobrir.

Carter tossiu para chamar a atenção.

— Doughboy, o mestre é nosso pai, e ele está desaparecido. Foi mandado para algum lugar desconhecido por algum tipo de magia, e precisamos de sua ajuda...

— O mestre desapareceu? — Doughboy sorriu, e era um sorriso tão largo que tive a impressão de que seu rosto se rasgaria ao meio. — Finalmente livre! Até qualquer dia, idiotas!

Ele tentou correr para a ponta da mesa, mas esqueceu que não tinha pés. Caiu de cara na madeira e começou a rastejar para a beirada, usando as mãos.

— Livre! Livre!

O homenzinho conseguiu percorrer mais um ou dois centímetros antes que eu o pegasse e jogasse dentro da caixa mágica de papai. Doughboy tentou sair, mas a caixa era alta demais para ele alcançar a beirada. Imaginei se havia sido escolhida por isso.

— Preso! — gritou ele. — Preso!

— Ah, cale a boca — ordenei. — Agora *eu* sou a mestra. E você vai responder às minhas perguntas.

Carter levantou uma sobrancelha.

— Desde quando *você* está no comando?

— Bem, eu fui capaz de ativá-lo.

— Você estava brincando!

Ignorei meu irmão, o que era um de meus muitos talentos.

— Agora, Doughboy, em primeiro lugar, o que é um *shabti*?

— Vai me tirar da caixa se eu disser?

— Você *tem* que me dizer — respondi. — E não, não vou.

Ele suspirou.

— *Shabti* significa *aquele que responde*, como poderia lhe dizer até o mais estúpido dos escravos.

Carter estalou os dedos.

— Agora eu lembro! Os egípcios moldavam bonecos de cera ou argila, criados para fazer todo o tipo de trabalho que pudessem imaginar na pós-vida. Eles deviam ganhar vida quando o mestre os chamasse, e assim a pessoa morta poderia, digamos, chutar o balde e relaxar, enquanto o *shabti* fazia todo o trabalho por ela por toda a eternidade.

— Primeiro — respondeu Doughboy, irritado —, isso é típico dos humanos! São preguiçosos e querem descansar enquanto nós fazemos tudo. Segundo, o trabalho na pós-vida é só *uma* das funções de um *shabti*. Também éramos usados pelos magos para várias coisas em *vida*, porque os magos seriam totalmente incompetentes sem nós. Terceiro, se sabe tudo isso, por que está me perguntando?

— Por que papai cortou suas pernas e deixou a boca? — indaguei.

— Eu... — Doughboy cobriu a boca com as mãozinhas. — Ah, muito engraçado. Ameaçar a estátua de cera. Valentona! Ele cortou minhas pernas para que eu não fugisse, nem ganhasse vida com minha forma perfeita e tentasse matá-lo, naturalmente. Os magos são muito maus. Eles aleijam estátuas para poder controlá-las. Têm medo de nós!

— Você tentaria matá-lo ao ganhar vida, se ele o tivesse mantido perfeito?

— Provavelmente — admitiu Doughboy. — Terminamos?

— Não estamos nem na metade — respondi. — O que aconteceu a nosso pai?

Doughboy deu de ombros.

— Como posso saber? Mas notei que a varinha e o cajado não estão na caixa.

— Não — confirmou Carter. — O cajado... aquela coisa que se transformou em uma cobra... foi incinerado. E a varinha... é aquela coisa que parece um bumerangue?

— Aquela *coisa que parece um bumerangue*? — reagiu Doughboy. — Deuses do Eterno Egito, você é burro. É claro que aquilo é a varinha.

— Foi destruída — anunciei.

— Como? — quis saber Doughboy.

Carter contou a ele a história. Eu não sabia se essa era uma boa ideia, mas deduzi que uma estátua de dez centímetros de altura não podia nos fazer *muito* mal.

— Isso é maravilhoso! — gritou Doughboy.

— Por quê? — perguntei. — Papai ainda está vivo?

— Não! — a estátua exclamou. — É quase certo que esteja morto. Os cinco deuses dos Dias do Demônio libertados? Maravilhoso! E qualquer um que se relaciona com o Lorde Vermelho...

— Espere aí! — interrompi. — Ordeno que me diga o que aconteceu.

— Ha-ha! — Doughboy riu. — Sou obrigado a dizer apenas o que *sei*. Palpites e adivinhações são uma tarefa completamente diferente. Declaro minha obrigação cumprida!

Com isso, ele voltou a ser um boneco de cera inanimado.

— Espere! — Eu o peguei e sacudi. — Conte-me quais são seus palpites! Nada aconteceu.

— Talvez ele tenha um relógio — opinou Carter. — Um *timer*, entende? Tipo, só uma vez por dia. Ou então você o quebrou.

— Carter, diga alguma coisa *útil*! O que fazemos agora?

Ele olhou para as quatro estátuas de cerâmica em seus pedestais.

— Talvez...

— Outros *shabti*?

— Vale a pena tentar.

Se as estátuas eram *aqueles que respondem*, não eram as mais eficientes. Tentamos segurá-las enquanto dávamos ordens, mas eram pesadas demais. Tentamos apontar para elas e gritar. Tentamos pedir com educação. Mas elas não nos deram resposta alguma.

Fiquei tão frustrada que senti vontade de usar o *ha-di* contra elas, transformá-las em milhões de pedacinhos, mas ainda estava muito faminta e cansada, e tinha a sensação de que o encantamento não ia fazer bem à minha saúde.

Finalmente, decidimos verificar os compartimentos nas paredes. Dentro de cada cilindro havia um rolo de papiro. Alguns pareciam novos. Outros davam a impressão de ter milhares de anos. Cada recipiente tinha um rótulo com hieróglifos e (felizmente) palavras em inglês.

— *O livro da Vaca Sagrada.* — Carter leu um deles. — Que tipo de nome é esse? O que você tem aí, *Texugo Sagrado*?

— Não — respondi. — *O livro da morte de Apófis.*

Muffin miou no canto. Quando olhei na direção da gata, ela estava com a cauda arrepiada.

— Qual é o problema? — perguntei.

— Apófis era uma cobra gigantesca, um monstro — murmurou Carter. — Ele era má notícia.

Muffin se virou e correu para a escada, de volta ao Grande Salão. Gatos. Não se pode contar com eles.

Carter abriu outro pergaminho.

— Sadie, veja isto.

Ele havia encontrado um papiro não muito longo, e boa parte do texto parecia ser composta de linhas de hieróglifos.

— Consegue ler isto aqui? — perguntou ele.

Estudei os sinais, intrigada, e o estranho era que eu *não conseguia* ler nada daquilo, exceto por uma linha no alto.

— Só a parte que deve ser o título. Diz... *Sangue da grande casa*. O que acha que significa?

— Grande casa — resmungou Carter. — Como essas palavras soam em egípcio?

— *Per-roh*. Ah, é *faraó*, não é? Mas pensei que faraó fosse um rei...

— E é — confirmou Carter. — Isso significa literalmente "grande casa", como a mansão de um rei. É mais ou menos como se referir ao presidente dos Estados Unidos dizendo "o Casa Branca". Portanto, o significado mais provável aqui deve ser *Sangue dos faraós*, todos eles, a linhagem completa de todas as dinastias, não só de um homem.

— O que me interessa o sangue dos faraós, e por que não consigo ler o restante?

Carter olhou para as linhas. De repente, arregalou os olhos.

— São nomes. Veja, estão todos escritos dentro de cartuchos.

— Como é? — perguntei, achando que *cartucho* soava como uma palavra muito grosseira, e eu me orgulhava de conhecê-las.

— Os círculos — explicou Carter — simbolizam cordas mágicas. Devem proteger essas pessoas da magia ruim. — Ele me encarou. — E também, possivelmente, de outros magos que tentem descobrir esses nomes.

— Ah, você é maluco — afirmei.

Mas olhei para as linhas e entendi o que ele queria dizer. Todas as outras palavras estavam protegidas por cartuchos, e eu não conseguia entender o que significavam.

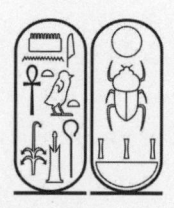

— Sadie — Carter me chamou com um tom urgente. Ele apontou para um cartucho bem no final da lista; a última linha do que parecia ser uma lista detalhada de milhares.

Dentro do círculo havia dois símbolos simples: um cesto e uma onda.

— KN — anunciou Carter. — Esse eu conheço. É o nosso nome. KANE.

— Faltam algumas letras, não?

Carter balançou a cabeça.

— Normalmente, os egípcios não escreviam vogais. Só consoantes. Você deve deduzir o som da vogal analisando o contexto.

— Eles eram *realmente* doidos. Então, isso pode ser KANA ou KAON.

— Pode ser — concordou Carter. — Mas é nosso nome, Kane. Uma vez pedi a papai que o escrevesse com hieróglifos, e foi exatamente isso que ele desenhou. Mas por que estamos na lista? E o que é "sangue dos faraós"?

Senti um arrepio gelado na nuca. Lembrei o que Amós tinha dito, sobre os dois lados de nossa família serem muito antigos. Carter me encarou, e sua expressão sugeria que ele estava pensando o mesmo.

— De jeito nenhum — protestei.

— Deve ser alguma brincadeira. — Ele concordou comigo. — Ninguém guarda registros familiares tão antigos.

Engoli uma vez, sentindo minha garganta muito seca, de repente. Muitas coisas estranhas haviam acontecido conosco no último dia, mas só quando vi nosso nome no pergaminho comecei finalmente a acreditar que toda aquela loucura egípcia era real. Deuses, magos, monstros... e nossa família no meio disso.

Desde o café da manhã, quando me ocorreu a ideia de que papai podia estar tentando trazer mamãe de volta do Mundo dos Mortos, uma emoção horrível tentava se apoderar de mim. E não era medo. Sim, a ideia toda era sinistra, *muito* mais mórbida do que o altar que meus avós mantinham para mamãe no armário do corredor de casa. E sim, eu já disse que tento não viver no passado e que nada poderia mudar o fato de minha mãe estar morta. Mas sou uma mentirosa. A verdade é que tenho um sonho desde os seis anos: ver mamãe novamente. Conhecê-la de fato, conversar com ela, ir às compras, fazer *qualquer coisa*. Simplesmente estar com ela, para ter uma lembrança mais clara a que me apegar. O sentimento que eu tentava ignorar era *esperança*. Sabia que caminhava para um sofrimento colossal. Mas, se *fosse* realmente possível trazê-la de volta, eu explodiria quantas Pedras de Roseta fossem necessárias para isso.

— Vamos continuar olhando — sugeri.

Depois de mais alguns minutos, encontrei uma imagem de alguns deuses com cabeças de animais, cinco, enfileirados, com uma mulher estrelada debruçada sobre eles numa atitude de proteção, como um guarda-chuva. Papai tinha libertado cinco deuses. *Hum...*

— Carter, o que é isso, então?

Ele se aproximou para olhar e seu rosto se iluminou.

— É isso! — anunciou. — Os cinco... e aqui em cima, a mãe deles, Nut.

Eu ri.

— Uma deusa chamada Nut? O sobrenome é Case? Sabe... Nut Case... *Maluca*, em inglês.

— Eu sei o que quer dizer. Muito engraçado. — Mas Carter não estava rindo. — Ela era a deusa do céu.

Meu irmão apontou para o teto pintado, para a mulher com a pele azul salpicada de estrelas, como a do pergaminho.

— O que você sabe sobre ela? — perguntei.

Carter estava ainda mais sério.

— Alguma coisa sobre os Dias do Demônio. Tinha a ver com o nascimento desses cinco deuses, mas papai me contou essa história há muito tempo. Esse pergaminho inteiro foi escrito em hierático, eu acho. É como uma letra cursiva dos hieróglifos. Consegue ler?

Fiz que não com a cabeça. Aparentemente, minha insanidade particular só se aplicava aos hieróglifos normais.

— Gostaria de encontrar a história em inglês — confessou Carter.

Ouvimos um estalo atrás de nós. A estátua de argila, aquela que tinha as mãos vazias, desceu do pedestal e caminhava em nossa direção. Carter e eu nos apressamos para sair do caminho, e a estátua passou direto por nós, retirou um cilindro de seu cubículo e o entregou a Carter.

— É um *shabti* de busca — arrisquei. — Um bibliotecário de argila!

Carter engoliu em seco com nervosismo e pegou o cilindro.

— Ah... obrigado.

A estátua marchou de volta a seu pedestal, subiu e readquiriu a consistência da argila.

— Imagine se... — Olhei para o *shabti*. — Sanduíche e fritas, por favor!

Infelizmente, nenhuma das estátuas se moveu para me servir. Talvez não fossem permitidos alimentos na biblioteca.

Carter destampou o cilindro e desenrolou o papiro contido nele. Ele suspirou aliviado.

— A versão em inglês.

Enquanto lia o texto, sua expressão ia se tornando mais e mais carregada.

— Você não parece feliz — comentei.

— Porque agora me lembro da história. Os cinco deuses... Se papai realmente os libertou, essa não é uma boa notícia.

— Espere aí. Comece do início.

Carter respirou fundo.

— Tudo bem. A deusa do céu, Nut, era casada com o deus da terra, Geb.

— O cara no chão?

Bati o pé em cima do grande homem verde com um rio, montanhas e florestas espalhados pelo corpo.

— Isso mesmo — confirmou Carter. — Geb e Nut queriam ter filhos, mas o rei dos deuses, Rá, rei sol, conhecia aquela profecia ruim sobre um filho de Nut...

— Filho de Nut — ri. — Desculpe, continue.

— ... um filho de Geb e Nut que um dia substituiria Rá como rei. Então, quando Rá soube que Nut estava grávida, ficou maluco. Ele a proibiu de ter o filho em qualquer dia ou noite do ano.

Cruzei os braços.

— E daí, ela teve de ficar grávida para sempre? Isso é terrivelmente cruel.

Carter balançou a cabeça.

— Nut encontrou uma solução. Ela propôs um jogo de dados com o deus da lua, Khonsu. Cada vez que Khonsu perdia, tinha de dar a Nut um pouco de sua luz. Ele perdeu tantas vezes que Nut ganhou luar suficiente para criar cinco *novos* dias, e os colocou no final do ano.

— Ah, pare. — Eu me irritei. — Primeiro, como se pode jogar apostando a lua? E, mesmo que isso fosse possível, como se poderia usar a luz da lua para criar dias extras?

— É uma história! — Carter protestou. — Enfim, o calendário egípcio tinha trezentos e sessenta dias por ano, como são trezentos e sessenta os graus em um círculo. Nut criou cinco dias e os acrescentou ao final do ano, dias que não faziam parte do calendário regular.

— Os Dias do Demônio — deduzi. — Então o mito explica por que o ano tem trezentos e sessenta e cinco dias. E suponho que ela teve seus filhos...

— Durante esses cinco dias — Carter confirmou. — Um filho por dia.

— E eu pergunto de novo, como é possível ter cinco filhos seguidos, um em cada dia?

— Eles são deuses — explicou Carter. — Podem fazer esse tipo de coisa.

— Faz tanto sentido para mim quanto o nome Nut. Mas, por favor, continue.

— Muito bem. Quando Rá descobriu, ficou furioso, mas era tarde demais. As crianças já tinham nascido. Seus nomes eram Osíris...

— Papai estava atrás desse.

— Hórus, Set, Ísis, e hã... — Carter consultou o pergaminho. — Néftis. Eu sempre esqueço essa.

— E o homem de fogo no museu disse que nosso pai havia libertado os cinco.

— Exatamente. E se estavam aprisionados juntos e papai não sabia disso? Eles nasceram juntos, então, talvez tivessem de ser chamados de volta ao mundo juntos. Acontece que um desses sujeitos, Set, era muito mau. Era o vilão da mitologia egípcia. O deus do mal, do caos e das tempestades no deserto.

Eu me arrepiei.

— É possível que ele tivesse alguma coisa a ver com fogo?

Carter apontou uma das figuras no desenho. O deus tinha cabeça de animal, mas eu não conseguia determinar que animal era aquele: Cachorro? Tamanduá? Coelhinho do mal? O que quer que fosse, seus cabelos e suas roupas eram vermelho-vivo.

— O Lorde Vermelho — concluí.

— Sadie, ainda tem mais — Carter me avisou. — Aqueles cinco dias, os Dias do Demônio, eram dias de má sorte no Egito Antigo. Era preciso tomar cuidado, usar amuleto, e não fazer nada importante ou perigoso nesses dias. E, no British Museum, papai disse a Set: " Os Dias dos Demônios. Eles o deterão antes que o fim chegue."

— Não pode estar pensando que ele se referia a *nós* — respondi. — Nós precisamos deter esse tal Set?

Carter assentiu.

— E se os últimos cinco dias do *nosso* ano ainda são considerados os Dias do Demônio egípcios... começam em 27 de dezembro, depois de amanhã.

O *shabti* parecia olhar para mim com grande expectativa, mas eu não tinha a menor ideia do que deveria fazer. Dias do Demônio e deuses coelhinhos do mal — se eu ouvisse mais *uma* coisa inacreditável, minha cabeça explodiria.

E o pior disso? Uma voz insistente no fundo da minha cabeça ficava repetindo: *Não é impossível. Para salvar papai, precisamos derrotar Set.*

Como se isso fosse um item em minha lista de tarefas a fazer antes do Natal. Ver papai: ticado. Desenvolver poderes estranhos: ticado. Derrotar um deus diabólico do caos: ticado. A ideia toda era maluca!

De repente, houve um estrondo, como se algo se quebrasse no Grande Salão. Khufu começou a gritar, assustado.

Carter e eu nos entreolhamos. Depois, corremos para a escada.

8. Muffin brinca com lâminas

NOSSO BABUÍNO ESTAVA FICANDO completamente *deusa do céu* — ou seja, *maluco*.

Ele corria de coluna em coluna, pulando pelos balcões, derrubando vasos e estátuas. Correu de volta às janelas da varanda, olhou para fora por um momento e retornou à correria frenética e barulhenta.

Muffin também estava na janela, em posição de ataque, e balançava a cauda lentamente, como se perseguisse um pássaro.

— Talvez seja só um flamingo — sugeri, esperançosa, mas não sei se Carter me ouviu, com o babuíno gritando daquele jeito.

Corremos para a porta de vidro. No início, não vi problema algum. Mas, de repente, a água explodiu da piscina e meu coração quase saltou do peito. Duas criaturas enormes, que não eram flamingos, definitivamente, lutavam contra nosso crocodilo, Filipe da Macedônia.

Eu não conseguia identificar o que eram, mas Filipe lutava sozinho, eram dois contra um. Eles desapareceram sob a água borbulhante e Khufu voltou a correr pelo Grande Salão, batendo na própria cabeça com a caixa vazia de Cheerios, o que, devo dizer, não era muito útil.

— Pescoços longos — disse Carter, incrédulo. — Sadie, você *viu* aquelas coisas?

Eu não conseguia encontrar uma resposta. Então, uma das criaturas foi jogada para fora da piscina. Ela bateu contra a porta bem na nossa frente e eu pulei para trás, assustada. Do outro lado do vidro estava o animal mais aterrorizante que eu já tinha visto. Seu corpo era como o de um leopardo — esguio e forte, o pelo com manchas douradas —, mas o pescoço não tinha nada a ver. Era verde, coberto por escamas e tinha, no mínimo, o mesmo comprimento do corpo. A cabeça era de gato, mas não um gato normal. Quando virou os olhos vermelhos e brilhantes para nós, ele urrou, mostrando a língua bífida e presas de onde pingava veneno verde.

Percebi que minhas pernas tremiam e que eu soltava um gemido muito indigno.

O gato-serpente pulou na piscina novamente para ajudar o companheiro a espancar Filipe, que se virou e atacou, mas parecia incapaz de ferir os oponentes.

— Precisamos ajudar Filipe! — gritei. — Eles vão matá-lo!

Estendi a mão para a maçaneta da porta, mas Muffin rosnou para mim.

— Sadie, não! Você ouviu Amós. Não podemos de jeito nenhum abrir as portas. A casa é protegida por magia. Filipe vai precisar vencê-los sozinho.

— Mas e se ele não conseguir? Filipe!

O velho crocodilo se virou. Por um segundo, seus olhos rosados de réptil se detiveram em mim, como se ele pudesse sentir minha preocupação. Depois, os gatos-serpente morderam a parte inferior de sua barriga, e Filipe se ergueu de um jeito que só a ponta de sua cauda continuou em contato com a água. Seu corpo começou a brilhar. Um som abafado tomou conta de tudo, como se alguém ligasse o motor de um avião. Quando desceu, Filipe aterrissou na varanda com todo seu peso.

A casa inteira tremeu. Rachaduras surgiram no concreto lá fora, e a piscina foi dividida ao meio, enquanto outro lado da varanda desmoronava no vazio.

— Não! — gritei.

Mas a beirada da construção se soltou do restante, arremessando Filipe e os dois monstros para o rio East.

Meu corpo todo começou a tremer.

— Ele se sacrificou. Matou os monstros.

— Sadie... — A voz de Carter era fraca. — E se ele não tiver conseguido? E se eles voltarem?

— Não diga isso!

— Eu... eu os reconheci, Sadie. Aquelas criaturas. Venha.

— Para onde? — perguntei, mas ele já corria de volta à biblioteca.

Carter se aproximou do *shabti* que nos ajudara antes.

— Traga-me o... *ah*, qual é o nome?

— Do quê? — indaguei.

— Uma coisa que papai me mostrou. É um grande prato de pedra ou algo parecido. Tem uma imagem do primeiro faraó, o homem que uniu o Alto e o Baixo Egitos em um só reino. O nome dele... — Seus olhos se iluminaram. — Narmer! Traga-me o Prato Narmer!

Nada aconteceu.

— Não — decidiu Carter. — Não era um prato. Era... uma daquelas coisas que contêm tinta. Uma paleta. Traga-me a Paleta Narmer!

O *shabti* de mãos vazias não se moveu, mas, do outro lado da sala, a estátua com o gancho ganhou vida. Saltou de seu pedestal e desapareceu numa nuvem de poeira. Um instante depois, reapareceu sobre a mesa. A seus pés, havia um fragmento triangular e plano de pedra cinza, com a forma de um escudo e o comprimento do meu antebraço, aproximadamente.

— Não! — protestou Carter. — Estou falando de uma *imagem* dele! Ah, que maravilha, este deve ser o artefato *verdadeiro*. O *shabti* deve ter roubado a peça do Museu do Cairo. Precisamos devolvê-la...

— Espere! — interrompi. — Podemos dar uma olhada.

A superfície da pedra era entalhada com o desenho de um homem batendo no rosto de outro com o que parecia ser uma colher.

— Aquele é Narmer, com a colher — deduzi. — Está nervoso porque o outro cara roubou seu cereal matinal?

Carter balançou a cabeça.

— Ele está dominando os inimigos e unificando o Egito. Vê o chapéu? Aquela é a coroa do Baixo Egito, antes da união dos dois países.

— Aquilo que parece um pino de boliche?

— Você é impossível — resmungou Carter.

— Ele é parecido com papai, não é?

— Sadie, isso é sério!

— Estou falando sério. Olhe para o perfil do desenho.

Carter decidiu me ignorar. Ele examinava a pedra como se tivesse medo de tocá-la.

— Preciso ver do outro lado, mas não quero virá-la. Poderia danificar...

Eu agarrei a pedra e a virei.

— Sadie! Podia ter quebrado o artefato!

— Para isso serve o encantamento que conserta coisas, lembra?

Examinamos a parte de trás da pedra, e eu tive de reconhecer que estava impressionada com a memória de Carter. Dois gatos monstros ocupavam o centro da paleta, os pescoços entrelaçados. Do outro lado, homens egípcios com cordas tentavam capturar as criaturas.

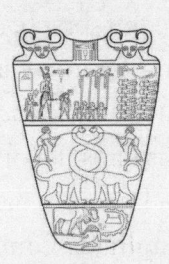

— O nome é "serpopardos" — informou Carter. — Serpentes-leopardo.

— Fascinante — respondi. — Mas o que *são* serpopardos?

— Ninguém sabe exatamente. Papai achava que fossem criaturas do caos, sinal de problemas, e eles existem desde sempre. Esta pedra é um dos artefatos mais antigos do Egito. As imagens foram entalhadas há cinco mil anos.

— Então, por que monstros de cinco mil anos estão atacando nossa casa?

— Ontem à noite, em Phoenix, o homem de fogo ordenou que seus servos nos capturassem. Ele disse que os pescoços longos deviam ser enviados primeiro.

Senti um gosto metálico na boca, e lamentei ter mascado meu último chiclete.

— Bem... para nossa sorte eles estão no fundo do East.

Nesse momento Khufu entrou correndo na biblioteca, gritando e batendo com a mão na cabeça.

— Eu não devia ter dito isso — resmunguei.

Carter mandou o *shabti* devolver a Paleta Narmer, e estátua e artefato desapareceram. Então, seguimos o babuíno escadaria acima.

Os serpopardos estavam de volta, o pelo molhado e brilhante depois do mergulho no rio, e não estavam felizes. Andavam agitados pela amurada quebrada da varanda, os pescoços de cobra indo de um lado para o outro, como se farejassem as portas, procurando uma entrada. Eles cuspiam veneno que fervia e borbulhava sobre o vidro. As línguas bífidas entravam e saíam da boca.

— *Agh, agh!* — Khufu pegou Muffin, que estava sentada no sofá, e me ofereceu a gata.

— Não creio que isso possa ajudar — comentei.

— *AGH!* — Khufu insistiu.

Muffin não terminava em *o*, por isso deduzi que Khufu não estava sugerindo que eu fizesse um lanche, mas eu não sabia o que ele pretendia. Peguei a gata só para fazê-lo ficar quieto.

— *Miau?* — Muffin olhava para mim.

— Vai ficar tudo bem — prometi, tentando não soar apavorada. — A casa é protegida por magia.

Os serpopardos estavam agora na porta à esquerda e farejavam a maçaneta com grande interesse.

— Não está trancada? — perguntei.

Os dois monstros bateram os focinhos horrendos contra o vidro. A porta estremeceu. Hieróglifos azuis brilharam pelo batente, mas era uma luz pálida.

— Não estou gostando disso — resmungou Carter.

Rezei pelos monstros, para que desistissem. Ou por Filipe da Macedônia, para que escalasse o paredão de volta à varanda (crocodilos escalam?) e continuasse a luta.

Mas os monstros bateram novamente com a cabeça contra o vidro. Dessa vez, surgiram rachaduras. Os hieróglifos azuis tremularam e sumiram.

— AGH! — Khufu gritou.

Ele apontava de maneira vaga para a gata.

— Talvez eu deva tentar o encantamento *ha-di* — sugeri.

Carter balançou a cabeça.

— Você quase desmaiou depois de abrir a porta. Não quero que desmaie ou que aconteça algo pior.

Mais uma vez, meu irmão me surpreendeu. Ele puxou uma espada esquisita de um dos expositores que Amós mantinha nas paredes da casa. A lâmina tinha uma estranha curvatura em forma de lua crescente e não parecia nada prática.

— Não pode estar falando a sério — falei.

— A menos... a menos que você tenha uma ideia melhor — ele gaguejou, o rosto coberto de suor. — Estamos aqui, eu, você e o babuíno, contra *aquelas* coisas.

Tenho certeza de que Carter tentava mostrar-se corajoso à sua maneira extremamente covarde, mas ele tremia muito mais do que eu. Se alguém ali corria o risco de desmaiar, esse alguém era ele, e eu não gostava de pensar em ver meu irmão caindo com aquele objeto cortante nas mãos.

Os serpopardos investiram uma terceira vez, e a porta cedeu. Recuamos até os pés da estátua de Tot quando vimos as criaturas invadirem o Grande Salão. Khufu arremessou sua bola de basquete, que quicou, inofensiva, na cabeça do primeiro monstro. Depois, ele mesmo se lançou contra o serpopardo.

— Khufu, não! — gritou Carter.

Mas o babuíno já cravava os dentes no pescoço do monstro. O serpopardo se debatia, tentando mordê-lo. Khufu saltou para longe, mas o monstro era rápido. Ele usou a cabeça como um bastão e atingiu o pobre Khufu ainda no ar, jogando-o contra a porta destruída, por cima da varanda em ruínas, diretamente para o vazio.

Eu queria chorar, mas não tinha tempo para isso. Os serpopardos se aproximavam de nós. Fugir deles era impossível. Carter ergueu a espada. Apontei a mão para o primeiro monstro e tentei pôr em prática o *ha-di*, mas minha voz estava presa na garganta.

— *Miauuu!* — Muffin miou com mais insistência.

Por que a gata continuava aninhada em meu braço, em vez de fugir, aterrorizada?

Então, lembrei algo que Amós dissera: "Muffin vai protegê-los." Era isso que Khufu tentava me lembrar? Parecia impossível, mas eu gaguejei:

— Hum... Muffin, ordeno que nos proteja.

Eu a joguei no chão. Por um momento, o pingente em sua coleira pareceu brilhar. Depois, a gata curvou-se, preguiçosa, sentou-se, e começou a lamber uma pata dianteira. Bem, francamente, o que eu esperava? Heroísmo?

Os dois monstros de olhos vermelhos mostraram suas presas. Eles levantaram a cabeça e se prepararam para atacar — e uma explosão de ar seco eclodiu na sala. Foi uma explosão tão forte que Carter e eu caímos no chão. Os serpopardos cambalearam e recuaram.

Eu me levantei e percebi que o centro da explosão havia sido *Muffin*. Minha gata não estava mais ali. No lugar dela, havia uma mulher — pequena e ágil como uma ginasta. Seus cabelos negros estavam presos em um rabo de cavalo. Ela vestia um macacão muito justo de pele de leopardo e tinha o pingente de Muffin no pescoço.

Ela se virou, sorriu para mim, e seus olhos ainda eram os da gata — amarelos, com pupilas negras e felinas.

— Finalmente — ela me criticou.

Os serpopardos se recuperaram do susto e investiram contra a mulher-gato. As cabeças das bestas se moviam a uma velocidade fabulosa. Era de esperar que a rasgassem ao meio, mas a mulher-gato saltou para o lado, deu três piruetas no ar e aterrissou depois deles, empoleirada no console da lareira.

Ela flexionou os pulsos e duas lâminas enormes brotaram das mangas da roupa.

— *Ah*, diversão!

Os monstros atacaram. Ela se jogou entre os dois, movendo-se e se esquivando com incrível agilidade, deixando-os investir no vazio enquanto ia entrelaçando o pescoço de um no do outro. Quando ela se afastou deles, os serpopardos estavam enroscados. Quanto mais se debatiam, mais o nó se apertava. Eles se moviam para a frente e para trás, batendo nos móveis e rugindo com frustração.

— Pobrezinhos — murmurou a mulher-gato. — Deixem-me ajudar.

As lâminas cintilaram e duas cabeças de monstro caíram no chão aos pés dela. Os corpos tombaram e se dissolveram numa enorme pilha de areia.

— Meus brinquedinhos se foram — disse a mulher em tom triste. — Do pó vieram e ao pó retornaram.

Ela olhou para nós e as lâminas sumiram dentro de suas mangas.

— Carter, Sadie, precisamos sair daqui. O pior ainda está por vir.

Carter quase sufocou com a própria voz.

— *Pior?* Quem... como... o quê?

— Tudo a seu tempo. — A mulher alongou os braços acima da cabeça com grande satisfação. — É tão bom estar novamente na forma humana! Agora, Sadie, pode abrir a porta para o Duat, por favor?

Eu pisquei.

— Ah... não. Quer dizer, não sei como fazer o que está pedindo.

A mulher estreitou os olhos, claramente desapontada.

— Que vergonha. Vamos precisar de mais poder, então. Um obelisco.

— Mas fica em Londres — protestei. — Não podemos...

— Há um mais próximo, no Central Park. Eu tento evitar Manhattan, mas estamos em uma emergência. Vamos simplesmente passar lá e abrir um portal.

— Um portal para onde? — Eu quis saber. — Quem é você, e por que você é minha gata?

A mulher sorriu.

— Por ora, só precisamos de um portal para escapar do perigo. E, com relação a quem sou eu, meu nome *não* é Muffin, é...

— Bastet — interrompeu Carter. — Seu pingente é o símbolo de Bastet, deusa dos gatos. Pensei que fosse só um enfeite, mas... é você, não é?

— Muito bem, Carter. — Bastet sorriu. — Agora vamos, temos que sair daqui enquanto ainda podemos escapar vivos.

9. Fugimos de quatro caras de saia

CARTER

Então, tá. Nossa gata era uma deusa.

Mais alguma novidade?

Ela não nos deu muito tempo para pensar nisso. Bastet ordenou que eu fosse à biblioteca pegar o *kit* de magia de papai, e quando voltei, ela estava discutindo com Sadie sobre Khufu e Filipe.

— Precisamos procurá-los! — insistia Sadie.

— Eles vão ficar bem — retrucou Bastet. — Mas *nós* não ficaremos tão bem se não sairmos daqui agora.

Eu levantei a mão.

— *Ah*, com licença, Srta. Lady Deusa? Amós nos disse que a casa era...

— Segura? — Bastet riu com ironia. — Carter, as defesas foram derrubadas com grande facilidade. Alguém as *sabotou*.

— O que quer dizer? Quem...

— Só um mago da Casa seria capaz disso.

— Outro mago? — perguntei. — Por que outro mago iria querer sabotar a casa de Amós?

— Ah, Carter... — Bastet suspirou. — Tão jovem, tão inocente. Os magos são criaturas diabólicas. Pode haver um milhão de razões para um deles atacar outro pelas costas, mas não temos tempo para discuti-las agora. Vamos sair daqui!

Ela nos segurou pelo braço e nos levou para a porta da frente. Havia guardado as lâminas, mas suas unhas ainda eram garras afiadas, e feriam minha pele. Assim que saímos, o vento gelado fez meus olhos doerem. Descemos uma longa escada de metal até o pátio que cercava a fábrica.

A bolsa de trabalho de meu pai pesava em meu ombro. A espada de lâmina curva que eu levava pendurada gelava minhas costas por cima da roupa de linho. Eu havia suado durante o ataque dos serpopardos, e agora tinha a sensação de que o suor se transformava em gelo.

Olhei em volta, esperando ver mais monstros, mas o pátio parecia abandonado. Havia pilhas de equipamento para construção, máquinas muito velhas e enferrujadas — um rolo compressor, um guindaste com uma bola de demolição, dois misturadores de cimento. Pilhas de folhas de metal e engradados criavam um labirinto de obstáculos entre a casa e a rua, algumas centenas de metros distante dali.

Estávamos na metade do pátio quando um gato vira-lata, velho e cinzento, surgiu no caminho. Uma de suas orelhas havia sido arrancada. O olho esquerdo estava inchado, fechado. A julgar pelas cicatrizes, ele tinha passado a maior parte da vida brigando.

Bastet se abaixou e olhou para o gato. Ele a encarava com a expressão calma.

— Obrigada — disse ela.

O velho gato se afastou na direção do rio.

— O que foi isso? — perguntou Sadie.

— Um de meus súditos oferecendo ajuda. Ele vai espalhar a notícia sobre nossa situação. Em breve, todos os gatos de Nova York estarão em estado de alerta.

— Ele está muito machucado — comentou Sadie. — Se é seu súdito, você não poderia tê-lo curado?

— E remover suas marcas de honra? As cicatrizes das batalhas de um gato são sua identidade. Eu não poderia...

De repente, Bastet ficou tensa. Ela nos puxou para trás de uma pilha de caixas de madeira.

— O que é? — sussurrei.

Ela flexionou os pulsos e as lâminas surgiram em suas mãos. Então, espiou por cima das caixas, todos os músculos de seu corpo tremendo. Tentei enxergar o que ela estava vendo, mas não havia nada exceto a velha bola de demolição no guindaste.

A boca de Bastet se contraía com a agitação. Seus olhos estavam fixos na imensa bola de metal. Eu já tinha visto gatinhos com essa atitude quando perseguiam ratos de brinquedo, fios de lã ou bolas de borracha... Bolas? Não. Bastet era uma deusa muito antiga. Ela não podia...

— Pode ser isso. — Ela se moveu. — Fiquem muito, *muito* quietos.

— Não tem ninguém ali — sussurrou Sadie.

— *Hum...* — comecei a dizer.

Bastet saltou por cima das caixas. Ela voou uns nove metros, as lâminas cintilando, e aterrissou na bola de demolição com tamanha força que arrebentou a corrente. A deusa dos gatos e a grande esfera de metal caíram no chão e seguiram rolando pelo pátio.

— *Ruaun!* — Bastet miou.

A bola de metal rolou por cima dela, mas não pareceu que ela tenha se ferido. Saltou novamente. As lâminas cortavam o metal como se fosse argila molhada. Em segundos, a bola de demolição foi reduzida a um amontoado de sucata.

Bastet guardou as armas.

— Agora estamos seguros!

Sadie e eu nos entreolhamos.

— Você nos salvou de uma bola de metal — constatou Sadie.

— Nunca se sabe — respondeu Bastet. — Ela poderia ser hostil.

Foi então que um *bum* grave sacudiu o chão. Olhei para a mansão. Línguas de fogo azul brotavam das janelas mais altas.

— Vamos — disse Bastet. — Nosso tempo acabou!

Pensei que ela fosse nos transportar usando magia, talvez, ou que chamaria um táxi, ao menos. Mas Bastet tomou emprestado um Lexus prateado conversível.

— Ah, sim — ronronou ela. — Gosto deste! Venham, crianças.

— Mas não é seu — lembrei.

— Meu querido, eu sou uma gata. Tudo que eu *vejo* é meu.

Ela tocou a ignição, e o lugar onde colocaria a chave brilhou. O motor começou a ronronar. [Não, Sadie. Não como um gato, como um motor.]

— Bastet — chamei —, você não pode...

Sadie me deu uma cotovelada.

— Mais tarde pensaremos em um jeito de devolver o carro, Carter. Mas, agora, estamos em uma emergência.

Ela apontou para a mansão. Chamas azuis e fumaça agora brotavam de todas as janelas. Mas isso não era o mais assustador. Descendo as escadas, havia quatro homens carregando uma grande caixa, que parecia um caixão maior que o normal, apoiado em duas varas longas — cada homem segurava uma das pontas. A caixa estava coberta por um pano preto e parecia grande o bastante para dois corpos, pelo menos. Os quatro homens vestiam apenas saiotes e calçavam sandálias. A pele acobreada brilhava ao sol, como se fosse metálica.

— Ah, isso é muito ruim — comentou Bastet. — Para o carro, por favor.

Eu decidi não fazer perguntas. Sadie se acomodou rapidamente no banco da frente, por isso eu pulei para o de trás. Os quatro homens metálicos carregavam a caixa pelo pátio, aproximando-se de nós a uma velocidade inacreditável. Antes mesmo que eu tivesse tempo de afivelar o cinto de segurança, Bastet pisou no acelerador.

Cruzamos as ruas do Brooklyn, costurando entre os outros carros de um jeito insano, passando por cima de calçadas, quase atropelando os pedestres assustados.

Bastet dirigia com reflexos que eram, bem... felinos. Qualquer ser humano que tentasse dirigir naquela velocidade já teria se envolvido em uma dúzia de acidentes, mas ela conseguiu chegar inteira à ponte Williamsburg.

Eu tinha certeza de que havíamos despistado nossos perseguidores, mas, quando olhei para trás, os quatro homens com a caixa também se moviam pelo tráfego intenso. Eles pareciam correr num ritmo normal, mas ultrapassavam carros que estavam a 75 km/h. Seus corpos eram imagens borradas, como as de um filme antigo, como se eles estivessem fora de sincronia com o tempo real.

— O que é aquilo? — perguntei. — São mais *shabti*?

— Não, são carregadores. — Bastet olhou pelo retrovisor. — Foram invocados do Duat. E não vão parar até encontrarem suas vítimas, jogarem-nas na liteira...

— Onde? — Sadie interrompeu.

— Naquela caixa enorme — explicou Bastet. — É uma espécie de meio de transporte. Os carregadores pegam alguém, espancam até deixá-lo inconsciente, jogam lá dentro e levam de volta para o mestre. Eles nunca perdem de vista uma presa e nunca desistem.

— Mas para que eles nos querem?

— Você não vai querer saber — resmungou Bastet. — Acredite em mim.

Pensei no homem de fogo em Phoenix, na noite anterior — em como ele havia fritado um de seus servos. Eu tinha certeza de que não queria encontrá-lo frente a frente outra vez.

— Bastet — chamei —, se você é uma deusa, não pode simplesmente estalar os dedos e desintegrar aqueles caras? Ou mover a mão e nos teletransportar para longe daqui?

— Isso não seria ótimo? Mas meu poder neste hospedeiro é limitado.

— Você se refere a Muffin? — perguntou Sadie. — Só que você não é mais uma gata.

— Ela ainda é minha hospedeira, Sadie, minha âncora deste lado do Duat, e não é nada perfeita. Seu pedido de ajuda me permitiu assumir a forma humana, mas só isso já consome muita energia. Além do mais, mesmo quando estou em um hospedeiro *poderoso*, a magia de Set é mais forte que a minha.

— Poderia, por favor, dizer alguma coisa que eu compreenda? — pedi.

— Carter, não temos tempo para uma discussão detalhada sobre deuses, hospedeiros e os limites da magia! Precisamos garantir a segurança de vocês!

Bastet pisou fundo no acelerador e atravessou metade da ponte. Os quatro carregadores com a liteira corriam atrás de nós, deixando um borrão na paisagem por onde passavam, mas nenhum automóvel mudava de curso para desviar deles. Ninguém entrava em pânico ou olhava na direção deles.

— Como as pessoas não os enxergam? — perguntei. — Elas não percebem quatro homens cor de cobre usando saia e correndo pela ponte com uma caixa preta esquisita?

Bastet deu de ombros.

— Os gatos conseguem ouvir muitos sons que vocês não escutam. Alguns animais enxergam coisas no espectro ultravioleta que são invisíveis para os humanos. A magia é similar. Notou a mansão logo que chegou?

— Bem... não.

— E você nasceu para a magia — lembrou Bastet. — Imagine quanto tudo isso seria difícil para um simples mortal.

— Nasci para a magia?

Lembrei o que Amós dissera sobre nossa família ter integrado a Casa da Vida por muito tempo, e continuei:

— Se a magia está, digamos, no sangue da família, por que não consegui praticá-la antes?

Bastet sorriu pelo retrovisor.

— Sua irmã entende.

As orelhas de Sadie ficaram vermelhas.

— Não, eu não! Ainda não consigo acreditar que você é uma *deusa*. Todos esses anos, você tem comido coisinhas crocantes, dormido a meu lado...

— Fiz um acordo com seu pai — respondeu ela. — Ele me deixou permanecer no mundo, desde que eu assumisse uma forma inferior, a forma de um simples gato doméstico, para poder protegê-la e cuidar de você. Era o mínimo que eu podia fazer depois que...

Bastet parou de repente.

Ela olhava para a frente, para o para-brisa.

— É isso, não é? — concluí. — Meu pai e a minha mãe fizeram algum tipo de ritual de magia na Agulha de Cleópatra. Algo deu errado. Mamãe morreu e... eles libertaram você?

— Isso agora não é importante. O que importa é que aceitei cuidar de Sadie. E vou cuidar.

Ela estava escondendo alguma informação. Eu tinha certeza disso, mas seu tom deixava claro que o assunto estava encerrado.

— Se vocês, deuses, são tão poderosos e úteis — comecei —, por que a Casa da Vida proibia os magos de invocá-los?

Bastet passou para a pista de alta velocidade.

— Os magos são paranoicos. Sua melhor chance é ficar aqui, comigo. Ficaremos o mais longe possível de Nova York. Depois, vamos procurar ajuda e desafiar Set.

— Que ajuda? — Sadie quis saber.

Bastet ergueu uma sobrancelha.

— Ora, invocaremos mais deuses, é claro.

CARTER

10. Bastet fica verde

[SADIE, PARE COM ISSO! Sim, já vou chegar a essa parte.] Desculpe, ela fica tentando me distrair colocando fogo em meu... deixe pra lá. Onde eu estava?

Saímos da ponte Williamsburg para Manhattan e seguimos para o norte pela rua Clinton.

— Ainda estão nos seguindo — avisou Sadie.

Sim, os carregadores estavam apenas um quarteirão atrás de nós, desviando de carros e pisoteando bancas de bugigangas para turistas na calçada.

— Vamos ganhar tempo.

Bastet ronronou no fundo da garganta, um som tão grave e poderoso que me fez ranger os dentes. Ela girou o volante e entrou à direita na East Houston.

Olhei para trás. Quando os carregadores viraram na mesma esquina, uma gataria materializou-se em torno deles. Alguns pularam de janelas. Outros saíam de becos e ruas estreitas. Outros apareciam dos bueiros. E todos convergiam para os carregadores, formando uma onda de pelos e garras — escalando suas pernas de cobre, arranhando suas costas, grudando em seus rostos e fazendo peso sobre a liteira. Os carregadores cambalearam e derrubaram a caixa. Eles começaram a espantar os gatos com movimentos aleatórios, às cegas. Dois carros tentaram desviar dos animais e se chocaram, bloqueando a rua inteira, e os carregadores caíram sob a massa de felinos furiosos. Viramos na FDR Drive e a cena desapareceu de nosso campo de visão.

— Muito bom — reconheci.

— Mas não vai detê-los por muito tempo — observou Bastet. — Para o Central Park!

Bastet parou o Lexus no Metropolitan Museum of Art.

— Vamos continuar correndo — disse ela. — É logo ali, atrás do museu.

Quando ela falou em correr, não era só força de expressão. Sadie e eu tivemos de nos esforçar muito para acompanhá-la, e Bastet nem suava. Ela não parava por causa de pequenos detalhes como carrinhos de cachorro-quente ou automóveis estacionados. Qualquer objeto com menos de três metros de altura era saltado com facilidade, e nós precisávamos contornar os obstáculos como fosse possível.

Entramos no parque pela East Drive. Assim que viramos para o norte, o obelisco surgiu diante de nós. Com um pouco mais de vinte metros de altura, parecia uma cópia exata da Agulha, em Londres. Ficava encravado no alto de uma colina gramada, por isso parecia isolado, algo muito raro no centro de Nova York. Não havia ninguém por perto, exceto dois corredores que já estavam adiante, no final da trilha. Eu podia ouvir o tráfego atrás de nós na Quinta Avenida, mas até isso parecia longe.

Paramos na base do obelisco. Bastet farejou o ar como se sentisse cheiro de problemas. Assim que fiquei quieto, parado, percebi que fazia muito frio. O sol estava alto, mas o vento atravessava minhas roupas de linho emprestadas.

— Eu devia ter vestido alguma coisa mais quente — resmunguei. — Um casaco de lã seria ótimo.

— Não, não seria — respondeu Bastet, examinando o horizonte. — Está vestido para a magia.

Sadie foi sacudida por um arrepio.

— É preciso congelar para ser mago?

— Os magos evitam produtos de origem animal — respondeu Bastet, distraída. — Pelo, couro, lã, tudo isso. A aura residual da vida pode interferir nos encantamentos.

— Meus coturnos não me atrapalham em nada — comentou Sadie.

— Couro — Bastet constatou com desgosto. — Você pode ter uma tolerância maior, por isso um pouco de couro não prejudica sua magia. Não sei. Mas roupas de linho sempre foram as melhores, e de algodão... matéria-prima vegetal. De qualquer forma, Sadie, acho que estamos tranquilos por enquanto. Há uma janela de tempo auspicioso começando agora, às onze e meia, mas não vai durar muito. Comece.

Sadie piscou.

— Eu? Por que eu? Você é a deusa!

— Não sou boa com portais — disse Bastet. — Gatos são protetores. Apenas controlam suas emoções. Pânico ou medo podem estragar um feitiço. *Precisamos* sair daqui antes que Set invoque os outros deuses para apoiar sua causa.

Eu estreitei os olhos.

— Quer dizer que Set tem outros deuses do mal, tipo, na discagem rápida do celular?

Bastet olhou para as árvores com certo nervosismo.

— Bem e mal podem não ser a melhor maneira de pensar nisso, Carter. Como mago, você deve pensar em termos de caos e ordem. *Essas* são as duas forças que podem controlar o universo. Set lida com o caos.

— Mas e os outros deuses que papai libertou? — insisti. — Não são do bem? Ísis, Osíris, Hórus, Néftis... Onde estão eles?

Bastet olhou fixamente para mim.

— Boa pergunta, Carter.

Um gato siamês saiu do meio dos arbustos e correu até Bastet. Eles se olharam por um momento. Depois, o siamês fugiu apressado.

— Os carregadores estão perto daqui — anunciou Bastet. — E mais alguma coisa... algo mais forte que se aproxima a leste. Acho que o mestre dos carregadores ficou impaciente.

Meu coração deu um salto.

— *Set* está a caminho?

— Não — respondeu Bastet. — Talvez um servo. Ou um aliado. Meus gatos estão com dificuldade de descrever o que viram, e eu *não* quero descobrir. Sadie, chegou a hora. Concentre-se apenas em abrir uma passagem para o Duat. Eu cuido dos inimigos. Magia de combate é minha especialidade.

— Como a que você fez na mansão? — indaguei.

Bastet mostrou os dentes pontiagudos.

— Não, aquilo foi só combate.

As árvores se moveram e os carregadores surgiram. O manto que antes cobria a liteira havia sido rasgado pelas garras dos gatos. Os carregadores também estavam arranhados e cheios de marcas. Um deles mancava, o joelho dobrado. Outro tinha um para-choque de automóvel enrolado no pescoço.

Os quatro homens metálicos baixaram a liteira cuidadosamente. Olharam para nós e retiraram tacos de metal dourado de seus cinturões.

— Sadie, mãos à obra — ordenou Bastet. — Carter, pode me ajudar, se quiser.

A deusa-gata mostrou suas lâminas. Seu corpo todo começou a brilhar com uma claridade esverdeada. Uma aura a cercava, crescente, como uma bolha de energia, e a ergueu do chão. A aura tomou forma até Bastet estar cercada por uma projeção holográfica quase três vezes maior que ela. Era uma imagem da deusa em sua forma antiga — uma mulher de seis metros de altura e cabeça de gato. Flutuando no ar no centro do holograma, Bastet deu um passo à frente. A gigantesca deusa-gata se movia com ela. Não parecia possível que uma imagem transparente pudesse ter substância, mas seus pés faziam o chão tremer. Bastet levantou a mão. A guerreira verde brilhante fez o mesmo, exibindo garras tão longas e afiadas quanto floretes. Bastet bateu com força na calçada diante dela e rasgou o concreto em tiras. Ela se virou e sorriu para mim. A gigantesca cabeça de gato fez o mesmo, deixando à mostra presas horríveis que poderiam ter arrancado metade de mim com uma mordida.

— *Isto* é magia de combate — anunciou Bastet.

No início, fiquei aturdido demais para fazer qualquer coisa além de olhar, enquanto Bastet lançava sua máquina verde de guerra no meio dos carregadores.

Ela despedaçou um deles com um único golpe, depois pisou em outro e o achatou como se fosse uma panqueca de metal. Os outros dois atacavam suas pernas holográficas, mas os bastões de metal atingiam, inofensivos, a luz fantasmagórica, criando uma chuva de fagulhas.

Enquanto isso, Sadie estava parada diante do obelisco com os braços erguidos, gritando.

— Abra, pedaço estúpido de rocha!

Finalmente, empunhei minha espada. Minhas mãos tremiam. Eu não queria entrar na briga, mas sentia que podia ajudar. E, se eu *tinha* de lutar, concluí que ter uma gata brilhante de seis metros de altura do meu lado era uma boa maneira de começar.

— Sadie... vou ajudar Bastet. Continue tentando!

— *Estou* tentando!

Eu corri para a frente justamente quando Bastet fatiou os outros dois carregadores como se fossem pão. Aliviado, eu pensei: Bem, é isso.

Mas os quatro começaram a se reconstituir. O achatado se descolou do chão. As fatias se uniam como se tivessem ímãs, e todos se levantaram inteiros e perfeitos.

— Carter, ajude-me a despedaçá-los! — gritou Bastet. — Precisamos cortá-los em pedaços menores!

Eu tentava me manter fora do caminho de Bastet enquanto ela picava e pisoteava. Assim que ela terminava de desmontar um carregador, eu corria para picar os pedaços em fragmentos ainda menores. Eles pareciam mais ser de massinha de modelar do que metal, porque minha lâmina passava pelo cobre com facilidade.

Mais alguns minutos e eu me vi cercado de pilhas de sucata de cobre. Bastet cerrou o punho brilhante e esmagou a liteira.

— Não foi tão difícil — comentei. — Do que estamos fugindo?

Dentro do casulo cintilante, o rosto de Bastet estava coberto de suor. Nunca pensei que uma deusa pudesse se cansar, mas seu avatar mágico devia ter exigido um esforço descomunal.

— Ainda não estamos seguros — ela avisou. — Sadie, como está indo?

— Não estou — respondeu Sadie. — Não existe outra maneira?

Antes que Bastet pudesse responder, ouvimos outro som no meio das árvores — como chuva, porém *rastejante*.

Um arrepio percorreu minhas costas.

— O que... o que é isso?

— Não — murmurou Bastet. — Não pode ser. Ela não.

A vegetação explodiu. Mil seres marrons rastejantes surgiram do meio das árvores, formando um tapete nojento — um manto de pinças e caudas com ferrões prontas para picar.

Eu quis gritar "Escorpiões!", mas minha voz havia desaparecido. Minhas pernas começaram a tremer. *Odeio* escorpiões. Eles estão em todos os lugares no Egito. Uma vez encontrei um em minha meia.

— Sadie! — gritou Bastet em tom urgente.

— Nada! — minha irmã gemeu.

Os escorpiões se aproximavam — milhares e milhares. Uma mulher surgiu do meio das árvores, caminhando sem medo entre aquelas criaturas peçonhentas. Vestia uma túnica marrom e joias douradas enfeitavam seu pescoço e braços. Seus cabelos negros eram cortados à maneira egípcia, e havia sobre eles uma coroa estranha. Então, percebi que não era uma coroa, mas um escorpião vivo e gigantesco. Milhões de pequeninos escorpiões se enroscavam em torno dela, como se aquela mulher fosse o centro de sua tempestade.

— Serket — grunhiu Bastet.

— A deusa dos escorpiões — deduzi. Isso devia ter me aterrorizado, mas eu já estava em meu ponto máximo de pânico. — Pode enfrentá-la?

A expressão de Bastet não me tranquilizou.

— Carter, Sadie — disse ela —, isso vai ficar feio. Vão para o museu. Encontrem o templo. Ele pode protegê-los.

— Que templo? — perguntei.

— E você? — acrescentou Sadie.

— Eu vou ficar bem. Alcanço vocês depois.

Mas, quando Bastet olhou para mim, percebi que ela não tinha certeza de nada. Estava apenas tentando ganhar tempo para nós.

— Vão! — ordenou ela, e virou seu gato guerreiro verde e gigante para a massa de escorpiões.

A verdade constrangedora? Diante daqueles escorpiões, eu nem fingi que era corajoso. Agarrei o braço de Sadie e nós corremos.

11. Conhecemos o lança-chamas humano

Tudo bem, peguei o microfone. Não existe a *menor possibilidade* de Carter contar essa parte direito, porque é sobre Zia. [Cale a boca, Carter. Você sabe que é verdade.]

Ah, quem é Zia? Desculpe, estou me precipitando.

Corremos para a entrada do museu, e eu não sabia a razão, exceto porque uma gigantesca mulher-gato com garras afiadas tinha nos mandado ir para lá. Você deve entender que eu já estava inconsolável com tudo o que tinha acontecido. Primeiro, perdi meu pai. Segundo, meus amorosos avós me expulsaram de casa. Depois, descobri que, aparentemente, eu tinha o "sangue dos faraós", havia nascido em uma família mágica e toda essa esquisitice que soava bem impressionante, mas que só me trazia toneladas de problemas. E assim que encontrei uma casa nova — uma mansão com café da manhã completo e bichinhos de estimação adoráveis, com um quarto lindo só para mim, aliás —, tio Amós desapareceu, meus novos amigos, um crocodilo e um babuíno, foram jogados no rio, e a mansão ardeu em chamas. E como se *tudo isso* não fosse suficiente, minha fiel gata Muffin decidira se envolver numa batalha inútil contra um enxame de escorpiões.

É assim que se fala? "Enxame" de escorpiões? Horda? Bando? Ah, não importa.

O que importa é que eu não conseguia acreditar que me pediram para abrir uma passagem mágica quando, evidentemente, eu não tinha essa habilidade, e agora meu irmão me arrastava para longe dali. Eu me sentia um fracasso total. [E não quero ouvir seus comentários, Carter. Se lembro bem, *você* também não foi muito útil naquele momento.]

— Não podemos abandonar Bastet! — gritei. — Veja!

Carter continuava correndo e me arrastando com ele, mas eu conseguia ver claramente o que acontecia no obelisco. A massa de escorpiões subia pelas pernas verdes e brilhantes de Bastet e penetrava o holograma como se fosse gelatina. Bastet esmagava centenas deles com pés e punhos, mas eram muitos. Logo estavam em sua cintura, e o casulo fantasmagórico começou a tremular. Enquanto isso, a deusa vestida de marrom avançava lentamente, e eu tinha a sensação de que ela seria pior do que qualquer quantidade de escorpiões.

Carter me puxava entre as árvores, e eu perdi Bastet de vista. Saímos na Quinta Avenida, que parecia ridiculamente normal depois da trágica batalha. Corremos pela calçada, empurrando pedestres, e subimos a escada do Metropolitan Museum.

Um cartaz na entrada anunciava um evento especial de Natal, razão pela qual, suponho, o museu estava aberto em um feriado, mas não me dei o trabalho de ler as informações. Entramos imediatamente.

Como era o lugar? Bem, aquilo era um museu: um grande hall de entrada, muitas colunas, essas coisas. Não posso afirmar que dediquei muito tempo apreciando a decoração. Lembro que havia filas nos guichês para compra de ingressos, porque passamos direto por eles. Também havia seguranças, porque gritaram conosco quando invadimos a exposição. Por sorte, entramos na seção do Egito e acabamos bem em frente a um lugar com corredores estreitos que era uma espécie de réplica de uma tumba. Carter provavelmente teria conseguido explicar a vocês o que era aquilo, mas, sinceramente, eu nem me importava.

— Vamos — eu disse.

Entramos e despistamos os guardas, ou eles tinham algo melhor a fazer além de perseguir crianças travessas.

Quando saímos de lá, fomos nos esgueirando e contornando peças até termos certeza de que não éramos seguidos. A ala egípcia não estava cheia — havia apenas algumas pessoas idosas e um grupo de turistas estrangeiros, com um guia falando dos sarcófagos em francês.

— Et voice la momie!

Era estranho, mas ninguém parecia notar a enorme espada nas costas de Carter, o que certamente teria sido um problema com a segurança (e muito mais interessante que as exposições). Alguns idosos nos olhavam de um jeito estranho, mas eu suspeitava que eram nossas roupas que os intrigavam, praticamente pijamas de linho, encharcadas de suor e cobertas por folhas e grama. Meus cabelos deviam estar um pesadelo.

Encontrei uma sala vazia e puxei Carter para lá. As redomas de vidro estavam cheias de *shabti*. Alguns dias antes eu não teria dado a menor atenção a elas. Agora, ficava olhando para as estátuas, certa de que ganhariam vida a qualquer minuto e tentariam me acertar na cabeça.

— E agora? — perguntei a Carter. — Viu algum templo?

— Não. — Ele estava sério e compenetrado, como se tentasse lembrar alguma coisa. — Acho que há uma réplica de um templo no final do corredor... ou será que é no Museu do Brooklyn? Talvez no de Munique? Desculpe, visitei tantos museus com papai que acho que todos se misturaram.

Bufei, irritada.

— Pobrezinho, forçado a viajar pelo mundo, não ir à escola e passar todo o tempo com papai, enquanto eu tinha dois dias por ano com ele!

— Ei! — Carter se virou para mim com força surpreendente. — Você teve um *lar*! Teve amigos e uma vida normal, não acordava todas as manhãs tentando lembrar em que país estava! Você não...

O vidro perto de nós se quebrou com um estrondo, criando uma chuva de cacos.

Carter olhou para mim, perplexo.

— Fomos nós...

— Como quando explodimos meu bolo de aniversário — resmunguei, tentando não demonstrar quanto estava assustada. — Você precisa controlar seu temperamento.

— *Eu?*

Alarmes começaram a soar. Luzes vermelhas piscavam no corredor. Uma voz eletrônica surgiu de um alto-falante, dizendo alguma coisa sobre todos se dirigirem às saídas com tranquilidade. O grupo de turistas franceses passou por nós correndo, gritando e em pânico, e atrás deles vimos pessoas idosas surpreendentemente rápidas com bengalas e andadores.

— Vamos deixar a discussão para mais tarde, está bem? — eu disse a Carter. — Venha!

Percorremos outro corredor, e as sirenes silenciaram da mesma maneira como tinham começado a soar. As luzes vermelhas continuavam piscando no silêncio sinistro. Então, eu ouvi: o som característico, um rastejar pontuado por estalos. Escorpiões.

— Bastet — eu disse, com a voz embargada. — Será que ela...?

— Não pense nisso — Carter me interrompeu. Mas sua expressão dizia que estava pensando *exatamente* o mesmo que eu. — Continue andando!

Logo estávamos irremediavelmente perdidos. Até onde eu podia dizer, a seção egípcia do museu havia sido projetada para confundir ao máximo os visitantes, com becos sem saída e salas que pareciam se duplicar. Passamos por listas hieroglíficas, joias de ouro, sarcófagos, estátuas de faraós e grandes pedaços de calcário. Por que alguém exporia uma rocha? Não havia tantas do lado de fora, espalhadas pelo mundo?

Não vimos ninguém, mas o som rastejante se tornava mais alto, por mais que corrêssemos. Finalmente, entrei em um corredor e tropecei em alguém.

Eu gritei e recuei apavorada, e trombei com Carter. Nós dois caímos sentados de um jeito nada lisonjeiro. Foi um milagre Carter não ter se espetado na própria espada.

De início, não reconheci a garota a nossa frente, o que parece estranho, agora que penso naquilo. Talvez ela estivesse usando algum tipo de aura mágica, ou talvez eu simplesmente não quisesse acreditar que fosse *ela*.

Parecia um pouco mais alta que eu. Provavelmente mais velha também, mas não muito. Seus cabelos eram curtos, na altura do queixo, com uma franja longa que caía sobre os olhos. A pele era cor de caramelo e os traços eram bonitos, ligeiramente árabes. Os olhos, contornados por *kohl* preto ao estilo egípcio, eram de um estranho tom de âmbar que podia ser tanto lindo quanto um pouco assustador; eu não conseguia decidir. Ela levava uma mochila no ombro e usava sandálias e roupas de linho folgadas como as nossas. Parecia estar a caminho de uma aula de artes marciais. Deus, agora que penso naquilo, devíamos ter essa mesma aparência. Constrangedor.

Aos poucos, comecei a perceber que já a vira antes. Era a garota da adaga no British Museum. Antes que eu pudesse dizer alguma palavra, Carter se levantou. Ele se colocou na minha frente e brandiu a espada como se tentasse me *proteger*. Dá para acreditar na ousadia?

— Afa... afaste-se! — gaguejou ele.

A garota levou uma das mãos à manga da túnica e tirou dali uma pequena peça encurvada de marfim — uma varinha egípcia.

Ela moveu a varinha para um lado, e a espada de Carter voou da mão dele, fazendo um barulho estridente ao cair no chão.

— Não se exponha ao ridículo — disse a garota com tom austero. — Onde está Amós?

Carter parecia aturdido demais para falar. A jovem olhou para mim. Os olhos dourados eram lindos *e* assustadores, decidi, e eu não gostava nada dela.

— Então? — perguntou a garota.

Eu não entendia por que deveria dizer alguma coisa a ela, mas uma pressão desconfortável começou a crescer em meu peito, como um arroto tentando sair.

— Amós se foi. Partiu esta manhã. — Eu ouvi minha voz.

— E o demônio-gato?

— Aquela gata é *minha* — frisei. — E ela é uma deusa, não um demônio. A deusa nos salvou dos escorpiões!

Carter conseguiu se mover. Ele recuperou a espada e a apontou novamente para a garota. Devo reconhecer que meu irmão é persistente.

— Quem é você? — perguntou. — O que quer?

— Meu nome é Zia Rashid. — Ela inclinou a cabeça, como se ouvisse algum som.

De repente, todo o prédio tremeu com um som retumbante. Poeira caiu do teto, e o barulho dos escorpiões que rastejavam dobrou de volume atrás de nós.

— E agora — anunciou Zia com evidente desprazer — eu preciso salvar suas vidas miseráveis. Vamos.

Suponho que poderíamos ter recusado o convite, mas as opções eram Zia ou os escorpiões, por isso a seguimos correndo.

Ela passou por uma vitrine cheia de estátuas e bateu casualmente com a mão no vidro. Pequenos faraós de granito e deuses de calcário se moveram a seu comando. Eles saltaram dos pedestais e passaram pelo vidro, quebrando-os sem esforço. Alguns empunhavam armas. Outros simplesmente cerravam os punhos de pedra. Eles nos deixaram passar, mas olhavam para o corredor atrás de nós como se esperassem pelo inimigo.

— Depressa — alertou Zia. — Eles só vão...

— Ganhar tempo — adivinhei. — Sim, já ouvimos isso antes.

— Você fala demais — Zia retrucou sem parar de correr.

Eu quase dei uma resposta malcriada. Francamente, sei que a teria posto no lugar como ela merecia. Mas, antes que eu pudesse falar, nós entramos em uma sala enorme e minha voz falhou.

— Uau — soltou Carter.

Eu não podia deixar de concordar com ele. O lugar era extremamente *uau*.

Tinha o tamanho de um estádio de futebol. Uma parede era inteiramente de vidro e, através dela, era possível ver o parque. No meio da sala, em uma plataforma, havia a réplica de um prédio antigo. Atrás de um portal de pedra de cerca de oito metros de altura, via-se um pátio descoberto e uma estrutura quadrada feita de blocos irregulares de pedra gravados com imagens de deuses e de faraós com hieróglifos. Nas laterais da entrada do edifício havia duas colunas banhadas por uma luz sobrenatural.

— Um templo egípcio — deduzi.

— O Templo de Dendur — explicou Zia. — Na verdade, foi construído pelos romanos...

— Quando ocuparam o Egito — completou Carter, como se essa informação fosse animadora. — Augustus encomendou a obra.

— Exato — disse Zia.

— Fascinante — murmurei. — Vocês dois gostariam de ficar a sós com um livro de história?

Zia me olhou de cara feia.

— De qualquer maneira, o templo foi dedicado a Ísis, por isso terá poder suficiente para abrir um portal.

— E invocar mais deuses? — perguntei.

Os olhos de Zia brilharam, furiosos.

— Acuse-me disso novamente e corto sua língua. Refiro-me a um portal para tirá-los daqui.

Eu estava completamente perdida, mas já começava a me acostumar com isso. Seguimos Zia escada acima e passamos pela entrada do templo.

O pátio estava vazio, abandonado pelos visitantes que haviam fugido do museu, o que tornava a paisagem ainda mais assustadora. Imagens gigantescas de deuses olhavam para mim. Havia inscrições hieroglíficas em todos os lugares, e eu tive medo de me concentrar e conseguir lê-las.

Zia parou nos degraus na frente do templo. Ela ergueu uma das mãos e escreveu no ar. Um hieróglifo familiar brilhou entre as colunas.

Abrir: o mesmo símbolo que papai havia usado na Pedra de Roseta. Esperei alguma coisa explodir, mas o hieróglifo simplesmente desapareceu.

Zia abriu a mochila.

— Vamos ficar aqui até que o portal possa ser aberto.

— Por que não o abrimos agora, simplesmente? — Carter quis saber.

— Portais só podem aparecer em momentos auspiciosos — explicou Zia. — Nascer do sol, pôr do sol, meia-noite, eclipses, alinhamentos astrológicos, a hora exata do nascimento de um deus...

— Ah, por favor! — eu a interrompi. — Como alguém pode saber quando todos esses eventos vão acontecer?

— São necessários anos para memorizar todo o calendário — respondeu Zia. — Mas o próximo momento auspicioso é fácil: meio-dia. Em dez minutos e meio.

Ela não consultou nenhum relógio. Como podia saber o tempo com tanta precisão? Decidi que essa não era a pergunta mais importante.

— Por que devemos confiar em você? — indaguei. — Se lembro bem, no British Museum você queria nos cortar com sua adaga.

— Teria sido mais simples. — Zia suspirou. — Infelizmente, meus superiores acham que vocês podem ser *inocentes*. Portanto, ao menos por ora, não posso matá-los. Mas também não posso deixá-los cair nas mãos do Lorde Vermelho. Sendo assim... podem confiar em mim.

— Bem, você me convenceu — respondi. — Sinto-me confortada e acolhida.

Zia tirou da mochila quatro estatuetas: homens com cabeça de animais, cada uma com cinco centímetros de altura. Ela as entregou a mim.

— Ponha os Filhos de Hórus em torno de nós nos pontos cardeais.

— Como?

— Norte, sul, leste, oeste — disse ela, devagar, como se eu fosse uma idiota.

— Conheço os pontos cardeais! Mas...

— Ali é o norte. — Zia apontou a parede de vidro. — Deduza o restante.

Fiz como ela dizia, embora não entendesse como os homenzinhos poderiam nos ajudar. Enquanto isso, Zia deu a Carter uma espécie de giz e disse a ele que traçasse um círculo à nossa volta, ligando as estátuas.

— Proteção mágica — disse Carter. — Como a que papai produziu no British Museum.

— Sim — resmunguei. — E nós vimos como *aquilo* funcionou bem.

Carter me ignorou. Qual era a novidade? Ele estava tão ansioso para agradar Zia que se atirou imediatamente à tarefa de desenhar no chão.

Então, Zia tirou mais alguma coisa da mochila: uma varinha comum, de madeira, como aquela que nosso pai usara em Londres. Ela falou uma palavra em voz baixa e a varinha se expandiu, transformando-se em um cajado preto de dois metros de comprimento com uma cabeça de leão na ponta. Ela girou o cajado com uma das mãos, como um bastão de baliza — exibindo-se, apenas, tenho certeza — enquanto segurava a varinha com a outra.

Carter concluía o círculo de giz quando os primeiros escorpiões apareceram na entrada da galeria.

— Quanto tempo falta para o portal? — perguntei, esperando não soar tão apavorada quanto me sentia.

— Fique dentro do círculo, aconteça o que acontecer — Zia determinou. — Quando o portal se abrir, atravessem. E fiquem atrás de mim!

Ela tocou o círculo de giz com a mão, falou uma palavra e o círculo começou a se tingir de vermelho-escuro.

Centenas de escorpiões se aproximavam do templo, transformando o chão em um tapete vivo de garras e ferrões. Depois, a mulher vestida de marrom, Serket, entrou na galeria. Ela sorriu para nós com frieza.

— Zia — chamei —, ela é uma deusa. Derrotou *Bastet*. Que chance *você* tem?

Zia levantou seu cajado e a cabeça de leão explodiu em chamas — uma pequena bola de fogo de um vermelho tão brilhante que iluminou toda a sala.

— Sou uma escriba na Casa da Vida, Sadie Kane. Sou treinada para lutar contra os deuses.

12. Mergulhamos em uma ampulheta

BEM, ERA TUDO MUITO IMPRESSIONANTE, eu acho. Deviam ter visto a cara de Carter. Ele parecia um cachorrinho, todo animado. [E pare de me empurrar. Você empurrou!]

Mas eu não tinha tanta confiança na Srta. Zia "Sou Mágica" Rashid enquanto aquele exército de escorpiões se aproximava de nós. Nunca imaginei que existissem tantos escorpiões no mundo, muito menos em Manhattan. O círculo brilhante à nossa volta parecia uma proteção insignificante frente a milhões de aracnídeos rastejando uns sobre os outros, camadas sobre camadas, e frente à mulher de marrom, que era ainda mais horrível.

De longe ela parecia comum, mas, à medida que se aproximava, notei que a pele pálida de Serket brilhava como a couraça de um inseto. Seus olhos eram pretos e redondos como contas. Os cabelos longos e escuros, singularmente grossos, pareciam feitos de um milhão de antenas pontudas de insetos. E quando ela abriu a boca, mandíbulas laterais abriam e fechavam por cima de seus dentes humanos.

A deusa parou a uns vinte metros de nós, estudando-nos. Os olhos negros e cheios de ódio estavam cravados em Zia.

— Entregue as crianças.

A voz era áspera e rouca, como se ela não tivesse falado durante séculos.

Zia cruzou o cajado e a varinha.

— Sou senhora dos elementos, Escriba do Primeiro Nomo. Suma ou será destruída.

Serket cerrou as mandíbulas num sorriso espumante. Alguns escorpiões avançaram, mas quando o primeiro tocou a linha brilhante de nosso círculo de proteção, fritou e virou cinzas. Escute bem o que vou dizer: *nada* tem cheiro pior que escorpião queimado.

As demais criaturas horríveis recuaram, cercaram a deusa e subiram por suas pernas. Com um arrepio, percebi que eles se enroscavam em suas vestes. Depois de alguns segundos, todos os escorpiões haviam desaparecido entre as dobras de suas roupas.

O ar parecia escurecer atrás de Serket, como se ela projetasse uma sombra enorme. Depois, a sombra escura subiu e tomou a forma de uma imensa cauda de escorpião, inclinando-se num arco acima da cabeça da deusa. Ela investiu contra nós a uma velocidade incrível, mas Zia levantou a varinha, e o veneno ferveu sobre a ponta do marfim com um ruído sibilante. Vapor se desprendia da varinha de Zia e pairava no ar um cheiro de enxofre.

Zia apontou seu cajado e o corpo da deusa foi envolvido por fogo. Serket gritou e cambaleou para trás, mas o fogo se apagou quase instantaneamente. A túnica da deusa estava chamuscada e fumegava, mas ela parecia mais enfurecida do que machucada.

— Seus dias acabaram, maga. A Casa enfraqueceu. Lorde Set vai disseminar a destruição por essa terra.

Zia arremessou sua varinha como um bumerangue, que se chocou contra a cauda escura do escorpião e explodiu num ofuscante lampejo de luz. Serket recuou com um salto e desviou os olhos, enquanto Zia retirava da manga um objeto pequeno — algo que ela manteve na mão fechada.

A varinha era uma distração, pensei. Como um truque de prestidigitação.

Então, Zia fez algo insano: ela saltou para fora do círculo mágico, exatamente o que dissera que não devíamos fazer.

— Zia! — gritou Carter. — O portal!

Olhei para trás, e meu coração quase parou. O espaço entre as duas colunas na entrada do templo era agora um túnel vertical de areia. Era como se eu estivesse olhando para dentro do funil de uma enorme ampulheta virada de lado. E sentia que aquilo me sugava, que me puxava para sua gravidade mágica.

— Não vou entrar *lá* — insisti, mas outro lampejo de luz atraiu minha atenção para Zia.

Ela e a deusa estavam envolvidas em uma dança perigosa. Zia girava e rodopiava com seu cajado poderoso, e por onde passava deixava uma trilha de fogo ardendo no ar. Eu tinha de admitir: Zia era quase tão graciosa e impressionante quanto Bastet.

Senti um estranho desejo de ajudar. Queria muito sair do círculo e me envolver no combate. Era um impulso maluco, é claro. O que eu poderia ter feito? Mesmo assim, eu sentia que não devia — ou *não podia* — passar pelo portal sem ajudar Zia.

— Sadie! — Carter me agarrou e puxou para trás. Sem que eu percebesse, meu pé quase havia ultrapassado a linha de giz. — Onde está com a cabeça?

Eu não tinha uma resposta, mas olhei para Zia e murmurei numa espécie de transe:

— Ela vai usar fitas. Não vão funcionar.

— O quê? — perguntou Carter. — Venha, precisamos passar pelo portal!

Nesse momento, Zia abriu a mão e pequenas tiras de tecido vermelho flutuaram no ar. *Fitas.* Como eu sabia? Elas se contorciam como seres vivos — como enguias na água — e começaram a aumentar de tamanho.

Serket ainda estava atenta ao fogo, tentando impedir que Zia a encurralasse. No início, não parecia notar as fitas, que cresceram até atingir vários metros de comprimento. Eu contei cinco, seis, sete no total. As fitas giravam, descrevendo uma órbita em torno de Serket, cortando sua sombra de escorpião como se fosse uma ilusão inofensiva. Finalmente, envolveram o corpo de Serket, prendendo seus braços e suas pernas. Ela gritou como se as fitas a queimassem. Caiu de joelhos, e a sombra de escorpião desintegrou-se numa névoa escura.

Zia girou e parou. Ela apontou o cajado para o rosto da deusa. As fitas começaram a brilhar e a deusa sibilou de dor, praguejando em uma língua que eu não conhecia.

— Eu a prendo com as Sete Fitas de Hátor — anunciou Zia. — Liberte seu hospedeiro ou sua essência queimará para sempre.

— Sua *morte* é que vai durar para sempre! — grunhiu Serket. — Agora é uma inimiga de Set!

Zia girou seu cajado e Serket caiu de lado, retorcendo-se e fumegando.

— Eu não... vou... — dizia a deusa entre os dentes. Então, seus olhos negros se tornaram brancos e leitosos, e ela ficou inerte.

— O portal! — alertou Carter. — Zia, vamos! Acho que a passagem está se fechando!

Ele tinha razão. O túnel de areia parecia se mover um pouco mais devagar. A atração exercida por sua magia já não era tão forte em mim.

Zia aproximou-se da deusa caída. Ela tocou a testa de Serket, e uma fumaça negra brotou da boca da deusa. Serket se transformou e encolheu até estarmos olhando para uma mulher completamente diferente amarrada por fitas vermelhas. Sua pele era pálida e os cabelos eram negros, mas, além disso, não havia mais semelhança alguma com Serket. Ela parecia, bem, *humana*.

— Quem é aquela? — perguntei.

— A hospedeira — respondeu Zia. — Alguma pobre mortal que...

Ela ergueu o olhar com um sobressalto. A fumaça negra não estava mais se dissipando. Ela se tornava mais densa e escura, girando como se adquirisse uma forma sólida.

— Impossível — disse Zia. — As fitas são muito poderosas. Serket *não pode* adquirir uma nova forma, a menos que...

— Bem, ela *está* tomando forma — gritou Carter —, e nossa saída está se fechando. Vamos!

Eu não conseguia acreditar que ele estava mesmo disposto a pular dentro de um túnel giratório de areia, mas, quando vi a nuvem negra tomando a forma de um escorpião de dois andares — um escorpião muito *zangado* —, tomei minha decisão.

— Estou indo! — gritei.

— Zia! — insistiu Carter. — Agora!

— Talvez você esteja certo — a maga falou, decidida.

Ela se virou e, juntos, corremos e pulamos na abertura que girava como um redemoinho.

13. Eu encaro o peru assassino

Minha vez.

Em primeiro lugar, o comentário de Sadie sobre "cachorrinho animado" foi totalmente sem propósito. Eu não estava encantado com Zia. Mas não conheço muita gente que arremesse bolas de fogo e lute contra deuses. [Pare de fazer caretas para mim, Sadie. Está parecendo Khufu.]

Bem, nós mergulhamos no túnel de areia.

Tudo ficou escuro. Meu estômago reagiu como se eu estivesse em uma montanha-russa, e eu despenquei no vazio. Um vento quente passava por mim e minha pele queimava.

Caí em um chão frio de ladrilhos, e Sadie e Zia despencaram em cima de mim.

— Ai! — reclamei.

A primeira coisa que notei foi a fina camada de areia que cobria meu corpo, como açúcar polvilhado. Depois, meus olhos se adaptaram à luz intensa. Estávamos em um grande edifício, que lembrava um shopping, com muitas pessoas andando à nossa volta.

Não... não um shopping. Era uma espécie de aeroporto de dois andares, com lojas, muitas vitrines e colunas de aço lustroso. Do lado de fora estava escuro, por isso deduzi que estávamos em um fuso horário diferente. Anúncios saídos dos alto-falantes ecoavam por todo o espaço num idioma que parecia árabe.

Sadie cuspiu areia.

— Eca!

— Vamos — disse Zia —, não podemos ficar aqui.

Eu me levantei. As pessoas passavam por nós — algumas com roupas ocidentais, outras com túnicas e lenços. Uma família discutindo em alemão passou correndo do nosso lado e quase me atropelou com sua bagagem.

Então, eu me virei e vi algo que reconheci. No meio do saguão havia uma réplica em tamanho natural de um antigo barco egípcio, feito de reluzentes painéis de propaganda — um estande de vendas de perfumes e joias.

— Este é o aeroporto do Cairo — anunciei.

— Sim — confirmou Zia. — Agora vamos!

— Por que a pressa? Serket... Ela pode nos seguir pelo portal de areia?

Zia balançou a cabeça em sentido negativo.

— Um artefato superaquece sempre que cria um portal. Precisa de um resfriamento de doze horas antes de poder ser utilizado novamente. Mas ainda temos de nos preocupar com a equipe de segurança do aeroporto. A menos que queiram conhecer a polícia egípcia, sugiro que venham comigo *agora*.

Ela nos segurou pelo braço e nos guiou pela multidão. Devíamos parecer mendigos com aquelas roupas antiquadas, cobertos de areia da cabeça aos pés. As pessoas nos olhavam com curiosidade e espanto, mas ninguém tentou nos deter.

— Por que estamos aqui? — perguntou Sadie.

— Para ver as ruínas de Heliópolis — respondeu Zia.

— Dentro de um *aeroporto*? — disparou Sadie.

Lembrei-me de uma coisa que papai me dissera anos atrás, e senti um arrepio no couro cabeludo.

— Sadie, as ruínas estão *embaixo* de nós. — Olhei para Zia. — É isso, não é?

Ela assentiu.

— A antiga cidade foi pilhada há séculos. Alguns de seus monumentos foram enviados para longe, como os dois obeliscos chamados Agulhas de Cleópatra. A maioria dos templos foi demolida para dar lugar a novos edifícios. O que restou desapareceu sob os subúrbios do Cairo. A maior seção fica justamente embaixo deste aeroporto.

— E por que isso é útil para nós? — Sadie quis saber.

Zia abriu uma porta de serviço com um chute. Do outro lado havia um armário de vassouras. Ela resmungou um comando — *sahad* —, e a imagem do armário brilhou e desapareceu, revelando uma escada de pedras que levava ao subsolo.

— Porque nem toda a Heliópolis está nas ruínas — respondeu ela. — Fiquem perto de mim. E *não toquem em nada*.

A escada devia ter uns dez milhões de quilômetros, porque descemos *para sempre*. A passagem fora feita para minipessoas. Tínhamos de nos abaixar e rastejar quase o tempo todo, e, mesmo assim, bati a cabeça no teto uma dúzia de vezes. A única luz no local vinha de uma bola de fogo na palma da mão de Zia, e essa luminosidade projetava sombras que dançavam nas paredes.

Eu já estivera em lugares como aquele antes — túneis no interior de pirâmides, tumbas que meu pai tinha escavado —, mas nunca gostara deles. Milhões de toneladas de pedras sobre mim pareciam forçar o ar para fora de meus pulmões.

Finalmente chegamos ao fundo. O túnel se abriu, e Zia parou de repente. Assim que meus olhos se acostumaram, compreendi por quê. Estávamos na beirada de um precipício.

Uma prancha de madeira era a única ponte sobre o nada. Do outro lado, dois guerreiros de granito com cabeça de chacal ladeavam uma porta, com suas lanças cruzadas sobre a entrada.

Sadie suspirou.

— Por favor, chega de estátuas psicóticas.

— Não brinque com isso. — Zia a preveniu. — Esta é uma entrada para o Primeiro Nomo, o ramo mais antigo da Casa da Vida, quartel-general de todos os magos. Minha missão era trazê-los até aqui em segurança, mas não posso ajudá-los a atravessar. Cada mago deve abrir caminho por si mesmo, e o desafio é diferente para cada solicitante.

Ela olhou para Sadie com evidente expectativa, o que me aborreceu. Primeiro Bastet, agora Zia — ambas tratando Sadie como se ela tivesse superpoderes. Quer dizer, tudo bem, ela havia conseguido abrir a porta da biblioteca, mas por que ninguém esperava que *eu* fizesse os truques legais?

Além do mais, eu ainda estava zangado com Sadie pelos comentários que ela tinha feito no museu em Nova York — sobre como eu me divertira viajando pelo mundo com nosso pai. Ela não tinha ideia de quantas vezes quis reclamar das viagens constantes, de quantos dias sonhei não ter de entrar em um avião e poder ser como qualquer garoto normal, ir à escola e fazer amigos. Mas eu não podia me queixar. "Você deve se apresentar sempre impecável", papai tinha me dito. E ele não se referia apenas às roupas. Falava também de minha atitude. Sem mamãe, eu era tudo o que ele tinha. Papai precisava que eu fosse forte. Na maior parte do tempo, nada disso me incomodava. Eu amava meu pai. Mas também era difícil.

Sadie não entendia nada disso. *Ela* havia ficado com a vida mais fácil. E agora era como se recebesse toda a atenção, como se *ela* fosse especial. Não era justo.

Então, ouvi em meus pensamentos a voz de papai: "Justiça é garantir que todos recebam o que é necessário. E a única maneira de ter o que é necessário é *você mesmo* fazer acontecer."

Não sei o que deu em mim, mas empunhei a espada e marchei pela prancha. Era como se minhas pernas agissem por conta própria, como se fossem independentes de meu cérebro. Parte de mim pensava: Essa é uma ideia muito ruim. Mas outra parte respondia: *Não, não temos medo disso*. E essa voz não parecia ser minha.

— Carter! — Sadie gritou.

Continuei andando. Tentava não olhar para baixo, para o impressionante vazio sob meus pés, mas o tamanho do abismo me deixava tonto. Eu me sentia como um daqueles brinquedos com giroscópio, girando e balançando enquanto atravessava o abismo pela tábua estreita.

Quando me aproximei do outro lado, a porta entre as duas estátuas começou a tremer, como uma cortina de luz vermelha.

Respirei fundo. Talvez a luz vermelha fosse um portal, como o túnel de areia. Se eu corresse até ela...

Foi quando a primeira adaga foi arremessada do túnel.

Minha espada se moveu antes que eu percebesse. A adaga deveria ter perfurado meu peito, mas, de algum jeito, eu a desviei com minha lâmina e a joguei no fundo do abismo. Mais duas delas surgiram do túnel. Meus reflexos nunca foram os melhores, mas, de repente, eram perfeitos. Desviei de uma das adagas e rebati a outra com a lâmina curva de minha espada, lançando-a de volta ao túnel. *Como eu havia feito isso?*

Avancei até o final da prancha e corri até a luz vermelha, que tremulou e apagou. Esperei que as estátuas ganhassem vida, mas nada aconteceu. O único som que ouvi foi o de uma adaga caindo nas pedras no fundo do abismo.

A passagem voltou a brilhar. A luz vermelha se fundiu numa forma estranha: um pássaro de três metros de altura com cabeça de homem. Eu ergui minha espada, mas Zia gritou:

— Carter, não!

A criatura dobrou suas asas. Seus olhos, delineados com *kohl*, ficaram mais estreitos ao me estudar. Uma peruca preta ornamental brilhava sobre sua cabeça e seu rosto era riscado por rugas. Uma das falsas barbas trançadas de faraó estava presa em seu queixo como um rabo de cavalo ao contrário. Ele não parecia hostil, exceto pela luz vermelha brilhando à sua volta e pelo fato de ele ser, do pescoço para baixo, o maior peru assassino do mundo.

Então, uma ideia assustadora me ocorreu: aquele era um pássaro com cabeça humana, a mesma forma que imaginei assumir quando dormi na casa de Amós, quando minha alma deixou meu corpo e voou até Phoenix. Eu não tinha ideia do que isso significava, mas me assustava muito.

A criatura alada ciscou no chão de pedra. Depois, inesperadamente, sorriu.

— *Pari, niswa nafeer* — disse a mim, ou pelo menos foi o que pareceu.

Zia arfou sobressaltada. Ela e Sadie estavam atrás de mim agora, ambas muito pálidas. Aparentemente, haviam conseguido atravessar o abismo e eu não notara.

Finalmente, Zia se recuperou. E se curvou para o pássaro com cabeça de gente. Sadie seguiu seu exemplo.

A criatura piscou para mim, como se tivéssemos acabado de compartilhar uma piada. Depois, desapareceu. A luz vermelha se apagou. As estátuas recolheram os braços, descruzando as lanças que protegiam a entrada.

— É isso? — perguntei. — O que o peru disse?

Zia olhou para mim com uma emoção que parecia ser medo.

— Aquilo não era um peru, Carter. Aquilo era um *ba*.

Eu tinha ouvido meu pai usar essa palavra antes, mas não conseguia lembrar seu significado.

— Outro monstro?

— Uma alma humana — explicou Zia. — Nesse caso, o espírito de um morto. Um mago dos tempos antigos, que voltou para servir de guardião. Eles vigiam as entradas da Casa.

Ela estudava meu rosto como se eu estivesse com alguma terrível urticária.

— O que é? — perguntei. — Por que está olhando para mim desse jeito?

— Nada — respondeu ela. — Precisamos correr.

Zia se espremeu a meu lado na passagem e desapareceu dentro do túnel. Sadie também me olhava.

— Tudo bem — eu disse. — O que o homem-pássaro falou? Você entendeu?

Ela assentiu, desconfortável.

— Ele o confundiu com alguém. Deve enxergar mal.

— Por quê?

— Porque ele disse: "Vá em frente, bom rei."

Depois disso eu fiquei atordoado. Passamos pelo túnel e entramos numa vasta cidade subterrânea de corredores e câmaras, mas só me lembro de algumas partes dela.

O pé-direito das salas tinha de seis a nove metros de altura, por isso não parecia que estávamos no subsolo. Todas as câmaras tinham imensas colunas de pedra, como as que eu tinha visto nas ruínas egípcias, mas as daqui estavam em perfeitas condições, pintadas para parecerem palmeiras, com folhas verdes entalhadas no alto, e eu me sentia como se caminhasse por uma floresta petrificada. O fogo ardia em braseiros de cobre. Não parecia haver fumaça, e o ar tinha um cheiro bom, como em um mercado de especiarias — canela, cravo, noz-moscada e outros temperos que eu não conseguia identificar. A cidade tinha o perfume de Zia. Compreendi que aquele era seu lar.

Vimos algumas outras pessoas, poucas, a maioria mulheres e homens mais velhos. Alguns vestiam túnicas de linho, outros, roupas modernas. Um homem de terno passou por nós com um leopardo negro em uma coleira, como se isso fosse completamente normal. Outro gritava ordens para um pequeno exército de vassouras, esfregões e baldes, que se moviam diligentes, limpando a cidade.

— É como aquele filme — comentou Sadie. — Ou é um desenho? Aquele em que o Mickey tenta fazer mágica e as vassouras não obedecem, derrubam água...

— *Aprendiz de Feiticeiro* — respondeu Zia. — Sabe que a produção se baseou em uma história egípcia, não é?

Sadie a encarou silenciosamente. Eu sabia como ela se sentia. Era informação demais para processar.

Atravessamos uma sala de estátuas com cabeça de chacal, e eu podia jurar que seus olhos nos seguiam. Alguns minutos mais tarde, Zia nos conduziu a um mercado ao ar livre — se é que se pode falar em "ar livre" no subterrâneo — com várias barracas vendendo coisas estranhas, como varinhas em forma de bumerangue, bonecos animados de argila, papagaios, cobras, rolos de papiro e centenas de amuletos brilhantes diferentes.

Em seguida, atravessamos um caminho de pedras sobre um rio escuro cheio de peixes. Pensei que fossem peixes inofensivos, até ver seus dentes ameaçadores.

— São piranhas? — perguntei.

— Peixes-tigre do Nilo — respondeu Zia. — São como piranhas, mas podem pesar até oito quilos.

Depois disso passei a tomar mais cuidado com o lugar onde pisava.

Viramos em uma esquina e passamos por um edifício muito ornamentado encravado na rocha negra. Faraós sentados tinham sido esculpidos nas paredes, e a porta tinha a forma de uma serpente enrolada.

— O que tem lá dentro? — Sadie quis saber.

Espiamos o interior do prédio e vimos fileiras de crianças — talvez duas dúzias ao todo, com idade variando entre seis e dez anos —, todas sentadas de pernas cruzadas em almofadas. Elas se debruçavam sobre tigelas de cobre e olhavam intensamente para o líquido ali contido, resmungando alguma coisa. No início, pensei que fosse uma sala de aula, mas não havia nem sinal de professor, e o aposento era iluminado apenas por algumas velas. Considerando o número de assentos vazios, o espaço deveria abrigar o dobro de crianças.

— Nossos iniciados — explicou Zia. — Estão aprendendo a arte da vidência. O Primeiro Nomo precisa manter contato com nossos irmãos no mundo todo. Usamos nossos pequenos como... telefonistas, pode-se dizer.

— Quer dizer que vocês têm bases como esta no mundo todo?

— A maioria é menor, mas, sim.

Lembrei o que Amós tinha nos falado sobre os nomos.

— O Egito é o Primeiro Nomo. Nova York é o Vigésimo Primeiro. Qual é o último, o trecentésimo sexagésimo?

— A Antártida — respondeu Zia. — Uma alocação punitiva. Não há nada lá, exceto dois magos congelados e um punhado de pinguins mágicos.

— Pinguins mágicos?

— Nem me pergunte.

Sadie apontou para as crianças dentro do prédio.

— Como isso funciona? Eles veem imagens na água?

— É óleo — corrigiu Zia. — E, sim.

— Tão poucos... — notou Sadie. — Esses são os únicos iniciados na cidade toda?

— No *mundo* todo — corrigiu Zia. — Havia mais antes... — Ela parou.

— Antes do quê? — eu quis saber.

— De nada — respondeu Zia em tom sombrio. — Os iniciados são encarregados da vidência porque a mente jovem é mais receptiva. Os magos começam o treinamento antes dos dez anos... com algumas perigosas exceções.

— Está falando de nós — deduzi.

Ela me olhou apreensiva, e eu notei que Zia ainda estava pensando em como o espírito-pássaro me chamara: *bom rei*. Parecia tão irreal quanto o nome de nossa família naquele pergaminho do *Sangue dos Faraós*. Como eu poderia ter alguma relação com antigos reis?

E, mesmo que tivesse, eu certamente não era um rei. Não tinha um reino. Não tinha mais nem mesmo minha única mala.

— Eles estão esperando vocês — informou Zia. — Venham.

Andamos tanto que meus pés começaram a doer.

Finalmente, chegamos a um entroncamento de vias. À direita havia uma imponente porta de bronze com fogo ardendo nas laterais; à esquerda, uma esfinge de uns seis metros de altura encravada na parede. Havia uma porta entre suas patas, mas estava emparedada e coberta de teias de aranha.

— Parece a Esfinge de Gizé — comentei.

— É porque estamos exatamente embaixo da esfinge *verdadeira* — anunciou Zia. — Aquele túnel leva até lá. Ou levava, antes de ser fechado.

— Mas... — Fiz mentalmente alguns cálculos rápidos. — A Esfinge fica a uns trinta quilômetros do aeroporto do Cairo.

— É mais ou menos isso.

— Não podemos ter percorrido toda essa distância.

Zia sorriu, e não pude deixar de notar como seus olhos eram bonitos.

— A distância é diferente nos lugares mágicos, Carter. Já deve ter percebido.

Sadie pigarreou.

— Mas por que o túnel foi fechado, então?

— A Esfinge era muito popular entre os arqueólogos — explicou Zia. — Eles estavam sempre escavando a área. Finalmente, na década de 1980, encontraram o primeiro trecho do túnel sob a Esfinge.

— Papai me falou sobre isso! — respondi. — Mas disse que o túnel não tinha saída.

— Foi quando decidimos fechá-lo. Não podíamos deixar que os arqueólogos descobrissem quanto não sabiam. O maior arqueólogo do Egito recentemente especulou sobre apenas trinta por cento das antigas relíquias egípcias terem sido encontradas até agora. Na verdade, eles só descobriram dez por cento, e nem foi o décimo mais *interessante*.

— E quanto à tumba do Rei Tut? — perguntei.

— Aquele rei menino? — Zia revirou os olhos. — *Sem graça*. Devia ver algumas das *boas* tumbas.

Eu me senti um pouco magoado. Papai tinha escolhido meu nome por causa de Howard Carter, o homem que descobrira a tumba do Rei Tut, por isso sempre tive uma ligação com ela. Se aquela não era uma "boa" tumba, eu não saberia dizer qual delas era.

Zia olhou para a porta de bronze.

— Aquele é o Salão das Eras.

Ela tocou o lacre da porta, que tinha o símbolo da Casa da Vida.

Os hieróglifos começaram a brilhar e a porta se abriu.

Zia se virou para nós com uma expressão muito séria.

— Agora vocês conhecerão o Sacerdote-leitor Chefe. Comportem-se, a menos que queiram ser transformados em insetos.

14. Um francês quase nos mata

C
A
R
T
E
R

Nos últimos dois dias, eu tinha visto muitas coisas malucas, mas o Salão das Eras levava o prêmio.

Fileiras duplas de pilares de pedra sustentavam um teto tão alto que seria possível estacionar um dirigível ali, sem problemas. Um tapete azul cintilante que parecia água se estendia pelo meio do salão, tão comprido que eu não conseguia ver o final, apesar da iluminação radiante. Bolas de fogo flutuavam como balões de gás hélio do tamanho de bolas de basquete e mudavam de cor sempre que se chocavam. Milhões de pequeninos símbolos hieroglíficos também pairavam no ar, combinando-se aleatoriamente para formar palavras que se desmanchavam em seguida.

Eu agarrei um par de pernas vermelhas brilhantes.

Elas caminharam pela palma de minha mão antes de saltarem e se dissolverem no ar.

O mais esquisito, porém, eram as *projeções*.

Não sei que outro nome poderia dar àquilo. Entre as colunas à direita e à esquerda, imagens iam se sucedendo, aparecendo, ganhando foco e depois se tornando turvas novamente, como hologramas em uma tempestade de areia.

— Venham — chamou Zia. — E não fiquem olhando por muito tempo.

Era impossível não olhar. Nos primeiros seis metros, mais ou menos, as cenas mágicas espalhavam um brilho dourado pelo salão. Um sol abrasador se erguia acima de um oceano. Uma montanha emergia da água, e eu tive a sensação de estar assistindo ao nascimento de um novo mundo. Gigantes caminhavam pelo Vale do Nilo: um homem de pele negra e cabeça de chacal, uma leoa com as presas ensanguentadas, uma linda mulher com asas de luz.

Sadie saiu do tapete. Em transe, estendeu a mão para as imagens.

— Fique no tapete! — Zia agarrou a mão dela e a puxou de volta para o meio do salão. — Estão vendo a Era dos Deuses. Nenhum mortal deveria deparar com essas imagens.

— Mas... — Sadie piscou. — São só imagens, não são?

— Lembranças — revelou Zia. — Tão poderosas que poderiam destruir sua mente.

— Ah... — murmurou Sadie.

Continuamos andando. As imagens mudaram para uma tonalidade prateada. Vi exércitos em combate — egípcios de saiotes, sandálias e armadura de couro, lutando com lanças. Um homem alto de pele escura em uma armadura vermelha e branca pôs sobre a própria cabeça uma coroa dupla: Narmer, o rei que unificara o Alto e o Baixo Egitos. Sadie estava certa: ele era mesmo um pouco parecido com papai.

— É o Velho Reino — deduzi. — A primeira grande era do Egito.

Zia assentiu. Enquanto caminhávamos pelo salão, vimos operários construindo com pedras a primeira pirâmide de degraus. Mais alguns passos, e a maior de todas as pirâmides se erguia no deserto de Gizé. Seu exterior de pedras brancas e lisas brilhava ao sol. Dez mil trabalhadores se reuniam na base dessa pirâmide, ajoelhados diante do faraó, que erguia as mãos para o sol, consagrando a própria tumba.

— Khufu.

— O babuíno? — perguntou Sadie, de repente interessada.

— Não, o faraó que construiu a Grande Pirâmide — respondi. — Foi a estrutura mais alta do mundo por quatro mil anos.

Mais alguns passos, e as imagens passaram de prata a cobre.

— O Reino Médio — anunciou Zia. — Um período caótico, sangrento. Mas foi nesse tempo que a Casa da Vida chegou à maturidade.

As cenas mudavam mais depressa. Vimos exércitos lutando, templos sendo construídos, embarcações navegando no Nilo e magos lançando chamas. Cada passo cobria séculos, mas o salão ainda se estendia eternamente diante de nós. Pela primeira vez entendi quanto o Egito era antigo.

Atravessamos outra fronteira, e a luz se tornou cor de bronze.

— O Novo Reino — adivinhei. — Último período em que o Egito foi governado por egípcios.

Zia não disse nada, mas vi cenas que meu pai tinha descrito para mim: Hatshepsut, a mais grandiosa mulher faraó, colocando uma barba falsa e governando o Egito como um homem; Ramsés, o Grande, levando suas carruagens para a batalha.

Vi magos em ação no interior de um palácio. Um homem de vestes rasgadas, com uma longa barba negra e olhos desvairados, arremessou seu cajado, que se transformou em uma serpente e devorou outras doze cobras.

Um nó se formou em minha garganta.

— Aquele é...

— Musa — completou Zia. — Ou Moshê, como seu próprio povo o chama. Vocês o conhecem como Moisés. O único estrangeiro que já derrotou a Casa em um duelo mágico.

Olhei para ela.

— Está brincando, não é?

— Ninguém aqui brincaria com esse tipo de coisa.

A cena mudou novamente. Vi um homem debruçado sobre uma mesa onde havia figuras de guerra: navios de madeira, soldados e carruagens de brinquedo. O homem estava vestido como um faraó, mas seu rosto parecia estranhamente familiar. Ele levantou a cabeça, e foi como se sorrisse para mim. Com um arrepio, reconheci naqueles traços o rosto do *ba*, o espírito-pássaro que tinha me desafiado na ponte.

— Quem é aquele? — perguntei.

— Nectanebo II — respondeu Zia. — O último rei egípcio nativo e último faraó feiticeiro. Ele podia mover exércitos inteiros, criar ou destruir navios movimentando as peças em seu tabuleiro, mas, no final, essa habilidade não foi suficiente.

Atravessamos outra linha e as imagens ficaram azuis.

— Esses são os tempos Ptolomaicos — disse Zia. — Alexandre, o Grande, conquistou todo o mundo conhecido, inclusive o Egito. Ele entronou seu general Ptolomeu como novo faraó e inaugurou uma linhagem de reis gregos que governaram o Egito.

A área Ptolomaica do salão era menor e parecia triste comparada às outras. Os templos eram menores. Os reis e as rainhas pareciam desesperados, ou preguiçosos, ou simplesmente apáticos. Não havia grandes batalhas... exceto perto do fim. Vi romanos marchando para a cidade de Alexandria. Vi uma mulher com cabelos escuros e um vestido branco colocando uma cobra dentro do próprio decote.

— Cleópatra — anunciou Zia. — A sétima rainha com esse nome. Ela tentou enfrentar a poderosa Roma e perdeu. Quando pôs fim à própria vida, levou com ela a última linhagem de faraós. O Egito, a grande nação, desapareceu. Nossa língua foi esquecida. Os antigos ritos foram suprimidos. A Casa da Vida sobreviveu, mas fomos obrigados a nos esconder.

Passamos para uma área iluminada em vermelho, e a história começou a me parecer conhecida. Vi exércitos árabes marchando para o Egito, depois turcos. Napoleão conduziu seu exército à sombra das pirâmides. Chegaram os britânicos, que construíram o Canal de Suez. Lentamente, o Cairo se transformou em uma cidade moderna. E as velhas ruínas desapareceram mais e mais sob a areia do deserto.

— Todo ano — Zia nos disse — o Salão das Eras fica maior, a fim de abranger nossa história. Até os tempos atuais.

Eu estava tão perplexo que, até Sadie agarrar meu braço, nem percebi que havíamos chegado ao final do salão.

Diante de nós havia um tablado e, nele, um trono vazio, uma cadeira de madeira pintada de dourado com um mangual e um cajado de pastor entalhados no encosto — os antigos símbolos do faraó.

No degrau sob o trono estava sentado o homem mais velho que já vi. Sua pele era como o papel daqueles sacos de pão: marrom, fina e enrugada.

Vestes de linho branco pendiam, largas, de seu corpo magro e pequeno. Pele de leopardo cobria seus ombros e sua mão segurava, trêmula, um grande cajado de madeira, e eu tinha certeza de que ele o deixaria cair a qualquer minuto. No entanto, o mais estranho de tudo: os hieróglifos brilhantes pareciam emanar *dele*. Os símbolos multicoloridos surgiam a seu redor e flutuavam para longe, como se ele fosse uma espécie de máquina mágica de bolinhas de sabão.

No início, não consegui saber ao certo nem se ele estava vivo. Seus olhos leitosos fitavam o espaço. Depois, ele os focou em mim, e uma corrente elétrica percorreu meu corpo.

Ele não estava apenas me olhando. Estava me analisando — lendo todo o meu ser.

Esconda, falou alguma coisa dentro de mim.

Não sei de onde veio aquela voz, mas meu estômago se contraiu. Todo o meu corpo ficou tenso, como se eu me preparasse para receber um golpe, e a sensação de eletricidade perdeu força.

O homem ergueu uma sobrancelha, como se eu o tivesse surpreendido. Ele olhou para trás, por cima do ombro, e disse algo em uma língua que eu não reconhecia.

Um segundo homem surgiu das sombras. Eu quis gritar. Era o homem que estivera com Zia no British Museum — aquele da túnica cor de creme e da barba bifurcada.

O homem barbudo olhou para Sadie e para mim.

— Eu sou Desjardins — apresentou-se com sotaque francês. — Meu mestre, Sacerdote-leitor Chefe Iskandar, dá a vocês as boas-vindas à Casa da Vida.

Eu não consegui pensar em nada para dizer, por isso, é claro, fiz uma pergunta estúpida.

— Ele é muito velho. Por que não está sentado no trono?

As narinas de Desjardins se dilataram, mas o velho, Iskandar, apenas riu, e disse alguma frase naquele idioma desconhecido.

Desjardins traduziu, tenso.

— O mestre agradece por ter notado; ele é mesmo *muito* velho. Mas o trono é para o faraó. Está vago desde a queda do Egito diante de Roma. É...

comment dit-on? Simbólico. O papel do Sacerdote-leitor Chefe é servir e proteger o faraó. Portanto, ele se senta ao pé do trono.

Olhei para Iskandar com certo nervosismo. Havia quantos anos ele estava sentado naquele degrau?

— Se você... se ele consegue entender inglês... que idioma está falando? Desjardins bufou.

— O Sacerdote-leitor Chefe entende muitas coisas. Mas ele prefere falar o grego alexandrino, sua língua materna.

Sadie limpou a garganta, fingindo tossir.

— Desculpe, mas, sua língua *materna?* Alexandre, o Grande, não ficou lá atrás, na seção azul, há milhares de anos? Está falando como se o Lorde Salamandra fosse...

— Lorde *Iskandar* — Desjardins sibilou. — Tenha respeito!

Algo se encaixou em minha mente: no Brooklyn, Amós havia falado sobre a lei dos magos que proibia invocar deuses — uma lei criada nos tempos romanos pelo Sacerdote-leitor Chefe... Iskandar. Devia ser outro cara. Talvez estivéssemos falando com Iskandar XXVII ou coisa parecida.

O velho me olhou nos olhos. Ele sorriu, como se soubesse exatamente o que eu estava pensando. Depois, disse alguma frase em grego, e Desjardins traduziu.

— O mestre pede que não se preocupem. Não serão responsabilizados pelos crimes praticados anteriormente por seus familiares. Pelo menos, não até que os tenhamos investigado completamente.

— Ah... obrigado — respondi.

— Não deboche de nossa generosidade, menino — Desjardins me avisou. — Seu pai desrespeitou duas vezes a mais importante lei: uma vez na Agulha de Cleópatra, quando tentou invocar os deuses e a mãe de vocês morreu enquanto o ajudava. Depois, novamente, no British Museum, quando foi tolo o suficiente para usar a Pedra de Roseta real. Agora, seu tio também está desaparecido...

— Sabe o que aconteceu ao tio Amós? — Sadie se inquietou.

Desjardins franziu o cenho.

— Ainda não — admitiu.

— Vocês precisam encontrá-lo! — gritou Sadie. — Não existe algum tipo de GPS mágico ou...

— Estamos procurando — Desjardins a interrompeu. — Mas vocês não podem se preocupar com Amós. Devem ficar aqui. Precisam ser... treinados.

Tive a impressão de que ele ia dizer outra palavra, alguma menos gentil que *treinados*.

Iskandar falou diretamente a mim. Seu tom soava bondoso.

— O mestre o previne do início dos Dias do Demônio, amanhã, ao pôr do sol — Desjardins traduziu. — Precisam ser mantidos em segurança.

— Mas precisamos encontrar nosso pai! — protestei. — Há deuses perigosos soltos por aí. Vimos Serket. E Set!

Ao ouvir esses nomes, Iskandar assumiu uma expressão mais fechada, tensa. Ele se virou para falar a Desjardins o que soou como uma ordem. Desjardins protestou. Iskandar repetiu o que dissera.

Desjardins não gostara daquilo, era evidente, mas se curvou para seu mestre. Depois, ele se virou para mim.

— Sacerdote-leitor Chefe quer ouvir sua história.

Então contei a história, e Sadie ajudava com alguns trechos e dava opiniões sempre que eu fazia uma pausa para respirar. O engraçado foi que nós dois omitimos certas partes sem termos planejado nada. Não mencionamos as habilidades de Sadie para a magia ou o encontro com o *ba* que me chamou de rei. Era como se eu não *pudesse*, literalmente, mencionar esses trechos. Sempre que tentava, a voz dentro de minha cabeça sussurrava: *Essa parte, não. Fique quieto.*

Quando terminei, olhei para Zia. Ela nada disse, mas me observava com uma expressão preocupada.

Iskandar traçou um círculo no degrau usando a ponta de seu cajado. Mais hieróglifos surgiram no ar e flutuaram para longe.

Após vários segundos, Desjardins deu sinais de impaciência. Ele se adiantou um passo e olhou para nós com evidente desprazer.

— Estão mentindo. Não pode ter sido Set. Ele precisaria de um hospedeiro poderoso para permanecer neste mundo. *Muito* poderoso.

— Escute aqui, você — Sadie manifestou-se. — Não sei que idiotice é essa sobre hospedeiros, mas eu vi Set. Você estava no British Museum, deve tê-lo visto também. E se Carter o viu em Phoenix, Arizona, então... — Ela olhou para mim como se tivesse um instante de dúvida. — Então, ele provavelmente não está maluco.

— Obrigado, irmã — murmurei, mas Sadie estava apenas começando.

— E Serket também é real! Nossa amiga, minha gata Bastet, morreu nos protegendo dela!

— Então — Desjardins respondeu com frieza —, você admite manter contato com os deuses. Isso torna nossa investigação mais fácil. Bastet não é sua *amiga*. Os deuses causaram a queda do Egito. É proibido invocar seus poderes. Os magos estão sob juramento para impedir que deuses interfiram no mundo mortal. Devemos usar todo o nosso poder para combatê-los.

— Bastet disse que você é paranoico — disparou Sadie.

O mago cerrou os punhos e o ar ganhou, de repente, aquele cheiro estranho de ozônio, como acontece durante uma tempestade de raios e trovões. Os pelos em minha nuca ficaram em pé. Antes que algo terrível pudesse acontecer, Zia tomou a frente.

— Lorde Desjardins — disse ela —, havia *mesmo* algo estranho. Quando destruí a deusa escorpião, ela se recompôs quase instantaneamente. Não consegui devolvê-la ao Duat, nem mesmo com as Sete Fitas. Consegui apenas romper seu domínio sobre o hospedeiro por alguns momentos. Talvez os boatos sobre outras fugas...

— Que outras fugas? — perguntei.

Ela me encarou, relutante.

— Outros deuses, *muitos* deles, foram libertados, desde ontem à noite, de artefatos espalhados pelo mundo. Foi como uma reação em cadeia...

— Zia! — Desjardins irritou-se. — Essa informação não deve ser divulgada.

— Escute — comecei —, lorde, senhor, tanto faz... Bastet nos avisou que isso tinha acontecido. Ela disse que Set libertaria mais deuses.

— Mestre — suplicou Zia —, se o Maat está enfraquecendo, se Set está alimentando o caos, talvez por isso não tenhamos conseguido banir Serket.

— Ridículo — declarou Desjardins. — Você é habilidosa, Zia, mas é possível que sua habilidade não tenha sido suficiente para esse encontro. E quanto a esses dois, a contaminação deve ser contida.

O rosto de Zia ficou vermelho. Ela olhou para Iskandar.

— Mestre, por favor. Dê-me uma chance com eles.

— Está esquecendo qual é seu lugar — Desjardins a censurou. — Esses dois são culpados e devem ser destruídos.

Minha garganta começou a fechar. Olhei para Sadie. Se tivéssemos de correr pelo salão para escapar, eu nem queria pensar em quais seriam nossas chances...

O homem idoso finalmente levantou os olhos. Ele sorriu para Zia com sincero afeto. Por um segundo, imaginei se ele seria o tataravô dela, ou se teria algum outro parentesco. Ele falou em grego e Zia se curvou com austeridade.

Desjardins parecia prestes a explodir. Ele suspendeu a bainha da túnica, a fim de não tropeçar nela, e caminhou para trás do trono.

— Sacerdote-leitor Chefe vai permitir que Zia os ponha à prova — resmungou. — Enquanto isso, eu vou procurar a verdade, ou as mentiras, em sua história. E vocês serão punidos pelas mentiras.

Eu me virei para Iskandar e repeti a mesura de Zia. Sadie fez o mesmo.

— Obrigado, mestre.

O velho me estudou por um bom tempo. Mais uma vez, senti que ele tentava invadir minha alma — mas não de um jeito furioso. Era mais por preocupação. Depois, ele resmungou alguma coisa, e eu entendi duas palavras: *Nectanebo* e *ba*.

Ele abriu a mão e uma nuvem de hieróglifos brilhantes brotou dela, flutuando acima do tablado. Houve um ofuscante lampejo de luz e, quando consegui enxergar novamente, o espaço estava vazio. Os dois homens haviam desaparecido.

Zia nos olhou com a expressão séria.

— Vou levá-los a seus aposentos. As provas começarão ao amanhecer. Veremos quanto conhecem de magia, e como conhecem.

Eu não sabia ao certo o que ela queria dizer com isso, mas Sadie e eu nos entreolhamos com desconforto.

— Bem, parece divertido — opinou Sadie. — E se não passarmos nessas provas?

Zia olhou para ela com frieza.

— Não estamos falando de provas nas quais você pode ser reprovada, Sadie. É passar ou morrer.

15. Uma festa de aniversário divina

CARTER FOI LEVADO PARA UM dormitório diferente, por isso não sei como ele dormiu. Mas eu não consegui pregar os olhos.

Teria sido difícil com os comentários de Zia sobre passar nas provas ou morrer, mas ficou ainda pior pelas acomodações. O dormitório feminino não tinha nada do conforto da mansão de Amós. Das paredes de pedra minava umidade. Imagens sinistras de monstros egípcios dançavam pelo teto à luz das tochas. Minha cama parecia uma maca suspensa, e as outras meninas em treinamento — *iniciadas*, Zia as chamava — eram muito mais novas que eu, por isso, quando a velha governanta do dormitório ordenou que elas dormissem imediatamente, todas *obedeceram*. A governanta acenou com a mão e as tochas se apagaram. Ela fechou a porta ao sair e ouvi o som de fechaduras e trancas.

Adorável. Aprisionada na masmorra de um jardim de infância.

Fiquei olhando a escuridão até ouvir o ronco das outras meninas. Um único pensamento continuava me incomodando: uma urgência da qual eu não conseguia me livrar. Finalmente, eu me levantei da cama e calcei os coturnos.

Tateei até chegar à porta. Girei a maçaneta. Trancada, como eu imaginava. Senti a tentação de chutar a porta, mas resisti ao lembrar o que Zia fizera com o armário de vassouras no aeroporto do Cairo.

Encostei a palma da mão na porta.

— *Sahad* — sussurrei.

Trincos e trancas estalaram. A porta se abriu. Esse era um truque bem útil.

Do lado de fora, os corredores estavam escuros e vazios. Aparentemente, não havia muita vida noturna no Primeiro Nomo. Caminhei de modo furtivo pela cidade, refazendo o trajeto que fizéramos até ali, mas nada vi além de uma ou outra cobra rastejando pelo chão. Depois dos últimos dois dias, isso nem me abalava. Pensei em tentar encontrar Carter, mas não sabia para onde o tinham levado e, francamente, queria agir sozinha dessa vez.

Depois de nossa última discussão em Nova York, eu não sabia o que sentia por meu irmão. A ideia de que ele podia invejar a *minha* vida enquanto viajava pelo mundo com papai... Por favor! E ele tivera a ousadia de chamar minha vida de *normal*? Tudo bem, eu tinha algumas colegas na escola, como Liz e Emma, mas minha vida estava longe de ser fácil. Se Carter cometia uma gafe social, ou se conhecia pessoas de quem não gostava, podia simplesmente ir embora, seguir adiante! Eu tinha de ficar. Não podia responder a perguntas simples como "Onde estão seus pais?", "O que sua família faz?" ou até mesmo "De onde você é?" sem expor quanto minha situação era estranha. Eu era sempre a garota *diferente*. A mestiça, a americana que não era americana, a garota cuja mãe tinha morrido, a menina com o pai ausente, a aluna que criava problemas na classe, a garota que não conseguia se concentrar nas aulas. Depois de um tempo, a gente aprende que tentar se misturar simplesmente não funciona. Se as pessoas iam me discriminar, pelo menos eu daria a elas motivo para comentar. Mechas vermelhas no cabelo? Por que não? Coturnos com o uniforme da escola? Com certeza! O diretor diz que vai ter de chamar meus pais, e eu digo a ele que desejo boa sorte na missão impossível. Carter nada sabe sobre minha vida.

Mas já chega disso. O que importa é que decidi realizar sozinha essa exploração em especial e, após algumas tentativas fracassadas, encontrei o caminho de volta ao Salão das Eras.

O que eu pretendia?, você pode estar se perguntando. Certamente eu não queria encontrar novamente o *Monsieur* Malvado ou o sinistro Lorde Salamandra.

Mas eu queria ver aquelas imagens — *lembranças*, como Zia as chamara.

Empurrei a porta de bronze. O salão parecia deserto. Não havia bolas de fogo flutuando. Nem hieróglifos cintilantes. Mas ainda havia entre as colunas as cenas mágicas, inundando o salão com uma luz estranha, multicolorida.

Dei alguns passos com nervosismo.

Eu queria dar mais uma olhada na Era dos Deuses. Em nossa primeira jornada pelo salão, algo naquelas imagens tinha me afetado intensamente. Sabia que Carter tinha pensado que eu entrara num transe perigoso, e Zia havia me avisado que as cenas derreteriam meu cérebro, mas eu tinha a sensação de que ela só queria me assustar. Senti uma ligação com aquelas imagens, como se houvesse nelas alguma resposta — uma informação vital da qual eu precisava.

Pisei fora do tapete e me aproximei da cortina de luz dourada. Vi dunas de areia mudando de lugar com o vento, nuvens de tempestade se formando, crocodilos deslizando pelo Nilo. Vi um salão enorme cheio de foliões. E toquei a imagem.

Fui parar no palácio dos deuses.

Seres imensos passavam por mim mudando de forma: de humanos a animais e a pura energia. Em um trono no centro da sala estava um musculoso africano em ricas vestes negras. Seu rosto era bonito e os olhos eram castanhos e calorosos. As mãos pareciam fortes o bastante para esmagar pedras.

Os outros deuses celebravam em torno dele. Havia música — um som tão poderoso que o ar fervilhava. Ao lado do homem, vi uma bela mulher de branco, a barriga protuberante sugerindo um início de gravidez. Sua forma tremulava. Às vezes, parecia ter asas multicoloridas. Então ela me olhou e perdi o fôlego. Seu rosto era o de minha mãe!

Ela não parecia me ver. De fato, nenhum dos deuses parecia perceber minha presença, até que uma voz atrás de mim perguntou:

— Você é um fantasma?

Eu me virei e vi um menino bonito, de uns dezesseis anos, inteiramente vestido de preto. Sua pele era pálida, mas seus olhos eram castanhos e lindos, como os do homem sentado no trono. Os cabelos eram longos, pretos, emaranhados — bastante despenteados, mas eu gostava. Ele inclinou a cabeça, e finalmente compreendi que o garoto havia feito uma pergunta.

Tentei pensar em alguma coisa para dizer. Como? Oi? Quer se casar comigo? Qualquer frase teria servido. Mas tudo o que consegui fazer foi sacudir a cabeça.

— Não é um fantasma — concluiu ele. — Um *ba*, então? — Ele apontou para o trono. — Observe, mas não interfira.

Eu não estava muito interessada em olhar para o trono, mas o menino de preto se dissolveu numa sombra e desapareceu. Minha distração foi embora.

— Ísis — disse o homem no trono.

A mulher grávida olhou para ele e se curvou.

— Meu senhor Osíris. Feliz aniversário.

— Obrigado, meu amor. E logo estaremos celebrando o nascimento de nosso filho... Hórus, o grande! Em sua nova encarnação ele será ainda mais grandioso. Trará paz e prosperidade ao mundo.

Ísis segurou a mão do marido. A música continuava tocando, os deuses comemoravam, o ar parecia pulsar em uma dança da criação.

De repente, as portas do palácio se abriram com uma rajada de vento. Um vento forte que fez tremular a chama das tochas.

Um homem entrou no salão. Ele era alto e forte, quase um gêmeo de Osíris, mas tinha a pele vermelho-escura, vestes cor de sangue e uma barba pontuda. Parecia humano, exceto quando sorria. Então, seus dentes se transformavam em presas. Seu rosto se alterava — ora humano, ora com traços de lobo. Tive de sufocar um grito, porque eu já tinha visto aquele rosto de lobo antes.

A dança parou. A música cessou.

Osíris se levantou do trono.

— Set — disse ele em tom ameaçador. — O que faz aqui?

Set riu, e a tensão na sala se desfez. Apesar dos olhos cruéis, ele tinha uma gargalhada contagiante — muito diferente do guincho que soltara no British Museum. Era despreocupada e amistosa, como se ele não tivesse nenhuma má intenção.

— Vim celebrar o aniversário de meu irmão, é claro! — exclamou o recém-chegado. — E trago entretenimento!

Ele apontou para trás. Quatro homens muito grandes com cabeça de lobo entraram no salão carregando um caixão dourado cravejado de pedras preciosas.

Meu coração disparou. Era a mesma caixa que Set utilizara para aprisionar meu pai no British Museum.

Não! Senti vontade de gritar. *Não confie nele!*

Mas os deuses reunidos diziam muitos "oh" e "ah", admirando o caixão pintado com hieróglifos dourados e vermelhos, adornado com jades e opalas. Os homens-lobo puseram-no no chão, e eu vi que não havia uma tampa. O interior era forrado de linho preto.

— Este esquife de dormir — anunciou Set — foi feito por meu melhor artesão, com os mais caros materiais. Seu valor é incomensurável. O deus que nele se deitar, mesmo que só por uma noite, terá seus poderes multiplicados por dez! Sua sabedoria nunca falhará. Sua força nunca diminuirá. É um presente — ele sorriu acanhado para Osíris — para o *único* deus que couber nele perfeitamente!

Eu não teria corrido para a frente da fila, mas os deuses se apressaram. Eles se empurravam tentando chegar ao caixão dourado. Alguns entraram, mas eram pequenos demais. Outros eram muito grandes. Mesmo quando tentavam mudar de forma, não tinham sorte, como se a magia do caixão os estivesse enganando, trapaceando. Nenhum deles cabia perfeitamente. Alguns resmungavam e se queixavam, enquanto outros, ansiosos pela oportunidade de tentar, os empurravam e jogavam no chão.

Set se virou para Osíris com uma risada bem-humorada.

— Bem, irmão, ainda não temos um vencedor. Não vai tentar? Só o melhor dos deuses terá sucesso.

Os olhos de Osíris brilhavam. Aparentemente, ele não era o deus da inteligência, porque parecia completamente fascinado pela beleza do esquife. Todos os outros deuses olhavam para ele com grande expectativa, e eu pude ver o que ele estava pensando: se coubesse na caixa, aquele seria um fabuloso presente de aniversário. Até mesmo Set, seu terrível irmão, teria de admitir que ele tinha o direito de ser reconhecido como rei de todos os deuses.

Só Ísis parecia preocupada. Ela mantinha uma das mãos sobre o ombro do marido.

— Meu senhor, não. Set não dá presentes.

— Estou ofendido! — reagiu Set em tom magoado. — Não posso celebrar o aniversário de meu irmão? Estamos tão distantes que não posso nem pedir desculpas ao rei?

Osíris sorriu para Ísis.

— Minha querida, é só uma brincadeira. Não tema.

Ele se levantou do trono. Os deuses aplaudiram quando ele se aproximou do caixão.

— Viva Osíris! — gritou Set.

O rei dos deuses entrou no caixão, e quando olhou em minha direção, só por um momento, vi nele o rosto de meu pai.

Não!, pensei novamente. Não faça isso!

Mas Osíris se deitou. E coube nele perfeitamente.

Aplausos eclodiram no salão, todos os deuses comemoravam, mas, antes que Osíris pudesse se levantar, Set bateu palmas uma vez. Uma tampa dourada materializou-se e lacrou o esquife.

Osíris gritou furiosamente, mas o som foi abafado.

Fechos dourados prendiam a tampa. Os outros deuses se aproximaram para interferir — até o menino de preto que eu vira antes reapareceu —, mas Set foi mais rápido. Ele bateu o pé com tanta força que o chão tremeu. Os deuses caíram uns sobre os outros como dominós. Os homens-lobo empunharam suas lanças e os deuses recuaram aterrorizados.

Set pronunciou uma palavra mágica e um caldeirão fervente apareceu do nada, pairando no ar. Ele despejou seu conteúdo sobre o caixão: chumbo derretido, que revestiu, selou e, provavelmente, elevou a temperatura de seu interior a mil graus.

— Vilão! — Ísis gritou.

Ela avançou até Set e começou a recitar um encantamento, mas ele levantou uma das mãos. Ísis foi erguida do chão e levou as mãos à boca com desespero, como se uma força invisível a sufocasse.

— Não hoje, adorável Ísis — murmurou Set. — Hoje, eu sou o rei. E seu filho jamais nascerá!

De repente, outra deusa, uma mulher esguia de vestido azul, surgiu do meio da multidão.

— Marido, não!

Ela se aproximou de Set, que perdeu a concentração por um instante. Ísis caiu no chão arfando. A outra deusa gritou:

— Fuja!

Ísis se virou e correu.

Set se levantou. Tive a impressão de que ia bater na deusa de azul, mas ele só grunhiu.

— Esposa tola! De que lado você está?

Ele bateu o pé novamente e o caixão dourado afundou no chão.

Set correu atrás de Ísis. Na saída do palácio, ela se transformou em uma pequena ave de rapina e alçou voo. Set ganhou asas de demônio e decolou em sua perseguição.

Então, de repente, *eu* era o pássaro. Eu era Ísis voando, desesperada, sobre o Nilo. Podia sentir Set atrás de mim, aproximando-se. Cada vez mais perto.

Você precisa escapar, dizia a voz de Ísis dentro de minha cabeça. *Vingue Osíris. Coroe Hórus rei!*

Quando eu já pensava que meu coração ia explodir, senti a mão em meu ombro. As imagens evaporaram.

O velho mestre, Iskandar, estava de pé a meu lado, seu rosto contorcido pela preocupação. Hieróglifos brilhantes dançavam em torno dele.

— Perdoe a interrupção — disse ele num inglês perfeito. — Mas você estava quase morta.

Foi aí que minhas pernas amoleceram e eu perdi a consciência.

Quando acordei, estava encolhida aos pés de Iskandar nos degraus sob o trono vazio. Estávamos sozinhos no salão, que estava quase totalmente dominado pela escuridão, exceto pela luz dos hieróglifos que sempre pareciam brilhar à volta dele.

— Bem-vinda de volta — disse ele. — Tem sorte de ter sobrevivido.

Eu não tinha tanta certeza. A sensação era de que minha cabeça havia sido frita em óleo quente.

— Desculpe — murmurei. — Eu não queria...

— Olhar as imagens? Mas olhou. Seu *ba* deixou seu corpo e entrou no passado. Não havia sido prevenida?

— Sim — admiti. — Mas... fui atraída pelas imagens.

— *Hum.* — Iskandar olhava para o vazio, como se lembrasse algo de um passado distante. — É difícil resistir a elas.

— Você fala inglês com perfeição — comentei.

Iskandar sorriu.

— Como sabe que estou falando inglês? Talvez você esteja falando grego.

Eu esperava que ele estivesse brincando, mas não podia afirmar com certeza. O homem parecia frágil e afetuoso, mas... era como estar sentada ao lado de um reator nuclear. Tinha a sensação de que ele representava um perigo muito maior do que eu gostaria de saber.

— Você não é realmente *tão* velho, é? — perguntei. — Quer dizer, velho o bastante para lembrar os tempos Ptolomaicos?

— Sou *exatamente* tão velho, minha querida. Nasci no reinado de Cleópatra VII.

— Ah, por favor...

— É verdade, eu garanto. Foi com pesar que testemunhei os últimos dias do Egito, antes de aquela rainha tola perder nosso reino para os romanos. Fui o último mago a ser treinado antes de a Casa vir para o subterrâneo. Muitos de nossos segredos mais poderosos se perderam, entre eles os encantamentos que meu mestre usou para prolongar minha vida. Nos tempos atuais, os magos ainda vivem muito, às vezes séculos, mas estou vivo há dois milênios.

— Então, você é imortal?

Ele riu, e sua risada rouca terminou numa tosse carregada. O velho se curvou e cobriu a boca com uma das mãos. Eu queria ajudar, mas não sabia como. Os hieróglifos cintilantes tremularam e perderam parte do brilho.

Finalmente, a tosse cedeu.

Ele respirou fundo.

— Não sou imortal, minha querida. Na verdade... — Sua voz fraquejou.

— Ah, isso não é importante. O que havia em sua visão?

Eu devia ter ficado quieta. Não queria ser transformada em um inseto por quebrar regras, e a visão me deixara aterrorizada — especialmente no momento em que me transformei naquele pássaro. Mas a expressão bondosa de Iskandar me impedia de guardar segredos. Acabei contando tudo. Bem, quase tudo. Omiti o detalhe sobre o menino bonito, e sim, sei que isso é bobagem, mas estava *constrangida*. Reconheço que esse trecho da história pode ter sido produto de minha imaginação maluca, já que os antigos deuses egípcios não podiam ter sido tão lindos.

Iskandar sentou-se por um momento, batendo com seu cajado nos degraus.

— Você viu um evento muito antigo, Sadie. Set tomando à força o trono do Egito. Ele escondeu o caixão de Osíris, como sabe, e Ísis revirou o mundo para encontrá-lo.

— E conseguiu? Ela achou o marido?

— Não exatamente. Osíris foi ressuscitado, mas só no mundo inferior. Ele se tornou o rei dos mortos. Quando Hórus, o filho deles, cresceu, ele desafiou Set pelo trono do Egito e venceu depois de diversas batalhas muito duras. Por isso Hórus era chamado de Vingador. Como eu disse, uma velha história, mas um relato que os deuses repetiram muitas vezes.

— Repetiram?

— Os deuses seguem padrões. Em alguns aspectos, são muito previsíveis: encenam as mesmas disputas, os mesmos ciúmes ao longo das eras. Mudam apenas os cenários, os hospedeiros.

De novo a palavra: *hospedeiros*. Pensei na pobre mulher no museu de Nova York, a que havia sido transformada na deusa Serket.

— Em minha visão — contei —, Ísis e Osíris eram casados. Hórus estava por nascer, como filho deles. Mas em outra história que Carter me contou, os três eram irmãos, filhos da deusa céu.

— Sim — concordou Iskandar. — Isso pode ser confuso para quem não conhece a natureza dos deuses. Eles não podem andar pela terra em sua forma pura, não por mais que alguns momentos, pelo menos. Precisam ter hospedeiros.

— Humanos, você quer dizer.

— Ou objetos poderosos, como estátuas, amuletos, monumentos, certos modelos de carros. Mas eles *preferem* a forma humana. Os deuses têm grande poder, mas só os humanos têm criatividade, a capacidade de mudar a história, em vez de simplesmente repeti-la. Os humanos podem... como dizem vocês, os modernos... pensar fora da caneca.

— Fora da caixa — corrigi.

— Isso. A combinação de criatividade humana e poder divino pode ser formidável. De qualquer maneira, quando Osíris e Ísis caminharam pela terra no início, seus hospedeiros eram irmão e irmã. Mas hospedeiros mortais não são permanentes. Eles morrem, esgotam-se. Posteriormente, Osíris e Ísis tomaram novas formas: humanos que eram marido e mulher. Hórus, que em uma vida anterior havia sido irmão deles, nasceu nessa nova vida como filho do casal.

— Isso é confuso. E um pouco indecente.

Iskandar encolheu os ombros.

— Os deuses não pensam nos relacionamentos como os humanos. Seus hospedeiros são só trocas de roupa. Por isso as histórias antigas parecem tão confusas. Às vezes, os deuses são descritos como casados, ou irmãos, ou pais e filhos, dependendo de seus hospedeiros. O próprio faraó era chamado de deus vivo. Os egiptólogos acreditam que tudo isso era só uma gigantesca propaganda, mas o fato é que era literalmente verdade. Os faraós mais importantes se tornaram hospedeiros de deuses, normalmente de Hórus. Ele conferia poder e sabedoria aos governantes e os fez transformar o Egito em um império poderoso.

— Mas isso é bom, não é? Por que então é contra a lei invocar um deus?

O rosto de Iskandar tornou-se sombrio.

— Os deuses têm objetivos diferentes dos humanos, Sadie. Podem dominar seus hospedeiros, esgotá-los. Por isso tantos hospedeiros morrem jovens. Tutancâmon, pobrezinho, morreu aos dezenove anos. Cleópatra VII foi ainda pior. Ela tentou hospedar o espírito de Ísis sem saber o que estava fazendo, e isso destruiu sua mente. Nos velhos tempos, a Casa da Vida ensinava o uso da magia divina. Iniciados podiam estudar o caminho de Hórus, Ísis, Sekhmet ou de muitos outros deuses, aprendendo a canalizar seus poderes. Naquele tempo, tínhamos muito mais iniciados.

Iskandar olhou em volta, para o salão vazio, como se o imaginasse cheio de magos.

— Apenas de tempos em tempos alguns adeptos conseguiam invocar os deuses. Outros tentavam hospedar seus espíritos... com graus variados de sucesso. O maior objetivo era se tornar o "olho" de um deus: uma união perfeita de duas almas, a mortal e a imortal. Poucos conseguiam, mesmo entre os faraós, que nasciam para essa missão. Muitos se destruíam tentando. — Ele virou a palma da mão para cima, e tinha a mais profunda linha da vida que eu já vira. — Quando o Egito finalmente caiu sob o poder dos romanos, ficou claro para nós, para *mim*, que a humanidade, nossos governantes, até o mais poderoso dos magos, não possuía mais a força de vontade para dominar o poder de um deus. Os únicos que podiam... — Sua voz falhou.

— O quê?

— Nada, minha querida. Eu falo demais. Fraquezas de um velho.

— Está falando dos que tinham o sangue dos faraós, não é?

Ele me encarou. Seus olhos já não pareciam opacos, leitosos. Eles agora queimavam de intensidade.

— Você é uma menina fabulosa. Lembra-me sua mãe.

Agora eu estava boquiaberta.

— Você a conheceu?

— É claro que sim. Ela foi treinada aqui, como seu pai. Sua mãe... bem, além de ser uma cientista brilhante, tinha o dom da adivinhação. Uma das mais difíceis formas de magia, e foi a primeira em séculos a possuí-la.

— Adivinhação?

— Ver o futuro. É uma tarefa difícil, nunca é perfeita, mas ela tinha visões que a fizeram buscar orientação em... lugares *pouco convencionais*, visões que fizeram até *este* velho questionar algumas crenças muito antigas...

Ele voltara à Terra das Lembranças, o que já era bastante irritante quando os meus avós o faziam, e se tornava simplesmente de enlouquecer quando quem viajava era um mago poderoso com informações valiosas.

— Iskandar?

Ele me olhou com alguma surpresa, como se tivesse esquecido que eu estava ali.

— Desculpe, Sadie. Acho que devo ir direto ao ponto: você tem um caminho difícil pela frente, mas estou convencido de que é um caminho que deve seguir, pelo bem de todos nós. Seu irmão vai precisar de sua orientação.

Tive vontade de rir.

— Carter vai precisar de minha orientação? Para quê? E que caminho é esse?

— Tudo a seu tempo. As coisas devem seguir seu curso.

Resposta típica de um adulto. Tentei conter a frustração.

— E se *eu* precisar de orientação?

— Zia — respondeu ele sem hesitar. — Ela é minha melhor discípula e é sábia. Quando chegar a hora, saberá como ajudar você.

— Certo — concordei um pouco desapontada. — Zia.

— Por ora você deve descansar, minha querida. E tudo indica que também posso repousar, finalmente.

Ele parecia triste, mas aliviado. Eu não sabia sobre o que Iskandar estava falando, mas nem tive tempo ou chance de perguntar.

— Lamento que nosso tempo juntos tenha sido tão breve. Durma bem, Sadie Kane.

— Mas...

Iskandar tocou minha testa. E eu mergulhei num sono profundo e sem sonhos.

16. Como Zia perdeu as sobrancelhas

Acordei com um balde de água fria no rosto.

— Sadie! Acorde! — disse Zia.

— Meu Deus! — gritei. — Isso era *necessário*?

— Não — confessou ela.

Tive vontade de estrangulá-la, mas eu estava molhada, tremendo e ainda desorientada. Por quanto tempo tinha dormido? A sensação era de que cochilara por alguns minutos, mas o dormitório estava vazio. Todas as outras camas estavam arrumadas. As meninas já deviam ter ido para suas aulas matinais.

Zia jogou uma toalha e roupas de linho limpas em minha direção.

— Vamos encontrar Carter na sala de higiene.

— Acabei de *tomar* banho, obrigada. Minha maior necessidade neste momento é um café da manhã adequado.

— A higiene a prepara para a magia. — Zia tirou do ombro sua bolsa de truques e pegou ali o longo cajado preto que usara em Nova York. — Se sobreviver, providenciaremos comida.

Eu estava cansada de todo o mundo me lembrando de que eu podia morrer, mas me vesti e fui atrás dela.

Depois de outra interminável sequência de túneis, chegamos a uma câmara com uma cachoeira barulhenta. Não havia teto, apenas uma abertura que parecia não ter fim. A água caía da escuridão em uma fonte, percorrendo uma estátua de uns cinco metros de altura. Novamente, o retratado era aquele deus com cabeça de ave. Qual era o nome dele? Totem? Não, Tot. A água caía em sua cabeça, era retida em suas mãos abertas e depois se derramava na piscina.

Carter estava em pé ao lado da fonte. Ele vestia linho e tinha a bolsa carteiro de papai pendurada em um ombro. A espada estava atravessada nas costas. Seus cabelos desarrumados eram prova de que ele tinha dormido bem. Pelo menos não tinha sido acordado com um balde de água gelada. Ao vê-lo, experimentei uma estranha sensação de alívio. Pensei nas palavras de Iskandar na noite anterior: "Seu irmão vai precisar de sua orientação."

— O que é? — perguntou Carter. — Está me olhando de um jeito esquisito.

— Nada — respondi depressa. — Dormiu bem?

— Mal. Eu... falamos sobre isso depois.

Era minha imaginação ou ele tinha olhado de cara feia para Zia? Hum, possíveis dificuldades românticas entre a Srta. Magia e meu irmão? Decidi interrogar Carter assim que ficássemos sozinhos.

Zia se aproximou de um armário perto de nós. Pegou duas canecas de cerâmica, mergulhou-as na fonte e nos ofereceu.

— Bebam.

Olhei para Carter.

— Você primeiro.

— É só água — Zia me garantiu —, mas purificada pelo contato com Tot. Serve para dar foco à mente.

Eu não entendia como uma estátua podia purificar a água. Mas lembrei o que Iskandar tinha dito, que os deuses podiam habitar qualquer coisa.

Bebi um gole. A sensação imediata foi a de estar bebendo um daqueles chás fortes de minha avó. Meu cérebro zuniu. Minha visão ficou mais aguçada. Eu me sentia tão hiperativa que quase não sentia falta de meu chiclete. Quase...

Carter também bebeu um pouco da água na caneca.

— Uau!

— Agora as tatuagens — disse Zia.

— Brilhante! — respondi.

— Na língua — acrescentou ela.

— Como é que é?

Zia mostrou a língua. Bem no meio havia um hieróglifo azul.

— *Nith ith Naat* — ela tentou dizer com a língua para fora. Em seguida, percebendo o erro, recolheu a língua e repetiu: — Quer dizer, isto é um *maat*, o símbolo da ordem e da harmonia. Vai ajudá-los a dizer a mágica com clareza. Um engano em um encantamento...

— Deixe-me adivinhar... — eu a interrompi. — Morremos.

Do armário dos horrores, Zia retirou um pincel de ponta fina e uma vasilha com tinta azul.

— Não dói. E não é permanente.

— E o gosto? — Carter quis saber.

Zia sorriu.

— Ponha a língua para fora.

Respondendo à pergunta de Carter, a tatuagem tinha gosto de pneu queimado.

— *Eca!* — Cuspi o excesso azul de "ordem e harmonia" na fonte. — Esqueça o café. Perdi a fome.

Zia tirou do armário uma bolsa de couro.

— Carter vai poder ficar com os instrumentos mágicos de seu pai, mais um cajado e uma varinha novos. Falando de maneira geral, a varinha serve para defesa, o cajado é para ataque. Porém, Carter, talvez você prefira usar seu *khopesh*.

— *Khopesh*?

— A espada de lâmina curva — explicou ela. — A arma favorita da guarda do faraó. Pode ser usada em combate mágico. Sadie, você vai precisar de um *kit* completo.

— E por que *ele* fica com o *kit* de papai? — protestei.

— Porque ele é mais velho — respondeu Zia, como se isso explicasse tudo.

Típico.

Zia jogou a bolsa de couro em minha direção. Dentro havia uma varinha de marfim, um bastão que eu supunha que se transformaria em cajado, um pouco de papel, um jogo de tintas, um pouco de barbante e uma adorável bola de cera. Eu não me sentia animada.

— E o homenzinho de cera? — perguntei. — Quero um Doughboy.

— Se está se referindo a uma estatueta, você mesma deve fazê-la. Vai aprender como, se tiver a habilidade. Mais tarde determinaremos sua especialidade.

— Especialidade? — perguntou Carter. — Como Nectanebo se especializou em estátuas?

Zia assentiu.

— Nectanebo era extremamente habilidoso em magia com estátuas. Ele podia criar *shabti* tão perfeitos que eles passavam por humanos. Ninguém jamais foi melhor que ele em estatuário... exceto, talvez, Iskandar. Mas há muitas outras disciplinas. Curador. Produtor de amuletos. Encantador de animais. Elementalista. Mago de combate. Necromante.

— Adivinho? — sugeri.

Zia me olhou curiosa.

— Sim, embora essa seja uma especialidade rara. Por que você...?

Eu tossi para distraí-la.

— Então, como vamos saber qual é nossa especialidade?

— Logo ela se tornará clara — afirmou Zia —, mas um bom mago sabe um pouco de tudo, e é por isso que começamos com uma prova básica. Vamos até a biblioteca.

A biblioteca do Primeiro Nomo era como a de Amós, mas cem vezes maior, com salas circulares dominadas por prateleiras e cubículos que pareciam se estender para sempre, como a maior colmeia do mundo. Estátuas *shabti* de argila se moviam o tempo todo, retirando e guardando tubos com pergaminhos, mas não vimos nenhuma outra pessoa ali.

Zia nos levou a uma mesa de madeira e abriu sobre ela um longo pergaminho em branco. Pegou um cálamo e o mergulhou em tinta.

— A palavra egípcia *shesh* significa escriba ou escritor, mas também pode significar mago. Isso porque a magia, em sua forma mais básica, transforma palavras em realidade. Vocês vão escrever. Usando a própria magia, vão canalizar poder para as palavras. Quando pronunciadas, elas desencadearão a magia.

Ela entregou o cálamo a Carter.

— Não entendi nada — protestou ele.

— Uma palavra simples — sugeriu Zia. — Pode ser qualquer uma.

— Em inglês?

Ela contorceu a boca numa careta.

— Se for necessário. Qualquer idioma serve, mas hieróglifos são o que há de melhor. São a linguagem da criação, da magia, do Maat. Mas é preciso ter cautela.

Antes que ela pudesse explicar, Carter desenhou um hieróglifo simples, de uma ave.

A imagem se moveu, desprendeu-se do papiro e voou para longe. A caminho da saída, despejou sobre a cabeça de Carter um pouco de cocô hieroglífico. Não consegui deixar de rir ao ver a cara dele.

— Um erro de principiante — explicou Zia, olhando-me séria para indicar que eu devia ficar quieta. — Se você usa um símbolo que representa um ser vivo, é mais indicado escrever apenas parte: omitir uma asa ou as pernas. Caso contrário, a magia que você canalizou pode torná-lo vivo.

— E ele vai fazer cocô na cabeça de quem o criou. — Carter suspirou, limpando o cabelo com um pedaço de papiro. — É por isso que Doughboy, a estátua de cera na caixa de artefatos que era de meu pai, não tem pernas?

— É o mesmo princípio — concordou Zia. — Tente outra vez, então.

Carter olhou para o cajado de Zia, que estava coberto de hieróglifos. Ele escolheu o mais óbvio e o copiou no papiro: o símbolo do fogo.

Ah, não, pensei. Mas a palavra não ganhou vida, o que teria sido bem divertido. Ela simplesmente se dissolveu.

— Continue tentando — Zia o incentivou.

— Por que estou tão cansado? — Carter quis saber.

Ele parecia exausto. Seu rosto estava ensopado com suor.

— Está canalizando a magia de dentro de você — explicou Zia. — Para mim, o fogo é fácil. Mas pode não ser o tipo de magia mais natural para você. Experimente outra coisa. Materialize... materialize uma espada.

Zia mostrou a ele como desenhar o hieróglifo e Carter o registrou no papiro. Nada aconteceu.

— Fale — orientou Zia.

— Espada — disse Carter.

A palavra brilhou e desapareceu, e uma faca de manteiga surgiu em cima do papiro.

Eu ri.

— Aterrorizante!

Carter parecia a um passo de desmaiar, mas ele ainda conseguiu sorrir. Meu irmão pegou a faca e ameaçou me espetar com ela.

— Muito bom para uma primeira vez — elogiou Zia. — Lembre-se, você não está criando a faca. Você a está invocando com o Maat: o poder criativo do universo. Hieróglifos são o código que usamos. Por isso são chamados de Palavras Divinas. Quanto mais poderoso o mago, mais fácil é para ele controlar a linguagem.

Eu prendi a respiração.

— Aqueles hieróglifos flutuando no Salão das Eras. Eles pareciam se reunir em torno de Iskandar. Ele os estava evocando?

— Não exatamente — respondeu Zia. — A presença é tão forte que por si só torna visível a linguagem do universo. Seja qual for nossa especialidade, a maior expectativa de todo mago é se tornar um orador das Palavras Divinas: conhecer tão bem a linguagem da criação a ponto de ser capaz de formar realidade simplesmente falando, sem sequer usar um símbolo.

— Como dizer *abra* — sugeri — e ver uma porta se abrir ou explodir.

Zia fez cara feia.

— Sim, mas isso leva anos de prática.

— É mesmo? Bem...

Pelo canto do olho, eu vi Carter balançando a cabeça e me avisando para não dizer nada.

— Ah... — gaguejei. — Um dia vou aprender esse truque.

Zia ergueu uma sobrancelha.

— Domine primeiro o pergaminho.

Eu estava ficando cansada dessa atitude dela, por isso peguei o cálamo e escrevi *fogo* em inglês.

Zia se inclinou para a frente, e uma ruga surgiu entre seus olhos.

— Você não devia...

Antes que ela pudesse concluir a frase, uma coluna de fogo explodiu em seu rosto. Eu gritei, certa de que havia feito algo horrível, mas quando a chama se apagou, Zia ainda estava ali, absolutamente atônita, com as sobrancelhas chamuscadas e a franja fumegando.

— Ai, céus — gemi. — Desculpe, desculpe! É agora que eu morro?

Meu coração bateu três vezes enquanto Zia me encarava.

— Agora — respondeu ela finalmente —, acho que você está pronta para duelar.

Usamos outro portal mágico, que Zia abriu bem no meio da parede da biblioteca. Entramos em um redemoinho de areia e saímos do outro lado, cobertos de pó e cascalho, na frente de algumas ruínas. A luz forte do sol quase me cegou.

— Odeio portais — murmurou Carter, tirando areia dos cabelos.

Em seguida, quando olhou em volta, ele arregalou os olhos.

— Aqui é Luxor! Quer dizer... Está a centenas de quilômetros ao sul do Cairo.

Eu suspirei.

— E está espantado com isso depois de termos sido teletransportados de Nova York?

Ele estava ocupado demais estudando o ambiente, por isso não respondeu.

Imagino que as ruínas fossem legais, mas depois de ver uma pilha de restos de velharia egípcia, você já viu todas. Estávamos em uma avenida larga flanqueada por animais com cabeça humana, a maioria delas quebrada. A estrada atrás de nós seguia até onde eu podia enxergar, mas, à nossa frente, acabava em um templo muito maior do que aquele no museu de Nova York.

As paredes tinham a altura equivalente a seis andares, pelo menos. Grandes faraós de pedra guardavam os dois lados da entrada e havia um obelisco do lado esquerdo. Era como se já tivesse existido outro do lado direito também, mas agora tinha sumido.

— Luxor é um nome moderno — disse Zia. — Este lugar foi a cidade de Tebas. Este templo era um dos mais importantes no Egito. É o melhor lugar para praticarmos.

— Porque já está destruído? — perguntei.

Zia me olhou novamente com aquela cara fechada.

— Não, Sadie... Porque ainda é cheio de magia. E era sagrado para sua família.

— Nossa família? — perguntou Carter.

Zia não explicou, como sempre. Apenas fez um gesto para que a seguíssemos.

— Não gosto dessas esfinges feias — resmunguei enquanto percorríamos o caminho.

— Essas esfinges feias são criaturas de lei e ordem — anunciou Zia —, protetoras do Egito. Estão do *nosso* lado.

— Se você diz...

Carter me cutucou quando passamos pelo obelisco.

— Sabe que o obelisco que falta aqui está em Paris?

Eu revirei os olhos.

— Obrigada, Sr. Wikipédia. Pensei que estivesse em Nova York ou em Londres.

— Aqueles são outros — Carter me corrigiu, como se eu devesse me importar. — O segundo obelisco *Luxor* está em Paris.

— *Eu* queria estar em Paris — comentei. — É muito melhor que este lugar.

Entramos em um pátio de chão de terra cercado por pilares caindo aos pedaços e estátuas sem várias partes do corpo. Mesmo assim, eu podia perceber que o lugar um dia tinha sido impressionante.

— Onde estão as pessoas? — perguntei. — Meio do dia, férias de inverno. Não devia estar cheio de turistas?

Zia fez uma careta de desgosto.

— Normalmente, sim. Eu os convenci a ficar longe daqui por algumas horas.

— Como?

— É fácil manipular mentes comuns.

Ela me olhou incisivamente, e lembrei como seu poder me obrigara a falar no museu em Nova York. Ah, ela estava praticamente *implorando* por mais sobrancelhas chamuscadas.

— Agora, ao duelo.

Empunhando o cajado, Zia desenhou dois círculos na areia separados por uns dez metros. Ela me orientou a ficar dentro de um deles e Carter foi conduzido ao outro.

— Vou duelar com *ele*? — perguntei.

Eu achava a ideia ridícula. A única coisa para a qual Carter havia demonstrado aptidão era materializar facas de manteiga e passarinhos que faziam cocô. Sim, tudo bem, e aquele encantamento na ponte para desviar as adagas, mas, mesmo assim... E se eu o machucasse? Por mais que Carter fosse irritante, não queria invocar acidentalmente aquele glifo que produzira na casa de Amós e explodi-lo em mil pedacinhos.

Talvez Carter estivesse pensando o mesmo, porque ele começou a suar.

— E se fizermos algo errado? — perguntou ele.

— Eu vou supervisionar o duelo — prometeu Zia. — Vamos começar devagar. O primeiro mago que conseguir tirar o outro de seu círculo vence.

— Mas não fomos treinados! — protestei.

— O melhor jeito de aprender é praticando — retrucou Zia. — Isto não é uma escola, Sadie. Não se pode aprender magia sentado atrás de uma mesa fazendo anotações. Só se aprende mágica fazendo mágica.

— Mas...

— Invoque o poder que conseguir — sugeriu Zia. — Use o que estiver disponível. Comecem!

Olhei para Carter ainda em dúvida. *Usar o que eu tivesse disponível?* Abri a bolsa de couro e olhei lá dentro. Uma bola de cera? Provavelmente não. Peguei a varinha e o bastão. Imediatamente, o bastão se expandiu até eu ter na mão um cajado branco de dois metros.

Carter pegou sua espada, mas eu não podia imaginar o que ele faria com ela. Seria difícil me atingir a dez metros de distância.

Eu queria que aquilo acabasse, por isso ergui meu cajado como vira Zia fazer. Pensei na palavra *fogo*.

Uma pequena chama surgiu na ponta do cajado. Tentei fazê-la ficar maior. O fogo ganhou brilho por um momento, mas logo minha visão ficou turva. A chama extinguiu-se. Eu caí de joelhos, sentindo-me como se tivesse corrido uma maratona.

— Tudo bem? — perguntou Carter.

— Não — respondi com sinceridade.

— Se ela cair fora do círculo, eu ganho? — indagou ele.

— Cale a boca! — gritei.

— Sadie, precisa ter cuidado — Zia manifestou-se. — Você extraiu forças de suas reservas, não do cajado. Assim, pode esvaziar sua magia rapidamente.

Eu me levantei tremendo.

— Pode explicar?

— Um mago começa um duelo cheio de magia, como você se sente preenchida depois de uma boa refeição...

— Que não me serviram — lembrei.

— Cada vez que você faz mágica, gasta energia — continuou Zia. — Pode extrair essa energia de *você mesma*, mas precisa conhecer seus limites. Caso contrário, poderá esgotar-se, ou pior.

Engoli em seco e olhei meu cajado fumegante.

— Quanto pior?

— Você pode se queimar. Literalmente.

Eu hesitei, pensando em como faria minha próxima pergunta sem falar demais.

— Mas já fiz mágica antes. Algumas vezes não fico exausta. Por quê?

Zia retirou um amuleto que levava pendurado no pescoço. Ela o atirou no ar e, com uma explosão de luz, ele se transformou em um gigantesco abutre. A grande ave negra sobrevoou as ruínas. Assim que ela desapareceu, Zia estendeu a mão e o amuleto apareceu bem ali.

— A magia pode ser extraída de muitas fontes — disse ela. — Pode estar armazenada em pergaminhos, varinhas ou cajados. Amuletos são especialmente poderosos. Também pode ser extraída diretamente do Maat, com o uso das Palavras Divinas, mas isso é difícil. Ou — ela me encarou — pode ser extraída dos deuses.

— Por que está me olhando? — perguntei. — Eu não invoquei nenhum deus. Eles simplesmente parecem me *encontrar*.

Zia pôs o amuleto no pescoço sem dizer nada.

— Espere aí. Você disse que este lugar é sagrado para nossa família — lembrou Carter.

— Era — corrigiu Zia.

— Mas não era aqui... — Meu irmão parou, intrigado. — Não era aqui que os faraós faziam um festival anual ou coisa do tipo?

— Realmente — confirmou ela. — O faraó percorria o caminho da procissão, de Karnak a Luxor. Ele entrava no templo e se integrava aos deuses. Às vezes, era só uma cerimônia. Outras vezes, caso dos grandes faraós como Ramsés, aqui... — Zia apontou para uma das grandes estátuas em ruínas.

— Eles realmente serviam de hospedeiros para os deuses — concluí, lembrando o que Iskandar dissera.

Zia me olhou desconfiada.

— E você insiste em afirmar que nada sabe sobre o passado de sua família.

— Espere um segundo — protestou Carter. — Está dizendo que somos parentes de...

— Os deuses escolhem seus hospedeiros com cuidado — contou Zia. — Eles sempre preferem o sangue dos faraós. Quando um mago tem o sangue de *duas* famílias reais...

Carter e eu nos entreolhamos. Lembrei de algo que Bastet tinha me dito, que minha família tinha nascido para a magia. E Amós nos dissera que os dois lados de nossa família tinham uma história complicada com os deuses, e que Carter e eu éramos as crianças mais poderosas nascidas em séculos. Um sentimento ruim despencou sobre mim, como um cobertor áspero irritando minha pele.

— Nossos pais eram de linhagens reais diferentes — falei. — Papai... deve ter descendido de Narmer, o primeiro faraó. Eu disse que ele era parecido com aquela imagem!

— Isso não é possível — opinou Carter. — Narmer viveu há cinco mil anos. — Era evidente que as ideias se atropelavam na cabeça dele. — Então os Faust... — Carter olhou para Zia. — Ramsés, o Grande, construiu este pátio. Está nos dizendo que a família de mamãe descende dele?

Zia suspirou.

— Não me diga que seus pais esconderam isso de vocês. Por que acham que são tão perigosos para nós?

— Acham que estamos hospedando deuses? — perguntei, completamente perplexa. — É com isso que está preocupada, só por causa de algo que nossos não sei quantas vezes tataravós fizeram? Isso é completamente doido!

— Então prove! — exigiu Zia. — Duelem e me mostrem que sua magia é fraca!

Ela nos deu as costas como se não tivéssemos importância alguma.

Algo dentro de mim se rompeu. Eu tivera os dois piores dias de minha vida. Tinha perdido meu pai, minha casa, minha gata, tinha sido atacada por monstros e acordada com um balde de água gelada no rosto. E agora aquela *bruxa* virava as costas para mim. Não queria nos treinar. Só queria saber o quanto éramos perigosos.

— Certo, muito bem.

— Ah, Sadie? — chamou Carter.

Ele devia ter visto em meu rosto que eu estava bem perto de perder a razão.

Concentrei-me no cajado. Talvez não fogo. Os gatos sempre gostaram de mim. Talvez...

Arremessei-o na direção de Zia. O cajado bateu no chão atrás dela e se transformou em uma leoa rugindo. Zia se virou, surpresa, mas então tudo deu errado.

A leoa se virou e atacou Carter, como se soubesse que eu devia estar duelando com ele.

Tive uma fração de segundo para pensar: O que foi que eu fiz?

Então, o felino saltou... e a forma de Carter tremulou. Ele se ergueu do chão cercado por uma concha holográfica dourada, como a que Bastet usara, mas essa imagem gigantesca era de um guerreiro com cabeça de falcão. Carter moveu sua espada e o falcão guerreiro fez o mesmo gesto, golpeando a leoa com uma lâmina de energia fulgurante. A leoa se dissolveu no ar e meu cajado caiu no chão, partido exatamente ao meio.

O avatar de Carter brilhou, depois desapareceu. Ele caiu no chão e riu.

— Divertido — comentou.

Ele nem parecia cansado. Assim que superei o alívio por não ter matado meu irmão, percebi que também não estava cansada. Pelo contrário, tinha *mais* energia.

Eu olhei para Zia como se a desafiasse.

— E então? Melhor, não?

Ela estava pálida.

— O falcão. Ele... ele invocou...

Antes que a frase pudesse ser concluída, passos ecoaram nas pedras. Um jovem iniciado surgiu no pátio, correndo, aparentemente em pânico. Lágrimas deixavam marcas em seu rosto empoeirado. Ele disse algo a Zia num árabe apressado. Quando recebeu a mensagem, Zia se sentou na areia, como se perdesse momentaneamente as forças. Ela cobriu o rosto com as mãos e começou a tremer.

Carter e eu deixamos nossos círculos e corremos até ela.

— Zia? — chamou Carter. — O que houve?

Ela respirou fundo, tentando se recuperar. Quando ergueu o rosto, seus olhos estavam vermelhos. Ela disse algo ao novato, que assentiu e voltou correndo pelo caminho por onde chegara.

— Notícias do Primeiro Nomo — anunciou Zia, abalada. — Iskandar...

— Sua voz fraquejou.

Eu senti como se um punho gigante me acertasse no estômago. Pensei nas estranhas palavras de Iskandar na noite anterior: "Tudo indica que também posso repousar, finalmente."

— Ele está morto, não está? Era isso que ele queria dizer?

Zia me encarou.

— Como assim, era isso que ele queria dizer?

— Eu...

Quase contei que havia conversado com Iskandar na noite anterior, mas percebi que talvez fosse melhor não mencionar esse encontro.

— Nada. Como aconteceu?

— Dormindo — respondeu Zia. — Iskandar estava adoentado havia anos, é claro. Mesmo assim...

— Tudo bem — interrompeu Carter. — Sei que ele era importante para você.

Ela enxugou as lágrimas, depois se levantou, cambaleante.

— Você não entende. Desjardins é o próximo na linha de sucessão. Assim que for nomeado Sacerdote-leitor Chefe, ele ordenará que vocês sejam executados.

— Mas nós não fizemos nada! — protestei.

Os olhos de Zia foram iluminados pela raiva.

— Ainda não perceberam como são perigosos? Estão hospedando deuses.

— Ridículo — insisti, mas uma sensação de desconforto crescia dentro de mim.

Se fosse verdade... Não, não podia ser!

Além do mais, como era possível que alguém, mesmo um velho maluco como Desjardins, executasse crianças por alguma razão da qual elas nem tinham consciência?

— Ele vai ordenar que eu os entregue — avisou Zia —, e precisarei obedecer!

— Não pode! — Carter gritou. — Você *viu* o que aconteceu no museu. Nós não somos o problema. Set é o problema. E se Desjardins não está levando isso a sério... Bem, talvez ele faça parte do problema.

Zia agarrou seu cajado. Eu tinha certeza de que seríamos fritos por uma bola de fogo, mas ela hesitou.

— Zia — decidi arriscar. — Iskandar conversou comigo ontem à noite. Ele me pegou no Salão das Eras.

Ela me encarou, aturdida. Alguns segundos se passaram antes que o choque se transformasse em raiva.

— Ele disse que você era a melhor discípula dele — continuei. — Disse que era sábia. E também disse que Carter e eu temos um caminho difícil diante de nós, e que você saberia como nos ajudar quando chegasse a hora.

O cajado dela ardia em chamas. Seus olhos pareciam vidro prestes a estilhaçar.

— Desjardins nos matará — insisti. — Acha que era isso que Iskandar tinha em mente?

Contei até cinco, seis, sete. Quando já estava certa de que ela ia nos fazer em pedaços, Zia baixou o cajado.

— Use o obelisco.

— O quê? — perguntei

— O obelisco na entrada, tola! Você tem cinco minutos, talvez menos, antes que Desjardins dê as ordens para sua execução. Fujam e destruam Set. Os Dias do Demônio começam amanhã. Todos os portais vão parar de funcionar. Vocês precisam se aproximar de Set o máximo possível antes que isso aconteça.

— Espere aí. Eu quis dizer que você devia vir conosco e nos ajudar! Não sabemos nem usar um obelisco, muito menos destruir Set!

— Não posso trair a Casa — argumentou ela. — Vocês têm quatro minutos agora. Se não conseguirem usar o obelisco, morrerão.

Aquilo foi incentivo suficiente para mim. Comecei a arrastar Carter, mas Zia me chamou.

— Sadie?

Quando olhei para trás, vi nos olhos dela uma imensa amargura.

— Desjardins vai ordenar que eu os persiga — avisou ela. — Entende o que eu digo?

Infelizmente, eu entendia. Na próxima vez que nos encontrássemos, seríamos inimigas.

Agarrei a mão de Carter e corri.

C
A
R
T
E
R

17. Uma péssima viagem a Paris

TUDO BEM, ANTES DE CHEGAR aos morcegos de frutas demônios, acho que preciso voltar um pouco.

Na noite que antecedeu nossa fuga de Luxor, eu não dormi muito — primeiro por causa de uma experiência fora do corpo, depois porque encontrei Zia. [Pare de rir, Sadie. Não foi um encontro *bom*.]

Depois que as luzes se apagaram, tentei dormir. Juro. Até usei aquele estúpido apoio mágico de cabeça que eles me deram como travesseiro, mas não funcionou. Assim que consegui fechar os olhos, meu *ba* decidiu dar uma voltinha.

Como antes, eu me senti flutuando acima de meu corpo, tomando uma forma alada. Então, a corrente do Duat soprou a uma velocidade vertiginosa. Quando minha visão clareou, descobri que estava em uma caverna escura. Tio Amós caminhava por ela, guiando-se pela luz azul pálida que tremulava no topo de seu cajado. Eu quis chamá-lo, mas minha voz não saía. Não sei como era possível que ele não me visse flutuando, a um metro, naquela forma de galinha brilhante. Mas aparentemente eu era invisível para ele.

Ele deu um passo à frente, e o chão a seus pés se iluminou repentinamente, formando o desenho de um hieróglifo vermelho. Amós gritou, mas sua boca ficou paralisada, semiaberta. Espirais de luz rodearam suas pernas como plantas trepadeiras. Logo ele estava completamente envolvido por fios vermelhos e parecia petrificado, olhando fixamente para a frente, sem piscar.

Tentei voar até ele, mas eu estava paralisado, flutuando, sem poder fazer nada a não ser observar.

Uma risada ecoou pela caverna. Uma horda de *coisas* emergiu da escuridão: criaturas que eram como sapos, demônios com cabeça de animais e monstros ainda mais estranhos, meio encobertos pela penumbra. Tinham se escondido para a emboscada, eu percebi — esperando por Amós. Diante deles, surgiu uma silhueta de fogo: Set. Mas sua forma agora era muito mais clara, e dessa vez não era humana. Seu corpo era emaciado, magro e negro, e a cabeça era a de um animal feroz.

— *Bonsoir*, Amós — cumprimentou Set. — Quanta gentileza ter vindo. Vamos nos divertir muito!

Eu me sentei na cama sobressaltado, de volta a meu corpo, com o coração disparado.

Amós havia sido capturado. Eu tinha certeza disso. E pior ainda... Set soubera de alguma forma que Amós iria até lá. Pensei em algo que Bastet dissera, sobre como os serpopardos haviam invadido a mansão. Ela dissera que as defesas haviam sido sabotadas, e que só um mago da Casa poderia ter feito tal coisa. Uma suspeita horrível começou a borbulhar dentro de mim.

Olhei para a escuridão por um longo tempo, ouvindo a criança pequena a meu lado resmungar encantamentos enquanto dormia. Quando não consegui mais me conter, abri a porta com a força do pensamento, como havia feito na casa de Amós, e saí.

Estava vagando pelo mercado vazio, pensando em papai e em Amós, revendo mentalmente os eventos, tentando determinar o que eu poderia ter feito de diferente para salvá-los, quando avistei Zia.

Ela corria pelo pátio como se alguém a perseguisse, mas o que realmente chamou minha atenção foi a nuvem negra que cintilava em volta dela, como se alguém a tivesse envolvido numa sombra brilhante. Ela se aproximou de um trecho branco da muralha e moveu a mão. De repente, uma porta se abriu. Zia olhou para trás antes de atravessá-la.

É claro que eu a segui.

Aproximei-me da porta sem fazer barulho. Podia ouvir a voz dela lá dentro, mas não conseguia entender o que dizia. Então, a porta começou a se solidificar, voltando a ser parte da muralha, e eu tomei uma decisão rápida: saltei através dela.

Lá dentro, Zia estava sozinha e de costas para mim. Estava ajoelhada diante de um altar de pedra, entoando um cântico em voz baixa. As paredes eram decoradas com desenhos do Egito Antigo e fotografias modernas.

A sombra brilhante já não a cercava mais, porém algo ainda mais estranho estava acontecendo. Eu planejara contar a Zia meu pesadelo, mas nem me lembrava mais disso. Não quando vi o que ela fazia. Zia unia as mãos, as palmas posicionadas como se segurassem um pássaro, e uma esfera azul e brilhante apareceu, mais ou menos do tamanho de uma bola de golfe. Ainda cantando, ela ergueu as mãos. A esfera flutuou para o alto, na direção do teto, e desapareceu.

O instinto me dizia que eu *não* devia estar vendo aquilo.

Pensei em sair dali. Só havia um problema: a porta desaparecera. Não havia outra. Era só uma questão de tempo antes de... *O-oh*.

Talvez eu tivesse feito algum barulho. Talvez seus sentidos mágicos a tivessem prevenido. Mas, antes que eu pudesse reagir, Zia empunhou a varinha e se virou para mim, e chamas tremulavam contornando o bumerangue.

— Oi — eu disse, nervoso.

A expressão dela passou da fúria à surpresa, depois voltou à fúria.

— Carter, o que está fazendo aqui?

— Só dando uma volta. Vi você no pátio, e daí...

— Como assim, você me *viu*?

— Bem... você estava correndo, e estava cercada por aquela coisa preta, e...

— Você *viu* isso? Impossível.

— Por quê? O que era aquilo?

Ela baixou a mão e o fogo se apagou.

— Não gosto de ser seguida, Carter.

— Desculpe. Achei que pudesse estar com problemas.

Ela abriu a boca para dizer algo, mas mudou de ideia.

— Problemas... sim, isso é verdade.

Ela se sentou de um jeito pesado e suspirou. À luz das velas, seus olhos cor de âmbar pareciam escuros e tristes.

Zia olhou para as fotos atrás do altar e percebi que ela aparecia em algumas delas. Em um dos retratos, ela era uma menina pequena e descalça que estava em pé do lado de fora de uma casa de tijolos. Olhava de cara feia para a câmera, como se não quisesse ser fotografada. A foto ao lado era maior e mostrava um vilarejo inteiro no Nilo — o tipo de lugar que meu pai me levava para visitar de vez em quando, onde nada mudara muito nos últimos dois mil anos. Vários habitantes sorriam e acenavam para a câmera, como se celebrassem algo, e acima deles a pequena Zia podia ser vista empoleirada nos ombros de um homem, que devia ser seu pai. Outro retrato era tipicamente familiar: Zia de mãos dadas com o pai e a mãe. Eles poderiam ser uma família felá qualquer em um lugar qualquer do Egito, mas o pai dela tinha olhos especialmente bondosos, brilhantes — pensei que ele devia ter ótimo senso de humor. O rosto da mãe de Zia não era coberto por véu, e ela ria como se o marido tivesse contado uma piada.

— Seus pais parecem ser legais — comentei. — Aquela é sua casa?

Zia parecia prestes a ficar nervosa, mas manteve as emoções sob controle. Ou talvez não tivesse energia para se zangar.

— Aquela *era* minha casa. O vilarejo não existe mais.

Esperei, sem saber se tinha coragem de perguntar. Nós nos entreolhamos e percebi que ela estava tentando decidir quanto devia me contar.

— Meu pai era fazendeiro — revelou —, mas também trabalhava para arqueólogos. No tempo livre, vasculhava o deserto em busca de artefatos e novos sítios que pudessem ser escavados.

Eu assenti. O que Zia estava descrevendo era muito comum. Havia séculos os egípcios ganhavam dinheiro extra com esse tipo de atividade.

— Uma noite, quando eu tinha oito anos, meu pai encontrou uma estátua — prosseguiu ela. — Pequena, mas muito rara: a estátua de um monstro, esculpida em pedra vermelha. Havia sido enterrada em um fosso com várias outras, todas quebradas. Mas, de alguma forma, aquela estava intacta. Ele a levou para casa. Não sabia... meu pai não sabia que os magos aprisionam monstros e espíritos dentro dessas estátuas e que as quebram para destruir sua essência. Ele levou a estátua intacta para nosso vilarejo e... sem querer, libertou...

A voz dela falhou. Ela olhou para a foto do pai sorrindo e segurando sua mão.

— Zia, sinto muito.

Suas sobrancelhas se uniram.

— Iskandar me encontrou. Ele e os outros magos destruíram o monstro... mas não a tempo. Encontraram-me encolhida em um buraco para fogueira, sob a vegetação, que minha mãe usou para me esconder. Só eu sobrevivi.

Tentei imaginar a aparência de Zia quando Iskandar a encontrara: uma menina pequena que havia perdido tudo, sozinha nas ruínas de seu vilarejo. Era difícil imaginá-la desse jeito.

— Então, esta sala é um altar para sua família — supus. — Vem aqui para se lembrar deles.

Zia me olhou com a expressão vazia.

— Esse é o problema, Carter. Eu *não consigo* lembrar. Iskandar me conta meu passado. Ele me deu essas fotografias, explicou o que aconteceu. Mas... não tenho qualquer lembrança.

Eu ia dizer que ela só tinha oito anos. Então, percebi que eu tinha essa idade quando minha mãe morreu, quando Sadie e eu fomos separados. E me lembro de tudo com clareza. Ainda posso ver nossa casa em Los Angeles, e como as estrelas brilhavam à noite sobre a varanda dos fundos, de onde víamos o mar. Meu pai costumava nos contar histórias fantásticas sobre as constelações. E, todas as noites, antes de irmos para a cama, Sadie e eu nos aninhávamos com mamãe no sofá, disputando a atenção dela, que nos dizia para não acreditar nas histórias de papai. Mamãe explicava a ciência por trás das estrelas, falava sobre física e química, como se fôssemos seus alunos na faculdade. Pensando nisso agora, eu me pergunto se ela estava tentando nos prevenir: Não acreditem naqueles deuses e mitos. Eles são perigosos demais.

Lembrei-me de nossa última viagem a Londres, ainda uma família, de como mamãe e papai pareciam nervosos no avião. Lembrei-me de nosso pai voltando da casa de nossos avós depois da morte de mamãe e nos dizendo que havia acontecido um acidente. Antes mesmo de ele explicar, entendi que era grave, porque nunca tinha visto meu pai chorando antes.

Os pequenos detalhes que *haviam* se perdido me deixavam maluco: o cheiro do perfume de minha mãe ou o som da voz dela. Quanto mais velho ficava, mais me apegava a esses pormenores. Não conseguia imaginar como seria não lembrar nada. Como Zia conseguia suportar?

— Talvez... — tentei encontrar as palavras corretas. — Talvez você só...

Ela levantou a mão.

— Carter, acredite em mim. Eu tentei lembrar. É inútil. Iskandar é a única família que já tive.

— E os amigos?

Zia me olhou como se eu tivesse usado uma palavra de um idioma desconhecido. Percebi que não vira ninguém da nossa idade no Primeiro Nomo. Todos eram muito mais novos ou muito mais velhos.

— Não tenho tempo para amigos — respondeu ela. — Além do mais, quando os iniciados completam treze anos, são transferidos para outros nomos pelo mundo. Só eu continuo aqui. Gosto de ficar sozinha. É bom.

Senti um arrepio na nuca. Eu tinha dado a mesma resposta, muitas vezes, quando as pessoas me perguntavam como era estudar em casa com meu pai. Eu não sentia falta de ter amigos? Não queria uma vida normal?

"Eu gosto de ficar sozinho. É bom."

Tentei imaginar Zia frequentando um colégio regular, aprendendo a combinação de um armário, passando tempo na cantina. Era impossível. Deduzi que ela ficaria tão perdida quanto eu.

— Vou dizer uma coisa — falei. — Depois do teste, depois dos Dias do Demônio, quando tudo se acalmar...

— As coisas não vão se acalmar.

— ... vou levar você ao shopping.

Ela piscou.

— Ao shopping? Por quê?

— Por nada. Para passear. Vamos comer um hambúrguer, assistir a um filme no cinema.

Zia hesitou.

— Isso é o que você chamaria de um "encontro"?

Minha expressão deve ter sido impagável, porque Zia sorriu.

— Você parece uma vaca que apanhou com uma pá.

— Eu não quis... só queria...

Ela riu, e de repente ficou mais fácil imaginá-la como uma aluna comum.

— Vou esperar ansiosamente por esse *shopping*, Carter — disse ela. — Você é uma pessoa muito interessante... ou muito perigosa.

— Vamos ficar com interessante.

Zia moveu a mão e a porta reapareceu.

— Agora vá. E tome cuidado. Na próxima vez que me espionar, poderá não ter tanta sorte.

Eu já estava na porta quando me virei.

— Zia, o que era aquela nuvem preta e brilhante?

O sorriso desapareceu.

— Um encantamento de invisibilidade. Só magos muito poderosos conseguem enxergar através dele. Você não devia ter conseguido.

Ela me encarou, esperando respostas, mas eu não tinha nenhuma.

— Talvez o encanto tenha... se esgotado ou algo parecido — sugeri. — E a esfera azul?

Ela franziu a testa.

— A o quê?

— Aquela coisa que você soltou e que subiu até o teto.

Ela parecia confusa.

— Eu... não sei do que está falando. Talvez a luz das velas tenha criado alguma ilusão.

Silêncio desconfortável. Ou ela estava mentindo para mim, ou eu estava ficando maluco, ou... não sei. Percebi que não falara com ela sobre minha visão de Amós e Set, mas senti que já tinha ido longe demais para apenas uma noite.

— Tudo bem. Boa-noite.

Voltei ao dormitório, mas demorei muito para voltar a dormir.

Avanço rápido para Luxor. Talvez agora você entenda por que eu não queria deixar Zia para trás, e por que não acreditava que ela pudesse nos fazer mal.

Por outro lado, sabia que ela não estava mentindo sobre Desjardins. Aquele cara não ia pensar duas vezes antes de nos transformar em *escargots*. E o fato de Set ter falado francês em meu sonho — "*Bonsoir*, Amós". Havia sido só coincidência... ou algo *muito* pior estava acontecendo?

De qualquer maneira, quando Sadie me puxou pelo braço, eu a segui.

Corremos para fora do templo e seguimos até o obelisco. Mas, naturalmente, não foi tão simples. Éramos a família Kane. Nada conosco é simples.

Quando chegamos lá, ouvi o som de um portal mágico se abrindo. Cerca de uns noventa metros adiante, um mago careca vestindo túnica branca saiu de um turbilhão de areia.

— Depressa — eu disse a Sadie. Peguei a vara-cajado em minha bolsa e a joguei para minha irmã. — Como cortei a sua ao meio, use esta. Eu fico com a espada.

— Mas eu não sei o que estou fazendo! — protestou ela, examinando a base do obelisco, como se esperasse encontrar um interruptor secreto.

O mago recuperou o equilíbrio e cuspiu a areia que entrara em sua boca. E foi então que ele nos viu.

— Parem!

— Sim — murmurei. — Vou parar mesmo!

— Paris — Sadie cochichou para mim. — Você disse que o outro obelisco fica em Paris, certo?

— Certo. Hum, não quero apressar você, mas...

O mago ergueu seu cajado e começou a recitar.

Eu toquei o cabo da espada. Minhas pernas pareciam estar virando manteiga. Seria possível invocar aquele guerreiro falcão outra vez? Tinha sido legal, mas era só um duelo. E o teste na ponte, quando desviei aquelas adagas — aquilo não parecia ter sido *eu*. Até então, toda vez que empunhara aquela espada, havia tido alguma ajuda: Zia estivera por perto, ou Bastet. Eu jamais estivera completamente sozinho. Dessa vez, era só eu. Era loucura pensar que eu poderia enfrentar um mago experiente. Eu não era um guerreiro. Tinha aprendido em livros tudo o que sabia sobre espadas — a história de Alexandre, o Grande, *Os três mosqueteiros* —, como se isso pudesse ajudar! Com Sadie ocupada no obelisco, eu estava sozinho.

Não está, disse uma voz dentro de minha cabeça.

Ótimo, pensei. Estou sozinho e ficando maluco.

Do outro lado da avenida, o mágico disse em voz alta:

— Sirva a Casa da Vida!

Mas eu tinha a sensação de que ele não estava falando comigo.

O ar entre nós começou a tremular. Ondas de calor brotavam das esfinges, dando a impressão de que elas se moviam. Então, eu percebi que *estavam* se movendo. Cada uma delas rachou ao meio, e aparições fantasmagóricas surgiram da pedra, como borboletas deixando seus casulos. Nem todas estavam em boa forma. As criaturas espirituais saíam das estátuas quebradas sem cabeça ou sem os pés. Algumas mancavam em três patas. Mas pelo menos uma dúzia de esfinges estava em perfeitas condições, e todas vinham em nossa direção — cada uma do tamanho de um dobermann, feita de fumaça branca como leite e vapor quente. E eu que tinha pensado que as esfinges estavam do *nosso* lado.

— Depressa! — falei para Sadie.

— Paris! — anunciou ela, erguendo o cajado e a varinha. — Quero ir para lá *agora*. Duas passagens. Primeira classe seria ótimo!

As esfinges avançavam. A que estava mais próxima se atirou sobre mim, e por pura sorte consegui cortá-la ao meio. O monstro evaporou em fumaça, mas emitiu uma explosão de calor tão intensa que tive a sensação de que meu rosto ia derreter.

Mais dois fantasmas de esfinge se lançaram sobre mim. Havia mais uma dúzia alguns passos atrás delas. Eu sentia a veia pulsando no pescoço.

De repente, o chão tremeu. O céu escureceu, e Sadie gritou:

— Isso!

O obelisco brilhou com uma luz roxa, vibrando com a força dessa energia. Sadie tocou a pedra e gritou. Ela foi sugada para dentro e desapareceu.

— Sadie! — berrei.

Nesse momento de distração, mais duas esfinges atacaram, derrubando-me no chão. Minha espada escapou. Minhas costelas fizeram *crac* e meu peito explodiu em dor. O calor emanado das criaturas era insuportável — era como ser esmagado por um forno quente.

Estendi a mão para o obelisco. Só mais alguns centímetros. Eu podia ouvir as outras esfinges se aproximando e o mago recitando:

— Segurem-no! Segurem-no!

Com a pouca força que me restava, inclinei-me para o obelisco, sentindo todos os nervos de meu corpo gritando de dor. Meus dedos tocaram a base e o mundo ficou preto.

De repente, eu estava deitado na pedra fria e molhada. Estava no meio de uma grande praça pública. Chovia muito e o ar gelado me dizia que eu não estava mais no Egito. Sadie estava perto de mim, gritando apavorada.

A má notícia: eu tinha levado duas esfinges comigo. Uma delas saltou de cima de mim e se aproximava de Sadie. A outra continuava em meu peito, olhando-me, as costas emanando vapor de chuva, os olhos brancos e leitosos bem perto de meu rosto.

Tentei lembrar a palavra egípcia para *fogo*. Se eu pudesse incendiar o monstro, talvez... mas minha mente estava dominada pelo pânico. Ouvi uma explosão do meu lado direito, na direção em que Sadie correra. Esperava que ela tivesse conseguido fugir, mas não tinha certeza.

A esfinge abriu a boca e formou presas de fumaça que nada tinham a ver com reis do Egito Antigo. Preparava-se para morder meu rosto quando uma forma escura surgiu atrás dela e gritou:

— *Mangez des muffins!*

Corte!

A esfinge se dissolveu em fumaça.

Tentei me levantar, mas não consegui. Sadie se aproximou cambaleando.

— Carter! Você está bem?

Eu pisquei para a outra pessoa — aquela que me salvara: uma figura alta e esguia, em uma capa de chuva preta com capuz. O que ela tinha gritado era "Comer *muffins*"? Que tipo de grito de guerra era esse?

A figura tirou o casaco e surgiu, então, uma mulher vestindo malha de acrobata com estampa de pele de leopardo, sorrindo para mim, mostrando as presas e os olhos amarelos, que brilhavam como lâmpadas.

— Sentiu minha falta? — perguntou Bastet.

C
A
R
T
E
R

18. Quando morcegos de frutas ficam maus

Ficamos encolhidos sob a marquise de um grande edifício branco do governo, vendo a chuva cair na Place de la Concorde. Estava um dia horrível em Paris. O céu de inverno estava baixo e carregado, e o ar frio e úmido me encharcava até os ossos. Não havia turistas, nenhum movimento de pessoas a pé. Todos com um mínimo de bom senso estavam em algum lugar fechado, junto a uma lareira, saboreando uma bebida quente.

Do lado direito, o rio Sena deslizava pela cidade. Do outro lado da enorme praça, o Jardin des Tuileries estava recoberto por uma névoa úmida.

O obelisco egípcio se erguia solitário e escuro no meio da praça. Esperamos por mais inimigos, mas nenhum apareceu. Lembrei o que Zia tinha dito sobre artefatos necessitarem resfriar por doze horas antes de poderem ser utilizados novamente. Eu torcia para que ela estivesse certa.

— Fique quieto — Bastet me disse.

Eu me encolhi quando ela pressionou a mão contra meu peito. Bastet sussurrou alguma frase em egípcio e a dor cedeu lentamente.

— Costela fraturada — anunciou. — Melhor agora, mas você precisa descansar, pelo menos por alguns minutos.

— E os magos?

— Eu não me preocuparia com eles por enquanto. A Casa vai deduzir que vocês se teletransportaram para algum outro lugar.

— Por quê?

— Paris é o Décimo Quarto Nomo: o quartel-general de Desjardins. Seria loucura vocês tentarem se esconder no território dele.

— Que maravilha — murmurei.

— E seus amuletos os encobrem — continuou Bastet. — Eu poderia encontrar Sadie em qualquer lugar por causa da promessa de protegê-la. Mas os amuletos os manterão escondidos do olhar de Set e de outros magos.

Pensei na sala escura no Primeiro Nomo, com todas as crianças olhando para tigelas com óleo. Elas estariam procurando por nós agora? A ideia era sinistra.

Tentei me sentar e gemi baixinho.

— Fique quieto — ordenou Bastet. — Francamente, Carter, você devia aprender a cair como um gato.

— Vou treinar — prometi. — Como você ainda está viva? É essa coisa de "sete vidas"?

— Isso é só uma lenda boba. Eu sou *imortal*.

— Mas os escorpiões! — Sadie se encolheu mais perto de nós, tremendo e puxando a capa de chuva de Bastet sobre seus ombros. — Nós vimos quando eles a dominaram!

Bastet ronronou como um gato.

— Querida Sadie, você se importa comigo! Devo admitir que já trabalhei com *muitos* filhos de faraós, mas vocês dois... — Ela parecia realmente emocionada. — Bem, sinto muito se preocupei você. É verdade que os escorpiões reduziram meu poder a quase nada. Eu os mantive afastados pelo tempo que pude. Depois, só tive energia suficiente para voltar à forma de Muffin e fugir para o Duat.

— Pensei que não fosse boa com portais — observei.

— Bem, para começar, Carter, há muitas maneiras de entrar e sair do Duat. Ele tem muitas regiões e camadas: o Abismo, o Rio da Noite, o Mundo dos Mortos, a Terra dos Demônios...

— Parece encantador — resmungou Sadie.

— Enfim, portais são como portas. Eles se abrem para o Duat para conectar uma parte do mundo mortal à outra. E, sim, tem razão, não sou boa nisso.

Mas *sou* uma criatura do Duat. Quando estou sozinha, fugir para a camada mais próxima quando preciso escapar rapidamente é até fácil.

— E se eles a tivessem matado? — perguntei. — Quer dizer, se tivessem matado Muffin?

— Isso teria me empurrado para áreas mais profundas do Duat. Teria sido como enfiar meus pés em concreto e me jogar no mar. Eu levaria anos, talvez séculos, para voltar a ter poder suficiente para retornar ao mundo mortal. Felizmente, isso não aconteceu. Voltei de imediato, mas quando cheguei ao museu os magos já tinham capturado vocês.

— Não fomos exatamente *capturados* — informei.

— Não mesmo, Carter? Quanto tempo passou no Primeiro Nomo antes de decidirem matar você?

— Ah, umas vinte e quatro horas.

Bastet assobiou.

— Eles estão amolecendo! Antes, explodiam deuses menores nos primeiros minutos.

— *Não* somos... do que foi que nos chamou?

Sadie mesmo respondeu, como se estivesse em transe.

— Deuses menores. É isso o que somos, não é? Por isso Zia teve tanto medo de nós, por isso Desjardins quer nos matar.

Bastet bateu no joelho de Sadie.

— Você sempre foi brilhante, minha querida.

— Espere aí — protestei. — Quer dizer que somos hospedeiros de *deuses*? Isso não é possível. Acho que eu saberia se...

Então, pensei na voz que ressoava dentro de minha cabeça, em como ela me prevenira para me esconder quando encontrei Iskandar. Pensei em todas as coisas que de repente podia fazer, como lutar com uma espada e invocar uma armadura mágica. Eu não tinha aprendido essas coisas nas aulas em casa.

— Carter — começou Sadie —, quando a Pedra de Roseta explodiu, libertou cinco deuses, certo? Papai se uniu a Osíris. Amós nos disse isso. Set... não sei, ele escapou de algum jeito. Mas você e eu...

— Os amuletos nos protegeram. — Segurei o Olho de Hórus que levava pendurado no pescoço. — Papai disse que eles nos protegeriam.

— Se tivéssemos ficado longe daquela sala, como ele nos mandou fazer — lembrou Sadie. — Mas estávamos lá, olhando. Queríamos ajudá-lo. Nós praticamente *pedimos* o poder, Carter.

Bastet assentiu.

— Isso faz toda a diferença. Um pedido.

— E desde então... — Sadie me olhou, hesitante, quase me desafiando a debochar dela. — Tenho tido essa sensação. Como uma voz dentro de mim...

A chuva fria tinha ensopado minhas roupas. Se Sadie não tivesse falado nada, talvez eu pudesse negar o que estava acontecendo, pelo menos por mais algum tempo. Mas pensei no que Amós tinha dito sobre nossa família ter uma longa história com os deuses. Pensei no que Zia nos dissera sobre nossa linhagem: "Os deuses escolhem seus hospedeiros com cuidado. Eles sempre preferem o sangue dos faraós."

— Tudo bem — admiti. — Também tenho ouvido uma voz. Então, ou estamos os dois ficando malucos...

— O amuleto. — Sadie o puxou para fora pela gola da roupa e o mostrou a Bastet. — É o símbolo da deusa, não é?

Eu não via aquele amuleto havia um bom tempo. Era diferente do meu. Lembrava um *ankh*, ou uma gravata diferente, talvez.

— Isso é um *tyet* — respondeu Bastet. — Um nó mágico. E, sim, costuma ser chamado...

— O Nó de Ísis — concluiu Sadie. Eu não imaginava como ela podia saber aquilo, mas minha irmã parecia estar absolutamente certa. — No Salão das Eras, vi uma imagem de Ísis, depois eu *era* Ísis, tentando fugir de Set e... ah, Deus. É isso, não é? Eu sou ela.

Sadie agarrou a roupa, como se quisesse arrancar fisicamente a deusa dentro dela. Tudo o que eu podia fazer era olhar. Minha irmã, com seus cabelos de mechas vermelhas e seu pijama de linho, com aqueles coturnos... como ela podia se preocupar com a possibilidade de ser uma *deusa*? Que deusa ia querer se instalar nela, exceto, talvez, a deusa do chiclete?

Mas... eu também ouvia uma voz em minha cabeça. Uma que não era minha, definitivamente. Olhei para meu amuleto, o Olho de Hórus. Pensei nos mitos que eu conhecia, em como Hórus, filho de Osíris, teve de vingar o próprio pai derrotando Set. E em Luxor eu tinha invocado um avatar com a cabeça de um falcão.

Tinha medo de tentar, mas pensei: *Hórus?*

Bem, já era hora, disse a voz. *Olá, Carter.*

— Ah, não — falei, sentindo o pânico dominar meu peito. — Não, não, não. Alguém me traga um abridor de latas. Tem um deus preso na minha cabeça.

Os olhos de Bastet se iluminaram.

— Você se comunicou diretamente com Hórus? Que progresso excelente!

— Progresso? — Eu segurei a cabeça com as duas mãos. — Tire-o daqui!

Calma, disse Hórus.

— Não me diga para ficar calmo!

Bastet me olhou intrigada.

— Eu não disse.

— Estava falando com ele. — Apontei para minha testa.

— Isso é horrível — gemeu Sadie. — Como me livro dela?

Bastet farejou o ar.

— Primeiro, Sadie, você não a tem *inteira*. Nós, deuses, somos muito poderosos. Podemos existir em muitos lugares ao mesmo tempo. Mas, sim, parte do espírito de Ísis reside agora em você. Como Carter abriga agora o espírito de Hórus. E, francamente, vocês dois deveriam sentir-se honrados.

— É claro, muito honrados — ironizei. — Sempre quis ser possuído!

Bastet revirou os olhos.

— Por favor, Carter, isso *não é* possessão. Além do mais, você e Hórus desejam a mesma coisa: derrotar Set, como Hórus já fez há milênios, quando Set matou Osíris. Se você não conseguir, seu pai estará condenado e Set se tornará o rei da terra.

Olhei para Sadie, mas ela não me ajudou em nada. Minha irmã arrancou o amuleto do pescoço e o jogou no chão.

— Ísis entrou em mim pelo amuleto, não foi? Então, eu vou...

— Eu não faria isso — avisou Bastet.

Mas Sadie pegou sua varinha e bateu no amuleto. Fagulhas azuis se desprenderam do amuleto de marfim. Ela gritou e soltou a varinha, que agora fumegava. Sua mão estava coberta de marcas negras, como queimaduras. O amuleto estava inteiro.

— *Ai!* — gemeu ela.

Bastet suspirou. Ela tocou a mão de Sadie e as marcas de queimadura sumiram.

— Eu avisei. Ísis canalizou seu poder pelo amuleto, sim, mas ela não está nele agora. Está em *você*. E, de qualquer maneira, amuletos mágicos são praticamente indestrutíveis.

— Então, o que vamos fazer? — perguntou Sadie.

— Bem, para começar — disse Bastet —, Carter deve usar o poder de Hórus para derrotar Set.

— Ah, só isso? — reagi. — Eu? Sozinho?

— Não. Sadie pode ajudar.

— Ah, ótimo.

— Eu os guiarei até onde puder — prometeu Bastet —, mas, no final, vocês dois terão de lutar. Só Hórus e Ísis podem derrotar Set e vingar a morte de Osíris. Foi assim antes. E tem de ser assim agora.

— E assim teremos nosso pai de volta? — eu quis saber.

O sorriso de Bastet perdeu parte do brilho.

— Se tudo correr bem.

Ela não estava nos contando toda a história. Não me surpreendia. Mas meu cérebro estava confuso demais para deduzir o que faltava.

Olhei minhas mãos. Não pareciam nada diferentes. Nem mais fortes, nem mais... divinas.

— Se temos poderes de um deus, por que sou tão...

— Fraco? — Sadie sugeriu.

— Cale a boca — retruquei. — Por que não consigo usar melhor meus poderes?

— É preciso praticar — explicou Bastet. — A menos que queira ceder o controle a Hórus. Então ele usaria seu corpo, e você não teria com que se preocupar.

Eu poderia, uma voz disse dentro de mim. *Deixe-me enfrentar Set. Pode confiar em mim.*

Ah, é claro, respondi a ele. *Como posso ter certeza de que não vai me matar e simplesmente se mudar para outro hospedeiro? Como posso ter certeza de que não está influenciando meus pensamentos neste exato momento?*

Eu não faria isso, a voz respondeu. *Escolhi você por causa de seu potencial, Carter, e porque temos o mesmo objetivo. Juro por minha honra, se me deixar assumir o comando...*

— Não.

Percebi que havia falado em voz alta. Sadie e Bastet me olhavam.

— Estou dizendo que não vou ceder o controle — expliquei. — Essa luta é *nossa*. Nosso pai está trancado em um caixão. Nosso tio foi capturado.

— Capturado? — repetiu Sadie.

Percebi, surpreso, que não tinha contado a ela sobre a última viagem do meu *ba*. Não tivera tempo para isso.

Quando dei a ela os detalhes, minha irmã ficou perplexa.

— Deus, não.

— Sim — afirmei. — E Set falou em francês: "*Bonsoir*." Sadie, o que você disse sobre Set ter se afastado... Talvez ele não tenha ido. Se ele procurava por um hospedeiro poderoso...

— Desjardins — Sadie concluiu.

Bastet rosnou baixo.

— Desjardins estava em Londres na noite em que seu pai quebrou a Pedra de Roseta, não estava? Desjardins sempre foi um homem cheio de ira, de ambição. Em muitos aspectos, seria o hospedeiro perfeito para Set. Caso Set tenha conseguido se apoderar do corpo de Desjardins, isso significa que o Lorde Vermelho controla agora o Sacerdote-leitor Chefe da Casa... Pelo trono de Rá, Carter, espero que esteja enganado. Vocês dois vão ter de aprender a usar o poder dos deuses rapidamente. Não sei o que Set está planejando, mas sei que vai pôr o plano em prática no dia de seu aniversário, quando ele fica mais forte. No terceiro Dia do Demônio... daqui a três dias.

— Mas já usei o poder de Ísis, não usei? — perguntou Sadie. — Invoquei hieróglifos. Ativei o obelisco em Luxor. Foi ela ou fui eu?

— As duas, querida — respondeu Bastet. — Você e Carter têm grandes habilidades, mas o poder dos deuses acelerou esse desenvolvimento e deu aos dois um reservatório extra de onde extrair mais força. O que vocês levariam anos para aprender, realizaram em dias. Quanto mais canalizarem o poder dos deuses, mais poderosos se tornarão.

— E mais perigoso será — sugeri. — Os magos nos disseram que hospedar deuses pode esgotar o hospedeiro, matá-lo, levá-lo à loucura.

Bastet me encarou. Por um segundo, aqueles eram os olhos de um predador: antigos, poderosos, perigosos.

— Nem todo mundo pode hospedar um deus, Carter. Isso é verdade. Mas vocês dois têm o sangue dos faraós. Combinam duas linhagens muito antigas. Isso é muito raro, muito poderoso. Além do mais, se acha que pode sobreviver *sem* o poder dos deuses, é melhor pensar novamente. Não repita o que sua mãe... — Ela parou.

— O quê? — perguntou Sadie. — O que tem nossa mãe?

— Eu não devia ter dito isso.

— Fale, gata! — ordenou Sadie.

Tive medo de que Bastet sacasse suas lâminas. Em vez disso, ela se encostou à parede e olhou para a chuva.

— Quando seus pais me libertaram na Agulha de Cleópatra... houve muito mais energia do que eles esperavam. Seu pai recitou o encantamento habitual de invocação, e a explosão o teria matado imediatamente, não fosse pelo escudo que sua mãe criara. Naquela fração de segundo, ofereci a ela minha ajuda. Ofereci-me para fundir nossos espíritos e ajudar a protegê-los. Mas ela recusou. Preferiu recorrer ao próprio reservatório...

— À própria magia — murmurou Sadie.

Bastet assentiu triste.

— Quando um mago se compromete com um encantamento, não há como voltar atrás. Se esse mago abusa do próprio poder... bem, sua mãe usou as últimas reservas de energia que possuía protegendo seu pai. Para salvá-lo, ela se sacrificou. Ela literalmente...

— Esvaziou. Esgotou-se — concluí. — Foi isso que Zia nos disse.

A chuva continuava caindo. Percebi que eu estava tremendo.

Sadie limpou uma lágrima do rosto. Depois, recolheu o amuleto e olhou para ele, ressentida.

— Precisamos salvar papai. Se ele realmente abriga o espírito de Osíris...

Minha irmã não terminou a frase, mas eu sabia o que ela estava pensando. Pensei em mamãe quando eu era pequeno, em seu braço sobre meus ombros enquanto ficávamos em pé na varanda dos fundos, em Los Angeles. Ela apontava as estrelas e dizia: Polaris, Cinturão de Órion, Sirius. Depois, ela sorria para mim, e eu me sentia mais importante do que qualquer constelação no céu. Mamãe tinha se sacrificado para salvar a vida de papai. Tinha usado tanta magia que se esgotara, literalmente. Como eu poderia ser tão corajoso? Mas eu precisava tentar salvar meu pai. Caso contrário, teria a sensação de que o sacrifício dela tinha sido em vão. E se pudéssemos resgatá-lo, talvez ele fosse capaz de consertar todas as coisas, talvez até trouxesse de volta nossa mãe.

Isso é possível? Fiz a pergunta a Hórus, mas ele não respondeu.

— Tudo bem — decidi. — Então, como vamos deter Set?

Bastet pensou por um momento, depois sorriu. Tive a sensação de que não ia gostar do que ela ia sugerir.

— *Pode ser* que exista um jeito, sem você se entregar completamente aos deuses. Existe um livro de Tot: um dos raros livros de encantamentos escritos pelo próprio deus da sabedoria. Esse livro contém detalhes de como derrotar Set. Pertence a certo mago e é muito raro e valioso. Só precisamos entrar em sua fortaleza, roubá-lo e sair antes do pôr do sol, enquanto ainda pudermos criar um portal para os Estados Unidos.

— Perfeito — disse Sadie.

— Espere aí — alertei. — Que mago? E onde fica a fortaleza?

Bastet me olhou como se eu fosse um pouco lento.

— Bem, acho que já falamos sobre ele. Desjardins. A casa dele fica bem aqui em Paris.

Quando vi a casa de Desjardins, senti por ele um ódio ainda maior. Era uma mansão imensa do outro lado do Tuileries, na Rue des Pyramides.

— Rua das Pirâmides? — observou Sadie. — Não podia ser mais óbvio?

— Talvez ele não tenha encontrado nada para comprar na "rua do Estúpido Mago do Mal" — sugeri.

A casa era espetacular. As lanças sobre a cerca de ferro eram douradas. Mesmo sob a chuva de inverno, o jardim da frente estava repleto de flores. Cinco andares de paredes de mármore branco e janelas de venezianas pretas se erguiam diante de nós, tudo coberto por um jardim suspenso. Eu já tinha visto palácios reais menores que aquela casa.

Apontei para a porta da frente, que era pintada de vermelho-vivo.

— O vermelho não é uma cor ruim no Egito? A cor de Set?

Bastet coçou o queixo.

— Bem lembrado, sim. É a cor do caos e da destruição.

— Pensei que preto fosse a cor do mal — comentou Sadie.

— Não, querida. Como sempre, o mundo moderno inverteu tudo. Preto é a cor do solo bom, como o do Nilo. É possível plantar alimentos na terra preta. E comida é uma coisa boa. Portanto, preto é bom. Vermelho é a cor da areia do deserto. Nada cresce no deserto. Portanto, vermelho é ruim. — Ela franziu as sobrancelhas numa expressão intrigada. — É estranho que Desjardins tenha uma porta vermelha.

— Bem, eu estou animada — resmungou Sadie. — Vamos bater.

— Deve ter seguranças — avisou Bastet. — E armadilhas. E alarmes. Pode apostar que a casa está cercada de encantamentos para impedir a entrada de deuses.

— Magos são capazes disso? — perguntei.

Imaginei uma enorme lata de inseticida com o rótulo *Espanta-deus*.

— Ah, são — confirmou Bastet. — E eu não posso entrar sem ser convidada. Mas vocês...

— Pensei que também fôssemos deuses — disse Sadie.

— Essa é a beleza da coisa — anunciou Bastet. — Como hospedeiros, vocês são humanos. Eu me apoderei completamente de Muffin, por isso eu sou *eu*: uma deusa. Mas vocês ainda são... bem, são vocês mesmos. Fui clara?

— Não — respondi.

— Sugiro que se transformem em aves — disse Bastet. — Podem voar até o jardim, na cobertura, e entrar por lá. Além do mais, eu gosto de pássaros.

— Problema 1: não sabemos como nos transformar em aves — retruquei.

— Isso é fácil! E vai ser um bom teste de sua capacidade de canalizar o poder do deus. Ísis e Hórus têm forma de pássaros. Imaginem-se simplesmente como aves, e aves serão.

— Só isso? — indagou Sadie. — E você não vai dar um bote em nós?

Bastet parecia ofendida.

— Nem morta!

Eu preferia que ela não tivesse falado em *morte*.

— Tudo bem — decidi. — Aqui vamos nós.

E pensei: *Você está aí, Hórus?*

O que é? Ele parecia aborrecido.

Forma de pássaro, por favor.

Ah, entendo. Não confia em mim, mas agora precisa de minha ajuda.

Cara, vamos lá. Só quero que faça aquela coisa do falcão.

Não se contentaria com uma ema?

Decidi que conversar não ia ajudar em nada, por isso fechei os olhos e imaginei que era um falcão. Imediatamente, minha pele começou a queimar. Senti dificuldade de respirar. Abri os olhos e arfei.

Eu estava muito, muito baixinho. Meus olhos encaravam as canelas de Bastet. Estava coberto de penas e meus pés tinham se transformado em garras retorcidas, parecidos com os da minha forma *ba*, mas agora eram de verdade. Carne e osso. Minhas roupas e a bolsa desapareceram, como se tivessem sido assimiladas por minhas penas. E a minha visão também tinha mudado completamente. Eu conseguia enxergar num ângulo de cento e oitenta graus, e os detalhes eram incríveis. Todas as folhas de todas as árvores se destacavam. Vi uma barata a centenas de metros, correndo para um bueiro. Conseguia enxergar todos os poros no rosto de Bastet, que agora se debruçava sobre mim e sorria.

— Antes tarde do que nunca — comentou. — Levou quase dez minutos.

O quê? A transformação tinha me parecido instantânea. Olhei para o lado e vi uma linda ave de rapina cinzenta, um pouco menor que eu, com asas de pontas negras e olhos dourados. Não sei como, mas eu sabia que era um papagaio. A *ave*, não aquele que a gente empina com uma linha.

O papagaio emitiu um som agudo.

— *Arrá, arrá, arrá.*

Sadie ria de mim.

Abri o bico, mas não saiu nenhum som.

— Ah, vocês dois parecem deliciosos — comentou Bastet, lambendo os lábios. — Não, não... Quer dizer... maravilhosos. Agora vão!

Abri minhas asas majestosas. Eu tinha conseguido mesmo! Era um nobre falcão, senhor do céu. Decolei da calçada e aterrissei na cerca.

— *Arrá... arrá... arrá...* — Sadie gorjeou atrás de mim.

Bastet se abaixou e começou a fazer uns ruídos estranhos. Não! Ela estava imitando passarinhos. Eu já tinha visto gatos agindo assim quando estavam caçando. De repente, meu próprio obituário surgiu muito claro em minha cabeça: *Carter Kane, quatorze anos, morto tragicamente em Paris ao ser comido pela gata da irmã, Muffin.*

Abri as asas, bati os pés, e com três movimentos fortes e determinados, decolei para a chuva. Sadie veio atrás de mim. Juntos, fomos subindo pelo ar.

Tenho de admitir: eu me sentia incrível. Desde criança, sempre sonhei que voava, e sempre odiei acordar. Agora não era um sonho, nem mesmo uma viagem do *ba*. Era real. Cem por cento real. Eu viajava nas correntes de ar frio sobre os telhados de Paris. Podia ver o rio, o Museu do Louvre, os jardins e os palácios. E um rato... hum, delícia.

Segure a onda, Carter, pensei. Nada de caçar ratos. Foquei na mansão de Desjardins, recolhi as asas e mergulhei.

Vi o jardim na cobertura e a porta dupla que levava ao interior, e ouvi a voz em minha cabeça: *Não pare. É uma ilusão. Você precisa passar pelas barreiras mágicas.*

Era um pensamento maluco. Eu mergulhava tão depressa, que poderia me espatifar contra o vidro da porta e virar panqueca de penas, mas não reduzi a velocidade.

Eu mergulhava na direção da porta, me aproximava... E passei voando através dela como se não existisse obstáculo algum. Abri as asas e aterrissei em uma mesa. Sadie chegou em seguida.

Estávamos sozinhos na biblioteca. Até ali, tudo bem.

Fechei os olhos e pensei em voltar à minha forma normal. Quando abri os olhos novamente, eu era o Carter de sempre, sentado em cima da mesa e vestindo minhas roupas, com a bolsa pendurada em um ombro.

Sadie ainda era um papagaio.

— Pode voltar ao normal — sugeri.

Ela inclinou a cabeça e me olhou como se não me entendesse. Depois, fez um barulho que sugeria frustração.

Eu sorri.

— Você não consegue, não é? Está presa.

Ela bicou minha mão com força.

— Ai! — reclamei. — A culpa não é minha. Continue tentando.

Ela fechou os olhos e sacudiu as penas, inflando-as até parecer perto de explodir, mas ainda era um papagaio.

— Não se preocupe. — Tentei ficar sério ao dizer isso. — Bastet vai ajudar você quando sairmos daqui.

— Arrá... arrá... arrá...

— Fique atenta. Vou dar uma olhada por aí.

A sala era grande: mais parecida com uma biblioteca tradicional que com o covil de um mago. A mobília era de mogno escuro. Todas as paredes eram cobertas de estantes de cima a baixo. Os livros transbordavam para o chão. Alguns estavam sobre mesas, empilhados ou espremidos em prateleiras menores. Uma grande poltrona ao lado da janela me lembrava um lugar onde Sherlock Holmes poderia se sentar para fumar seu cachimbo.

Cada passo que eu dava fazia ranger as tábuas do piso, o que me deixava apreensivo. Eu não ouvia barulhos na casa, mas não queria correr riscos.

Além da porta de vidro no teto, a única saída era uma sólida porta de madeira que podia ser trancada por dentro. Girei a tranca. E arrastei uma cadeira, que coloquei sob a maçaneta. Sabia que esse tipo de medida não manteria magos afastados por muito tempo, mas poderia me dar alguns segundos, caso a situação ficasse complicada.

Vasculhei as estantes pelo que pareceu eras e eras. Livros diferentes de todos os tipos estavam juntos — sem nenhuma ordem alfabética ou numérica. A maioria dos títulos não estava em inglês. Nenhum em hieróglifo. Eu esperava algo com grandes letras douradas anunciando O *livro de Tot*, mas não tive essa sorte.

— Como deve ser um livro de Tot? — eu me perguntei.

Sadie virou a cabeça e olhou para mim. Eu tinha certeza de que ela me incentivava a correr.

Queria que houvesse um *shabti* para pegar as coisas, como os da biblioteca de Amós, mas não via nenhum. Ou talvez...

Tirei do ombro a bolsa de meu pai. Pus a caixa mágica sobre a mesa e a abri. A pequena figura de cera ainda estava ali, exatamente onde eu a tinha deixado. Eu a peguei e disse:

— Doughboy, me ajude a encontrar o livro de Tot nesta biblioteca.

Os olhos de cera se abriram imediatamente.

— E por que eu o ajudaria?

— Porque não tem opção.

— Odeio esse argumento! Tudo bem, tire-me daqui. Não consigo ver as estantes.

Eu o carreguei pela sala, mostrando as prateleiras. E me sentia muito estúpido levando um boneco de cera para passear, mas, provavelmente, não tão estúpido quanto Sadie devia estar se sentindo. Ela continuava na forma de ave, andando de um lado para outro sobre a mesa e batendo o bico com clara frustração, tentando voltar a ser humana.

— Pare! — pediu Doughboy. — Aquele ali é antigo... ali, bem ali.

Peguei o volume fino envolto em linho. Era tão fino, que eu não o teria notado, mas, com certeza, o que eu via na capa eram hieróglifos. Eu o levei até a mesa e o abri. Era mais um mapa que um livro. Desdobrava-se em quatro partes, até eu estar olhando para um grande papiro com um texto tão antigo que eu mal conseguia enxergar as letras.

Olhei Sadie.

— Aposto que se não fosse um pássaro poderia ler isto para mim.

Ela tentou me bicar novamente, mas eu puxei a mão.

— Doughboy — chamei. — O que há neste papiro?

— Um encantamento perdido no tempo! — anunciou ele. — Palavras antigas de tremendo poder!

— E...? Elas dizem como derrotar Set?

— Melhor! O título diz: *O livro para invocar morcegos de frutas!*

Eu o encarei.

— Está falando sério?

— Você brincaria com esse tipo de coisa?

— Quem iria querer invocar morcegos de frutas?

— *Arrá... arrá... arrá...* — Sadie grasnou.

Guardei o manuscrito e continuei procurando.

Após dez minutos, Doughboy gritou animado.

— Veja! Eu me lembro daquela pintura!

Era um pequeno retrato a óleo numa moldura dourada, pendurado na extremidade de uma prateleira. Devia ser importante, porque era ladeado por pequenas cortinas de seda. Uma luz iluminava o rosto do homem no retrato, e ele parecia pronto para contar uma história de fantasmas.

— Esse não é o ator que faz o Wolverine? — perguntei, porque ele tinha costeletas muito grossas.

— Você me aborrece! — comentou Doughboy. — Esse é Jean-François Champollion.

Levei um segundo para lembrar o nome.

— O homem que decifrou hieróglifos com a Pedra de Roseta?

— É claro. Tio-avô de Desjardins.

Olhei novamente para o retrato de Champollion e notei a semelhança. Os mesmos olhos pretos e penetrantes.

— Tio-avô? Mas isso não faria de Desjardins...

— Alguém de duzentos anos — confirmou Doughboy. — Um garoto, ainda. Sabia que Champollion ficou em coma por cinco dias depois de decifrar os hieróglifos? Ele foi o primeiro homem fora da Casa da Vida a liberar a magia da Casa, e isso quase o matou. Claro, tudo isso chamou a atenção do Primeiro Nomo. Champollion morreu antes de poder se juntar à Casa da Vida, mas o Sacerdote-leitor Chefe aceitou seus descendentes, a fim de treiná-los. Desjardins se orgulha muito de sua família... mas é um pouco melindroso, por ser um recém-chegado.

— Por isso ele não se deu bem com nossa família — supus. — Somos meio... antigos.

Doughboy grasnou.

— E seu pai ainda quebrou a Pedra de Roseta! Desjardins deve ter considerado tudo isso um insulto à honra da família dele! Ah, devia ter visto as discussões que Mestre Julius e Desjardins tiveram nesta sala.

— Já esteve aqui antes?

— Muitas vezes! Estive em todo lugar. Sou um sabe-tudo.

Tentei imaginar meu pai e Desjardins discutindo naquela biblioteca. Não era difícil. Se Desjardins odiava nossa família, e se os deuses costumam procurar hospedeiros que compartilhem de seus objetivos, faria sentido Set ter tentado se fundir a ele. Os dois queriam poder, os dois eram ressentidos e vingativos, os dois queriam nos transformar, a Sadie e a mim, em purê. E se agora Set controlava secretamente o Sacerdote-leitor Chefe... Uma gota de suor escorreu pela lateral de meu rosto. Eu queria sair daquela mansão.

De repente, houve um estrondo abaixo de nós, como alguém batendo uma porta.

— Mostre-me onde está o livro de Tot — ordenei a Doughboy. — Depressa!

Seguimos examinando as estantes e Doughboy ia ficando quente. Tive medo de que ele derretesse em minha mão. Ele ia fazendo comentários sobre os livros.

— Ah, *Dominando os cinco elementos*!

— É o que estamos procurando? — perguntei.

— Não, mas é bom. Como domar os cinco elementos do universo: terra, ar, água, fogo e queijo!

— Queijo?

Ele coçou a cabeça de cera.

— Tenho certeza de que esse é o quinto, sim. Mas vamos em frente!

Passamos à prateleira seguinte.

— Não — anunciou ele. — Não. Chato. Chato. Ah, Clive Cussler! Não. Não.

Eu estava quase perdendo as esperanças, quando ele disse:

— Ali.

Eu parei.

— Onde... aqui?

— O livro azul com acabamento dourado. Aquele que está...

Puxei o livro e a sala toda começou a tremer.

— ... preso — continuou Doughboy.

Sadie grasnou com urgência. Eu me virei e a vi alçando voo. Alguma coisa pequena e preta entrou pelo telhado. Sadie colidiu com ela no ar e a coisinha desapareceu, desceu por sua garganta.

Antes que eu pudesse sequer registrar o quanto aquilo era repugnante, alarmes soaram lá embaixo. Mais formas negras entraram pelo telhado e pareciam se multiplicar no ar, girando numa nuvem de pelos e formando um funil.

— Aí está sua resposta — declarou Doughboy. — *Desjardins* ia querer invocar morcegos de frutas. Se você mexe no livro errado, provoca uma praga de morcegos de frutas. Essa é a armadilha!

Aqueles bichos voaram sobre mim como se eu fosse uma manga madura, batendo em meu rosto, arranhando meus braços. Agarrei o livro e corri para a mesa, mas não conseguia enxergar nada.

— Sadie, saia daqui! — gritei.

— SÓU! — gritou ela, o que eu esperava que significasse "sim".

Encontrei a bolsa de papai e joguei o livro e Doughboy dentro dela. A porta da biblioteca tremia. Vozes gritavam em francês.

Hórus, hora do pássaro!, pensei desesperado. *E nada de emas, por favor!*

Corri para a porta de vidro. No último segundo, estava voando — novamente um falcão, saindo para a chuva fria. Com os sentidos de um predador, soube que era seguido por aproximadamente quatro mil furiosos morcegos de frutas.

Mas falcões são muito rápidos. Uma vez do lado de fora, voei para o norte, esperando atrair os morcegos e afastá-los de Sadie e de Bastet. Distanciava-me deles com facilidade, mas os deixava chegar perto o suficiente para que não desistissem de mim. Então, com uma explosão de velocidade, descrevi um círculo no ar e voltei para onde Sadie e Bastet estavam, num mergulho a 150 km/h.

Bastet olhou para cima com grande surpresa quando eu me aproximava da calçada, e continuou olhando quando, rolando pelo chão, voltei à minha forma humana. Sadie segurou meu braço e só então percebi que ela também tinha voltado ao normal.

— Aquilo foi horrível! — disse ela.

— Saída estratégica, rápida! — Apontei para o céu, para a nuvem negra de furiosos morcegos de frutas que se aproximava de nós.

— O Louvre. — Bastet agarrou a minha mão e a de Sadie. — Lá está o portal mais próximo.

Três quarteirões de distância. Jamais conseguiríamos.

Então, a porta vermelha da mansão de Desjardins se abriu com violência, mas não esperamos para ver o que sairia por ela. Corremos pela Rue des Pyramides como se disso dependesse nossa vida.

19. Um piquenique no céu

[Tudo bem, Carter. Passe o microfone.]

Eu já tinha estado no Louvre uma vez, nas férias, mas nunca enquanto fugia de terríveis morcegos de frutas. Eu estaria apavorada, se não estivesse tão ocupada sentindo raiva de Carter. Não acreditava em como ele tinha resolvido o problema de ser ave. Francamente, cheguei a pensar que seria um papagaio *para sempre*, sufocando dentro de uma pequenina prisão de penas. E ele tinha tido a coragem de debochar!

Prometi a mim mesma que me vingaria, mas, por enquanto, estávamos preocupados demais simplesmente com nossa sobrevivência.

Corremos sob a chuva fria. Eu tentava não escorregar na calçada molhada. Olhei para trás e vi duas criaturas nos perseguindo: homens de cabeça raspada e cavanhaque vestindo capas pretas de chuva. Eles poderiam ter passado por simples mortais, se cada um não carregasse um cajado brilhante. Não era bom sinal.

Os morcegos estavam nos nossos calcanhares, literalmente. Um deles mordeu minha perna. Outro passou zumbindo perto da orelha. Tive de me forçar a continuar correndo. Meu estômago ainda estava embrulhado por eu ter comido um deles quando era um papagaio — e não, a ideia *não* foi minha. Foi só um instinto de defesa!

— Sadie — chamou Bastet enquanto corríamos. — Você vai ter poucos segundos para abrir o portal.

— Onde está? — gritei.

Atravessamos correndo a Rue de Rivoli e entramos na praça larga cercada pelas alas do Louvre. Bastet corria diretamente para a pirâmide de vidro na entrada, um marco que brilhava na penumbra.

— Não pode estar falando sério. Isso não é uma pirâmide de *verdade*.

— É claro que é real — retrucou Bastet. — É a *forma* que confere poder à pirâmide. É uma rampa para o céu.

Os morcegos nos cercavam, mordiam nossos braços, voavam em volta de nossos pés. Com o número das criaturas cada vez maior, era mais e mais difícil enxergar ou se mover.

Carter levou a mão à espada, mas, aparentemente, lembrou que ela não estava mais lá. Ele a tinha perdido em Luxor. Praguejando, ele revirou a bolsa.

— Não diminuam a velocidade! — Bastet nos repreendeu.

Carter pegou sua varinha. Frustrado, ele a arremessou contra um morcego. Achei que fosse um gesto inútil, mas a varinha brilhou com uma luz muito branca e bateu com força na cabeça do morcego, derrubando-o. A varinha ricocheteou no meio da nuvem de vampiros, batendo em seis, sete, oito monstrinhos antes de voltar à mão de Carter.

— Nada mal — comentei. — Continue.

Chegamos à base da pirâmide. Felizmente, o lugar estava vazio. A última coisa que eu queria era minha morte constrangedora provocada pelos morcegos de frutas postada no YouTube.

— Um minuto para o pôr do sol — avisou Bastet. — Nossa última chance é *agora*.

Ela empunhou suas lâminas e começou a cortar morcegos no ar, tentando mantê-los longe de mim. A varinha de Carter voava freneticamente, derrubando morcegos de frutas a torto e a direito. Encarei a pirâmide e tentei pensar em um portal, como havia feito em Luxor, mas era quase impossível me concentrar.

Aonde quer ir? Era a voz de Ísis ressoando em minha cabeça.

Meu Deus, tanto faz! Estados Unidos!

Percebi que estava chorando. Odiava chorar, mas o susto e o medo começavam a me dominar. Para onde eu queria ir? Para casa, é claro! De volta a minha casa em Londres — de volta a meu quarto, meus avós, meus amigos da escola e minha *velha vida*. Mas não podia. Precisava pensar em meu pai e em nossa missão. Tínhamos de pegar Set.

Estados Unidos, eu pensei. *Agora!*

Minha explosão emocional deve ter surtido algum efeito. A pirâmide tremeu. As paredes de vidro refletiam o brilho que surgia no topo.

Apareceu um funil giratório de areia, sim. O único problema é que ele girava bem no topo da pirâmide.

— Subam! — ordenou Bastet.

Fácil falar. Ela era um gato.

— A parede é muito inclinada! — protestou Carter.

Ele fizera um bom trabalho com os morcegos. Pilhas de criaturas tontas cobriam a calçada, mas outros ainda voavam a nossa volta, mordendo cada pedaço de pele exposta, e os magos se aproximavam.

— Vou jogar vocês — disse Bastet.

— Como é que é?

Carter reagiu, mas ela já o agarrava pela gola da camisa e pela calça e o jogava para cima, pela lateral da pirâmide. Ele engatinhou até o topo de um jeito nada digno e escorregou diretamente pelo portal.

— Agora você, Sadie. Vamos!

Mas antes que eu pudesse me mover, uma voz masculina gritou:

— Pare!

Estúpida que sou, parei. A voz era poderosa demais, era difícil não obedecer.

Os dois magos se aproximavam. O mais alto falava um inglês perfeito.

— Renda-se, Srta. Kane, e volte para a propriedade de nosso mestre.

— Sadie, não escute o que ele diz — Bastet me advertiu. — Venha aqui.

— A deusa gata a engana — continuou o mago. — Ela abandonou seu posto. Ela pôs a todos nós em perigo. Vai nos levar à ruína.

Eu sabia que ele estava falando sério. Estava absolutamente convencido do que dizia.

Olhei para Bastet. A expressão dela havia mudado. Parecia magoada, ferida.

— O que ele quer dizer? — perguntei. — O que você fez?

— Precisamos sair daqui — insistiu Bastet. — Ou eles nos matarão.

Olhei para o portal. Carter já tinha passado. Isso tirava a decisão de minhas mãos. Eu não ficaria separada de meu irmão. Por mais irritante que fosse, Carter era a única pessoa que me restava. (Quanto isso é deprimente!)

— Pode me jogar.

Bastet me agarrou.

— Vejo você nos Estados Unidos. — E ela me jogou pirâmide acima.

Ouvi o mago urrar.

— Renda-se!

Uma explosão sacudiu o vidro junto a minha cabeça. Depois, mergulhei no turbilhão quente de areia.

Acordei em um cômodo pequeno com carpete, paredes cinzentas e janelas de metal. Eu me senti dentro de um refrigerador moderno. Sentei-me, atordoada, e descobri que estava coberta de areia fria e molhada.

— *Eca*. Onde estamos?

Carter e Bastet estavam em pé ao lado da janela. Aparentemente, tinham recuperado a consciência havia algum tempo, porque já estavam relativamente limpos.

— Você precisa ver essa paisagem — comentou Carter.

Eu me levantei com alguma dificuldade e quase caí quando vi a que altura estávamos.

Uma cidade inteira se espalhava aos nossos pés — *muito* lá embaixo, bem mais de cem metros. Dava para acreditar que ainda estávamos em Paris, porque um rio corria a nossa esquerda e o relevo era quase plano. E havia edifícios oficiais brancos, agrupados em volta de um conjunto de parques e caminhos circulares, tudo isso sob o céu de inverno. Mas a luminosidade não era a correta. Ainda era de tarde ali, então devíamos ter viajado para oeste. E quando os meus olhos se dirigiram para o outro lado do longo espaço retangular verde, deparei com uma mansão que parecia estranhamente familiar.

— Aquilo é... a Casa Branca?

Carter assentiu.

— Você nos trouxe para os Estados Unidos. Washington.

— Mas estamos num lugar muito alto!

Bastet riu.

— Você não especificou nenhuma cidade americana, não é?

— Bem... não.

— Então, passamos pelo portal-padrão dos Estados Unidos: a maior fonte de poder egípcio na América do Norte.

Olhei para ela sem entender o que ouvia.

— O maior obelisco já construído — explicou ela. — O Monumento a Washington.

Tive uma vertigem momentânea e me afastei da janela. Carter me segurou pelo ombro e me ajudou a sentar.

— Você precisa descansar. Ficou desmaiada por... quanto tempo, Bastet?

— Duas horas e trinta minutos — respondeu ela. — Sinto muito, Sadie. Abrir mais de um portal por dia é extremamente exaustivo, mesmo com a ajuda de Ísis.

Carter franziu a testa.

— Mas precisamos dela para abrir outro portal, não é? O sol ainda não se pôs. Ainda podemos usar portais. Vamos abrir outro para o Arizona. Set está lá.

— Sadie não pode abrir outro portal. Isso esgotaria seus poderes. Eu não tenho esse talento. E você, Carter... Bem, suas habilidades são outras. Sem ofensa.

— Ah, não — resmungou ele. — Tenho certeza de que vai me chamar na próxima vez que precisar de alguém para derrubar morcegos de frutas com um bumerangue.

— Além do mais — completou Bastet —, quando um portal é usado, é necessário algum tempo para que ele resfrie. Ninguém vai conseguir usar o Monumento a Washington...

— Por doze horas. — Carter gemeu. — Eu tinha me esquecido disso.

Bastet assentiu.

— E até lá, os Dias do Demônio já terão começado.

— Então precisamos de outro meio de transporte até o Arizona — decidiu Carter.

Não acredito que ele tenha tido a intenção de fazer eu me sentir culpada, mas era exatamente isso o que sentia. Eu não tinha pensado, planejado, antes de agir, e agora estávamos presos em Washington.

Olhei para Bastet pelo canto do olho. Queria perguntar o que os homens no Louvre haviam insinuado sobre ela nos levar à ruína, mas tinha medo. Queria acreditar que ela estava do nosso lado. Talvez, se desse a ela uma chance, Bastet contaria voluntariamente.

— Pelo menos aqueles magos não nos seguiram — comentei.

Ela hesitou.

— Não pelo portal. Mas há outros magos nos Estados Unidos. E pior... são seguidores de Set.

Meu coração estava na boca. A Casa da Vida já era bem assustadora, mas quando eu me lembrava de Set e do que seus seguidores tinham feito com a casa de Amós...

— E o livro de encantamentos de Tot? — Lembrei. — Pelo menos encontramos um jeito de lutar contra Set?

Carter apontou para um canto da sala. Sobre a capa de Bastet eu vi a caixa de magia de meu pai e o livro azul que tínhamos roubado de Desjardins.

— Talvez você consiga entender alguma coisa — sugeriu Carter. — Bastet e eu não fomos capazes de lê-lo. Até Doughboy ficou confuso.

Peguei o livro, que, na verdade, era um pergaminho dobrado várias vezes. O papiro estava quebradiço, ressecado, por isso temi tocá-lo. Hieróglifos e ilustrações cobriam a página, mas eu não conseguia entendê-los. Minha habilidade de ler o idioma parecia ter sido desligada.

Ísis? Uma ajudinha?

Silêncio. Talvez eu a tivesse deixado cansada. Ou talvez ela estivesse zangada comigo por não deixá-la se apoderar de meu corpo, como Hórus havia pedido a Carter. Egoísmo, eu sei.

Fechei o livro sem disfarçar a frustração.

— Tanto trabalho por nada.

— Ei, ei, não é tão ruim — Bastet reagiu.

— Ah, não — ironizei. — Estamos presos em Washington. Temos dois dias para chegar ao Arizona e deter um deus que não sabemos como parar. E se não conseguirmos, jamais veremos nosso pai ou Amós outra vez, e o mundo pode acabar.

— Esse é o espírito — concordou Bastet. — Agora vamos fazer um piquenique.

Ela estalou os dedos. O ar brilhou e uma pilha de latas de ração Friskies e duas jarras de leite apareceram no carpete.

— *Hum* — Carter gemeu. — Pode conjurar comida de gente?

Bastet piscou.

— Bem, gosto é gosto.

O ar tremeluziu novamente. Desta vez, apareceu um prato com queijos-quentes e biscoitos e uma embalagem com seis latas de Coca.

— Delícia — comentei.

Carter resmungou alguma coisa. Acho que ele não gosta muito de queijo-quente, mas pegou um sanduíche.

— Precisamos sair daqui depressa — disse ele entre uma mordida e outra no sanduíche. — Quer dizer... turistas e tudo o mais...

Bastet balançou a cabeça.

— O Monumento a Washington fecha às seis da tarde. Os turistas já foram embora. Podemos passar a noite aqui. Se quisermos viajar durante os Dias do Demônio, é melhor que seja à luz do dia.

Devíamos estar exaustos, porque não voltamos a falar até terminarmos de comer. Comi três sanduíches e bebi duas latas de Coca. Bastet deixou o lugar cheirando a Friskies de peixe, depois começou a lamber a mão como se preparasse um banho de gato.

— Pode parar com isso? — pedi. — É desagradável.

— Ah. — Ela sorriu. — Desculpe.

Fechei os olhos e me apoiei na parede. Era bom descansar, mas percebi que a sala não estava realmente quieta. Todo o prédio parecia vibrar sutilmente, fazendo meu crânio tremer e meus dentes rangerem. Abri os olhos e me sentei. A sensação continuava.

— O que é isso? — perguntei. — O vento?

— Energia mágica — explicou Bastet. — Eu disse, este é um monumento poderoso.

— Mas é moderno. Como a pirâmide do Louvre. Por que é mágico?

— Os antigos egípcios eram excelentes construtores, Sadie. Eles utilizavam formas, como obeliscos e pirâmides, que eram carregadas de magia simbólica. Um obelisco representa um raio de sol imobilizado em pedra: um raio que dá a vida e pertence ao rei original dos deuses, Rá. Não importa *quando* a estrutura foi construída; ela ainda será egípcia. Por isso qualquer obelisco pode ser usado para abrir portais para o Duat ou libertar grandes seres de poder...

— Ou prendê-los — acrescentei. — Como você foi aprisionada na Agulha de Cleópatra.

A expressão dela ficou sombria.

— Eu não estava exatamente presa *no* obelisco. Minha prisão era um abismo magicamente criado no fundo do Duat, e o obelisco foi a porta que seus pais usaram para me libertar. Mas, sim. Todos os símbolos do Egito são nós de poder mágico concentrado. Então, sim, definitivamente, um obelisco pode ser usado para aprisionar deuses.

Uma ideia insistia no fundo de minha mente, mas eu não conseguia defini-la. Algo sobre minha mãe, a Agulha de Cleópatra e a última promessa de papai no British Museum: "Farei tudo ser muito melhor para nós todos."

Pensei no Louvre e no comentário que o mago tinha feito. Bastet ficou tão perturbada naquele momento que eu chegava a ter medo de perguntar, mas era a única maneira de obter uma resposta.

— O mago disse que você abandonou seu posto. O que isso significa?

Carter ficou sério, carrancudo.

— Quando foi isso?

Contei a ele o que tinha acontecido depois de Bastet tê-lo jogado pirâmide acima, para o portal.

Bastet empilhava suas latas vazias de Friskies. Não parecia ter muita pressa para responder.

— Quando fui aprisionada — disse ela finalmente —, eu... não estava sozinha. Fui trancada com uma... criatura do caos.

— Tão ruim assim? — perguntei.

Pela expressão de Bastet, a resposta era sim.

— Os magos sempre fazem isso, trancam um deus com um monstro, para não termos tempo de tentar fugir. Lutei contra esse monstro por eras. Quando seus pais me soltaram...

— O monstro escapou?

Bastet hesitou por tempo demais para meu gosto.

— Não. Meu inimigo não poderia ter escapado. — Ela respirou fundo. — O último ato de magia de sua mãe selou aquele portal. O inimigo continua lá dentro. Mas era a isso que o mago se referia. Do ponto de vista dele, meu "posto" era lá, lutando contra aquele monstro eternamente.

A explicação soava verdadeira, como se ela compartilhasse conosco uma lembrança dolorosa, mas o relato não explicava outra coisa que o mago dissera: "Ela pôs a todos nós em perigo." Eu estava reunindo coragem para perguntar o que era o tal monstro, quando Bastet se levantou.

— Preciso fazer o reconhecimento — disse de repente. — Eu volto.

Ouvimos seus passos ecoando pela escada.

— Ela está escondendo alguma coisa — opinou Carter.

— E você chegou a essa conclusão sozinho, não foi? — disparei.

Ele desviou o olhar e eu me senti mal imediatamente.

— Desculpe. Mas é que... O que vamos fazer?

— Salvar papai. O que mais podemos fazer? — Meu irmão pegou sua varinha e a girou entre os dedos. — Acha que ele realmente pretendia... Você sabe, trazer a mamãe de volta?

Eu queria dizer sim. Mais que tudo, queria acreditar que isso era possível. Mas balancei a cabeça. Alguma coisa não encaixava.

— Iskandar me disse algo sobre a mamãe. Ela era uma adivinhadora. Podia ver o futuro. Ele contou que ela o fez repensar algumas antigas ideias.

Era minha primeira chance de falar com Carter sobre a conversa com o velho mago, por isso contei a ele os detalhes.

Carter me ouvia intrigado.

— Acha que isso tem alguma relação com a morte da mamãe? Ela viu algo no futuro?

— Não sei. — Tentei pensar no passado, quando eu tinha seis anos, mas minha memória era confusa. — Quando eles nos levaram para a Inglaterra pela última vez, ela e papai pareciam estar com pressa, como se estivessem fazendo alguma coisa realmente importante.

— É verdade.

— Acha que libertar Bastet era realmente importante? Quer dizer, eu gosto dela, é claro, mas... Seria importante a ponto de *valer a pena morrer*?

Carter hesitou.

— Provavelmente não.

— Então. Aí está. Acho que papai e mamãe tinham planos maiores, algo que eles não concluíram. Possivelmente, era isso que papai procurava no British Museum: concluir a tarefa, qualquer que fosse. "Farei com que tudo fique bem outra vez." E toda essa história sobre nossa família ter raízes no passado, há um bilhão de anos, em alguns faraós hospedeiros de deuses... Por que ninguém nunca nos contou nada? Por que papai não nos contou?

Carter demorou muito para responder.

— Talvez estivesse nos protegendo — sugeriu ele. — Essa Casa da Vida não confia em nossa família, especialmente depois do que papai e mamãe fizeram. Amós disse que fomos criados separados por um motivo, para não despertarmos a magia um no outro.

— Que belíssima razão para nos manter separados — resmunguei.

Carter me olhou de um jeito estranho, e percebi que meu último comentário podia ser interpretado como um elogio.

— Só quis dizer que deveriam ter sido honestos — acrescentei, apressada. — Não que *eu quisesse* mais tempo com meu irmão irritante, é claro.

Ele assentiu, sério.

— É claro.

Ficamos sentados ouvindo a vibração mágica do obelisco. Tentei lembrar a última vez que Carter e eu tínhamos ficado juntos desse jeito, simplesmente conversando.

— Seu... — Bati com a ponta do dedo em minha cabeça. — Seu amigo está ajudando em alguma coisa?

— Não muito — admitiu ele. — E sua amiga?

Fiz que não com a cabeça.

— Carter, você está com medo?

— Um pouco. — Ele enfiou a varinha no carpete. — Não, muito.

Olhei para o livro azul que tínhamos roubado — páginas cheias de maravilhosos segredos que eu não conseguia ler.

— E se não formos capazes disso?

— Não sei. Aquele livro sobre como dominar o elemento queijo teria sido mais útil.

— Ou o que explicava como invocar morcegos de frutas.

— Por favor, os morcegos de frutas não.

Trocamos um sorriso trêmulo, e foi muito bom. Mas nada mudou. Ainda estávamos metidos numa tremenda confusão e sem nenhum plano claro.

— Por que não dorme? — sugeriu ele. — Você gastou muita energia hoje. Eu fico vigiando até Bastet voltar.

Ele parecia realmente preocupado comigo. Que bonitinho.

Eu não queria dormir. Não queria perder nada. Mas meus olhos estavam realmente muito pesados.

— Tudo bem — concordei. — Não deixe os bichos da cama morderem.

Deitei para dormir, mas minha alma — meu *ba* — tinha outras ideias.

20. Eu visito a deusa estrelada

S
A
D
I
E

EU NÃO TINHA IDEIA DE QUANTO SERIA PERTURBADOR. Carter tinha me contado como o *ba* havia deixado seu corpo enquanto ele dormia, mas viver a experiência era bem diferente. Foi muito pior que minha visão no Salão das Eras.

Lá estava eu, flutuando no ar como o espírito de uma ave brilhante. E lá estava meu corpo, embaixo de mim, adormecido. Tentar descrever a sensação é suficiente para me dar dor de cabeça.

A primeira coisa que pensei quando olhei para baixo e vi meu corpo adormecido foi: Meu Deus, estou horrível. Já era terrível me olhar no espelho ou ver fotos nas páginas de meus amigos na internet. Ver minha própria imagem era simplesmente *errado*. Meus cabelos estavam um ninho de ratos, o pijama de linho em nada me favorecia e a espinha em meu queixo era *enorme*.

A segunda coisa que pensei ao examinar a estranha forma brilhante de meu *ba*: Isso não vai prestar. Não me importava se eu era ou não invisível ao olho mortal. Depois da péssima experiência como um papagaio, eu simplesmente me recusava a sair por aí como uma galinha cintilante com cabeça de Sadie. Carter podia aceitar esse tipo de situação, mas eu tenho meus padrões.

Senti as correntes do Duat me puxando, tentando levar meu *ba* para onde vão as almas quando têm visões, mas eu não estava preparada. Concentrei-me de verdade e imaginei minha aparência normal (ah, tudo bem, talvez minha aparência como eu *gostaria* que fosse, um pouco melhor do que o normal). E *voilà*, meu *ba* se metamorfoseou na forma humana, ainda transparente e brilhante, sim, mas mais parecida com um fantasma ajeitado.

Bem, pelo menos isso está resolvido, pensei. E deixei as correntes me levarem. O mundo se desfez numa mancha negra.

No início, eu não estava em lugar nenhum — era só um vácuo escuro. Depois, um homem jovem surgiu das sombras.

— Você novamente — disse ele.

— Ah... Hum... — gaguejei.

Honestamente, você já me conhece bem a esta altura. Não é uma atitude típica para mim. Mas aquele era o garoto que eu tinha encontrado na visão do Salão das Eras — o garoto bonito com a túnica negra e os cabelos desarrumados. Seus olhos castanhos me deixavam nervosa, e eu estava *muito* satisfeita por ter me livrado da forma de galinha brilhante.

Tentei novamente, e consegui falar três palavras inteiras.

— O que você...

— O que estou fazendo aqui? — completou ele num gesto de cavalheirismo. — Viagem no espírito e morte são coisas muito semelhantes.

— Não sei bem o que isso significa — confessei. — Devo ficar preocupada?

Ele inclinou a cabeça, como se considerasse a questão.

— Não desta vez. Ela só quer falar com você. Vá em frente.

Ele moveu a mão e uma porta se abriu na escuridão. Fui puxada por ela.

— Vou ver você de novo? — perguntei.

Mas o garoto tinha desaparecido.

Eu estava em pé num luxuoso apartamento no meio do céu. Não havia paredes nem teto, e pelo chão transparente era possível ver as luzes da cidade da altura de um avião. Nuvens passavam sob meus pés. O ar devia ser gelado e rarefeito, impossível de respirar, mas eu o sentia morno e confortável.

Sofás de couro preto desenhavam um U em volta de uma mesa de café, sobre um tapete vermelho sangue. O fogo ardia na lareira de ardósia. Estantes e quadros pairavam no ar onde deveriam estar as paredes. Um balcão de granito preto marcava o que deveria ser um canto, e nas sombras atrás dele uma mulher preparava chá.

— Olá, minha criança — cumprimentou ela.

A mulher caminhou para a luz e eu deixei escapar uma exclamação de surpresa. Ela vestia uma saia egípcia e um sutiã de biquíni, e sua pele... A pele era azul-escura e coberta de estrelas. Não estou dizendo que eram estrelas *pintadas*. Ela tinha o cosmos vivo em sua pele: constelações brilhantes, galáxias radiantes demais para podermos olhá-las, nebulosas cintilantes de poeira cor-de-rosa e azul. Seus traços pareciam desaparecer nas estrelas que passavam por seu rosto. Os cabelos eram longos e negros como a noite.

— Você é Nut — concluí. — Quer dizer... a deusa do céu.

A deusa sorriu. Os dentes brancos e brilhantes eram como uma nova galáxia explodindo para a vida.

— Nut é suficiente.

Ela serviu chá em duas xícaras.

— Vamos nos sentar e conversar. Quer um pouco de *sahlab*?

— Ah, não é chá?

— Não, é uma bebida egípcia. Já ouviu falar em chocolate quente? É muito parecido com baunilha quente.

Eu preferiria chá, porque não bebia uma boa xícara havia eras. Mas imaginava que não se podia rejeitar a oferta de uma deusa.

— Hum... Sim, obrigada.

Nós nos sentamos juntas no sofá. Para minha surpresa, minhas brilhantes mãos de espírito não tinham dificuldade para segurar a xícara, e eu bebia com facilidade. O *sahlab* era doce e saboroso, com um leve toque de canela e coco. Aquilo me aquecia e perfumava o ar com o cheiro de baunilha. Pela primeira vez em dias, eu me senti segura. Depois, lembrei que só estava ali em espírito.

Nut pousou sua xícara.

— Deve estar se perguntando por que a trouxe aqui.

— Onde exatamente é "aqui"? E, ah, quem é seu porteiro?

Eu esperava que ela me desse alguma informação sobre o garoto de roupa preta, mas ela apenas sorriu.

— Devo guardar meus segredos, querida. Não posso permitir que a Casa da Vida tente me localizar. Digamos apenas que construí este apartamento com uma bela vista da cidade.

— É que... — Eu apontei para o céu azul e estrelado. — Você está dentro de um hospedeiro humano?

— Não, querida. O próprio céu é meu corpo. Isso é apenas uma manifestação.

— Mas eu pensei...

— Que os deuses precisassem de um hospedeiro físico fora do Duat? Para mim, tudo é um pouco mais fácil, por eu ser um espírito do ar. Sou uma das poucas deusas que nunca foi aprisionada, porque a Casa da Vida nunca conseguiu me pegar. Estou acostumada a ser... *livre de forma.*

De repente, Nut e todo o apartamento piscaram. Tive a sensação de que cairia no chão. Mas em seguida o sofá se tornou estável novamente.

— Por favor, não faça mais isso — implorei.

— Peço desculpas — Nut respondeu. — O ponto é que cada deus é diferente. Mas todos os meus irmãos estão livres agora, todos encontrando lugares nesse seu mundo moderno. Eles não serão mais aprisionados.

— Os magos não vão gostar nada disso.

— Não. E essa é a primeira razão pela qual foi trazida aqui. Uma batalha entre os deuses e a Casa da Vida só serviria ao caos. Precisa fazer os magos entenderem isso.

— Eles não vão me ouvir. Acham que sou uma deusa menor.

— Você é, minha querida.

Ela tocou os meus cabelos com delicadeza, e senti Ísis se movendo dentro de mim, tentando falar usando minha voz.

— Eu sou Sadie Kane — anunciei. — Não convidei Ísis para pegar carona em mim.

— Os deuses conhecem sua família há gerações, Sadie. Nos velhos tempos, trabalhamos juntos pelo bem do Egito.

— Os magos disseram que os deuses causaram a queda do império.

— Essa é uma discussão antiga e inútil — retrucou Nut, e ouvi uma pontinha de raiva na voz dela. — Todos os impérios caem. Mas *a ideia* do Egito é eterna: o triunfo da civilização, as forças do Maat superando as forças do caos. Essa batalha é travada geração após geração. Agora é sua vez.

— Eu sei, eu sei. Temos de derrotar Set.

— Mas é assim tão simples, Sadie? Set também é meu filho. Nos velhos tempos, ele era o tenente mais forte de Rá. Protegia o barco do deus sol da serpente Apófis. Isso, sim, era o mal. Apófis era a personificação do caos. Ele odiou a Criação desde o momento em que a primeira montanha surgiu do mar. Odiava deuses, mortais e tudo o que eles construíam. E Set lutou contra ela. Set era um de nós.

— E depois ficou mau?

Nut deu de ombros.

— Set sempre foi Set, para o melhor ou para o pior. Mas ele ainda faz parte de nossa família. É difícil perder um membro da família... não é?

Minha garganta ficou apertada.

— Isso não é justo.

— Não me fale de justiça. Há cinco mil anos sou mantida separada de meu marido, Geb.

Eu me lembrava vagamente de Carter ter dito alguma coisa sobre isso, mas era diferente ouvi-la agora, perceber a dor em sua voz.

— O que aconteceu? — perguntei.

— Punição por ter meus filhos — respondeu ela amargurada. — Desobedeci aos desejos de Rá, e por isso ele ordenou a meu pai, Shu...

— Espere — interrompi. — *Shoe?*

Em inglês, o nome do pai dela seria sapato!

— Shu. S-H-U. O deus do vento.

— Ah. — Seria melhor se esses deuses não tivessem nomes de simples objetos domésticos. — Continue, por favor.

— Rá ordenou a meu pai, Shu, que nos mantivesse separados para sempre. Fui exilada no céu, enquanto meu adorado Geb não podia deixar o chão.

— O que acontece se ele tentar?

Nut fechou os olhos e abriu as mãos. Um buraco se abriu onde ela estava sentada, e Nut caiu. Instantaneamente, as nuvens abaixo de nós tremularam iluminadas por raios. Ventos varreram o apartamento, derrubando os livros das estantes, arrastando as pinturas para o vazio. A xícara pulou de minha mão. Agarrei o sofá para não ser arrastada também.

Abaixo de mim, um raio atingiu a forma de Nut. O vento a empurrou violentamente para cima, e ela passou por mim. Então, os ventos cessaram. Nut se sentou novamente no sofá. Ela moveu a mão e o apartamento voltou ao que era antes. Tudo voltou ao normal.

— Acontece *isso* — disse ela com tom triste.

— Ah.

Ela olhou para as luzes da cidade lá embaixo.

— Todos são meus filhos queridos, inclusive Set. Ele fez algumas coisas horríveis, é verdade. É sua natureza. Mas ainda é meu filho, e ainda é um dos deuses. Ele tem seu papel. Talvez a maneira de derrotá-lo não seja aquela que você imagina.

— Alguma sugestão?

— Procure Tot. Ele encontrou um novo lar em Memphis.

— Mênfis... Egito?

Nut sorriu.

— Memphis, Tennessee. Mas o velho pássaro provavelmente *pensa* que é no Egito. Ele raramente tira o bico dos livros, por isso duvido que saiba a diferença. Você o encontrará lá. Ele pode aconselhá-la. Mas tome cuidado: Tot costuma pedir favores. Às vezes, ele é difícil de prever.

— Estou me acostumando a isso — respondi. — Como vamos chegar lá?

— Sou a deusa do céu. Posso garantir sua viagem segura até Memphis. — Ela moveu a mão e uma pasta surgiu em meu colo. Dentro dela havia passagens de avião: Washington-Memphis, primeira classe.

Eu a encarei, surpresa.

— Você deve ter muitas milhas.

— É mais ou menos isso — concordou Nut. — Mas quando se aproximar de Set, não poderei mais ajudá-la. E não posso protegê-la em terra. O que me lembra que você precisa acordar logo. O seguidor de Set se aproxima de seu esconderijo.

Ergui os ombros.

— Quanto tempo?

— Minutos.

— Mande meu espírito de volta, então!

Belisquei meu braço de fantasma e senti a dor, como se estivesse em minha forma física normal. Mas nada mais aconteceu.

— Logo, Sadie — prometeu Nut. — Mas você precisa saber mais duas informações. Tive cinco filhos durante os Dias do Demônio. Se seu pai libertou todos eles, você deve refletir: onde está o quinto?

Vasculhei meu cérebro tentando lembrar o nome de cada um dos cinco filhos de Nut. Era um pouco difícil sem meu irmão, a Wikipédia Humana, para me ajudar com os detalhes e as informações. Havia Osíris, o rei, e Ísis, sua rainha; Set, o deus mau, e Hórus, o vingador. Mas o quinto filho de Nut, aquele que Carter dissera nunca conseguir lembrar... Então, eu me lembrei da visão no Salão das Eras, o aniversário de Osíris e a mulher de azul que ajudara Ísis a escapar de Set.

— Você quer dizer Néftis, esposa de Set?

— Reflita — repetiu Nut. — E finalmente... um favor.

Ela abriu a mão e mostrou um envelope lacrado com cera vermelha.

— Se vir Geb... pode entregar isto a ele?

Eu já tinha sido solicitada para entregar mensagens e recados antes, mas nunca entre deuses. Honestamente, a expressão angustiada de Nut não era diferente daquela de minhas amigas apaixonadas na escola. Fiquei imaginando se algum dia ela tinha escrito em seu caderno: GEB + NUT = AMOR VERDADEIRO, ou SRA. GEB.

— É o mínimo que posso fazer — respondi. — Agora, sobre me mandar de volta...

— Boa viagem, Sadie — desejou a deusa. — E Ísis, contenha-se.

O espírito de Ísis se moveu dentro de mim, como se eu tivesse comido *curry* estragado.

— Espere — falei —, o que quer dizer com conter...

Antes que eu pudesse concluir, tudo ficou preto.

Acordei de repente, novamente em meu corpo no Monumento a Washington.

— Vamos agora!

Carter e Bastet pularam, surpresos. Eles já estavam acordados, pegando suas coisas.

— O que foi? — perguntou Carter.

Contei a ele sobre a visão enquanto vasculhava freneticamente meus bolsos. Nada. Examinei a bolsa de meu pai. Dentro dela, com minha varinha e meu cajado, havia três passagens aéreas e um envelope lacrado.

Bastet examinou as passagens.

— Excelente! Na primeira classe servem salmão.

— Mas e o seguidor de Set? — Eu quis saber.

Carter olhou pela janela. Os olhos dele se estreitaram.

— Sim, ah... está aqui.

21. Tia Kitty ao resgate

Eu já tinha visto fotos da criatura antes, mas fotos não chegam nem perto de captar o quanto ela é horrível ao vivo.

— O animal Set — anunciou Bastet, confirmando o que eu temia.

Lá embaixo, a criatura andava em volta do monumento, deixando pegadas na neve caída pouco antes. Tive dificuldade para perceber seu tamanho, mas devia ser pelo menos o dobro do de um cavalo, com pernas igualmente longas. O corpo era musculoso e esguio, muito mais que o natural, com pelos de um tom cinza-avermelhado e brilhante. Não seria difícil confundi-lo com um enorme sabujo, exceto pela cauda e pela cabeça. A cauda era de réptil, bifurcada na ponta e com extremidades triangulares, como tentáculos de lula. Movia-se de um lado para o outro como se tivesse vida própria.

A cabeça da criatura era a parte mais estranha. As orelhas enormes e pontudas lembravam as de um coelho, mas tinham a forma de casquinha de sorvete, enroladas para dentro e mais largas no topo que na base. Podiam girar quase trezentos e sessenta graus, de forma que ouviam tudo. O focinho da criatura era longo e encurvado como o de um tamanduá, mas tamanduás não têm dentes pontiagudos e afiados.

— Os olhos dele estão brilhando — comentei. — Isso não pode ser bom.

— Como você consegue ver de tão longe? — Sadie quis saber.

Ela estava de pé a meu lado, tentando enxergar a figura pequenina lá embaixo, e percebi que minha irmã tinha razão. O animal estava pelo menos cento e cinquenta metros abaixo de nós. Como eu conseguia ver os olhos dele?

— Você ainda está enxergando como o falcão — explicou Bastet. — E tem razão, Carter. O brilho nos olhos significa que a criatura nos farejou.

Olhei Bastet e quase tive um ataque. Os cabelos dela estavam em pé, como se tivesse enfiado o dedo em uma tomada.

— Ah, Bastet? — chamei.

— O que é?

Sadie e eu nos olhamos. Ela moveu os lábios formando a palavra *medo*. Lembrei como a cauda de Muffin sempre ficava arrepiada quando algo a assustava.

— Nada — respondi. Se o animal Set era perigoso a ponto de deixar nossa deusa de cabelo em pé, só podia ser um mau sinal. — Como vamos sair daqui?

— Você não entende. O animal Set é o caçador perfeito. Se nos farejou, nada poderá detê-lo.

— Por que o chama de animal Set? — perguntou Sadie, nervosa. — Ele não tem nome?

— Se tivesse — respondeu Bastet —, você não ia querer pronunciá-lo. Ele é conhecido simplesmente como o animal Set: a criatura simbólica do Lorde Vermelho. Tem a mesma força, a mesma astúcia... e a mesma natureza maléfica do Lorde.

— Encantador — comentou Sadie.

O animal farejou o monumento e recuou, rosnando.

— Parece que ele não gosta do obelisco — notei.

— Não — concordou Bastet. — Tem muita energia do Maat. Mas isso não o deterá por muito tempo.

Como se a ouvisse, o animal Set saltou para a lateral do monumento. Começou a escalar a parede como um leão escala uma árvore, enterrando as garras na pedra.

— Agora complicou — alertei. — Elevadores? Uma escada?

— Os dois são lentos demais — afirmou Bastet. — Afastem-se da janela.

Ela mostrou suas lâminas, com as quais cortou a vidraça. Depois, com um soco, livrou-se do que restava dela, disparando o alarme. O ar gelado invadiu a sala do observatório.

— Vão ter que voar — Bastet gritou para ser ouvida, por causa do vento. — É a única saída.

— Não! — Sadie empalideceu. — O papagaio de novo não!

— Sadie, tudo bem — disse ela.

Sadie balançou a cabeça apavorada.

Eu agarrei sua mão.

— Estou com você. Garanto que vai voltar à forma humana.

— O animal Set está no meio do caminho — avisou Bastet. — O tempo está acabando.

Sadie olhou para Bastet.

— E você? Não pode voar.

— Eu vou pular. Gatos sempre caem em pé.

— São mais de cem metros! — gritou Sadie.

— Cento e setenta — confirmou Bastet. — Vou distrair o animal, ganhar algum tempo.

— Você vai morrer. — A voz de Sadie sugeria que ela estava muito perto de ter um colapso. — Por favor, não posso perder você também.

Bastet parecia um pouco surpresa. Depois de um instante, ela sorriu e pôs a mão no ombro de Sadie.

— Eu vou ficar bem, querida. Encontrem-me no aeroporto Reagan National, Terminal A. Preparem-se para correr!

Antes que eu pudesse responder, Bastet pulou pela janela. Meu coração quase parou. Ela mergulhou diretamente para a calçada. Tive certeza de que morreria, mas, enquanto caía, ela abriu braços e pernas e pareceu relaxar.

Bastet passou direto pelo animal Set, que soltou um rugido horrível, como o grito de um homem ferido no campo de batalha. Depois ele se virou e saltou atrás dela.

Bastet caiu em pé e começou a correr. Devia estar a uns 90 km/h, fácil. O animal Set não era tão ágil. Ele caiu com tanta violência que o pavimento rachou. A criatura cambaleou alguns passos, mas não parecia estar ferida. Então, saltou na direção de Bastet e correu, e logo começou a se aproximar dela.

— Ela não vai conseguir — gemeu Sadie.

— Nunca aposte contra um gato — retruquei. — Precisamos fazer nossa parte. Pronta?

Ela respirou fundo.

— Tudo bem. Vamos, antes que eu mude de ideia.

Instantaneamente, um papagaio de asas pretas apareceu na minha frente, batendo as asas para manter o equilíbrio no vento forte. Eu me transformei no falcão. Foi ainda mais fácil que antes.

No momento seguinte nós voávamos no frio ar matinal sobre Washington.

Encontrar o aeroporto foi fácil. O Reagan National estava tão perto que eu podia ver os aviões aterrissando na pista.

Difícil foi lembrar o que eu estava fazendo. Toda vez que via um rato ou um esquilo, guinava instintivamente em sua direção. Algumas vezes estive prestes a mergulhar e precisei lutar contra o impulso. Uma vez olhei para trás e percebi que tinha me distanciado mais de um quilômetro de Sadie, que também se distraía com algumas presas. Tinha de voar ao lado dela para chamar sua atenção.

É preciso força de vontade para permanecer humano, a voz de Hórus me avisou. *Quanto mais tempo você passa como ave de rapina, mais pensa como uma.*

E só agora você me diz, eu pensei.

Eu poderia ajudar, ele disse. *Se eu estivesse no comando.*

Hoje não, cabeça de pássaro.

Finalmente, conduzi Sadie até o aeroporto e começamos a procurar um lugar onde pudéssemos voltar à forma humana. Aterrissamos em uma garagem.

Pensei em minha forma humana. Nada aconteceu.

O pânico começou a formar um nó em minha garganta. Fechei os olhos e pensei no rosto de meu pai. Pensei em quanto sentia falta dele, em quanto precisava encontrá-lo.

Quando abri os olhos, estava novamente em meu corpo. Infelizmente, Sadie ainda era um papagaio. Ela se debatia, caminhando à minha volta. E grasnava, desesperada.

— Arrá, *arrá, arrá!*

Havia uma expressão enlouquecida em seus olhos, e dessa vez entendi o medo que minha irmã sentia. Já tinha sido muito difícil para ela deixar a forma de ave na primeira vez. Se a segunda vez exigia mais energia, ela podia estar seriamente encrencada.

— Tudo bem. — Eu me abaixei, tomando o cuidado de fazer movimentos lentos. — Sadie, não se aflija. Você precisa relaxar.

— Arrá!

Ela recolheu as asas. Seu peito arfava.

— Escute, o que me ajudou foi pensar no papai. Lembre-se do que é importante para você. Feche os olhos e pense em sua vida.

Ela fechou os olhos, mas, quase no mesmo instante, gritou frustrada e bateu as asas.

— Pare! — ordenei. — Não voe!

Ela inclinou a cabeça e fez um ruído baixo que parecia uma súplica. Comecei a falar com ela como falaria com um animal assustado. Eu não estava prestando muita atenção às palavras. Só queria manter meu tom calmo. Mas depois de um minuto percebi que estava contando minhas viagens com meu pai, as lembranças que tinham me ajudado a sair da forma de pássaro. Contei a ela sobre a ocasião em que papai e eu ficamos presos no aeroporto de Veneza, quando comi tanto canelone que passei mal. Falei sobre o tempo em que passei no Egito, quando encontrei um escorpião em minha meia e papai conseguiu matá-lo com o controle remoto da televisão. Falei sobre como me perdi de papai uma vez, no metrô de Londres, e de como senti medo até ele finalmente me encontrar. Contei histórias bastante constrangedoras que nunca tinha contado a ninguém, porque, bem, com quem poderia compartilhá-las? E tive a impressão de que Sadie me ouvia. Pelo menos ela parou de bater as asas. Sua respiração ficou mais tranquila. Ela ficou quieta e seus olhos não pareciam mais tão assustados.

— Tudo bem, Sadie — eu disse por fim. — Tenho uma ideia. Vou dizer o que faremos.

Tirei a caixa de magia da bolsa carteiro de meu pai. Coloquei a bolsa sobre meu antebraço e prendi com as alças da melhor maneira possível.

— Suba.

Sadie saltou e se empoleirou em meu pulso. Mesmo com a proteção improvisada, as garras dela perfuravam minha pele.

— Vamos tirar você dessa — prometi. — Continue tentando. Relaxe, e concentre-se na sua vida humana. Você vai conseguir, Sadie. Eu sei que vai. Até lá, eu a carrego.

— Arrá.

— Vamos, precisamos encontrar Bastet.

Com minha irmã empoleirada no braço, caminhei para o elevador. Havia um homem de terno com uma mala de rodinhas esperando em frente à porta. Os olhos dele se estreitaram quando me viu. Minha aparência devia ser bem estranha: um garoto alto e de pele escura usando roupas egípcias sujas e rasgadas, com uma caixa esquisita embaixo de um braço e um papagaio empoleirado no outro.

— Como vai? — falei.

— Vou pela escada. — Ele se afastou apressado.

O elevador me levou ao piso térreo. Sadie e eu atravessamos a área de embarque. Olhei em volta com evidente desespero, esperando ver Bastet em algum lugar, mas, em vez disso, chamei a atenção de um policial. O homem franziu o cenho e começou a caminhar em minha direção.

— Fique calma — pedi a Sadie.

Resistindo ao impulso de correr, eu me virei e caminhei para a porta giratória.

Esse é o problema. Eu sempre fico meio nervoso perto de policiais. Quando eu tinha sete ou oito anos e ainda era um menino bonitinho, isso nem era um problema, mas, a partir dos onze começaram a me olhar *daquele* jeito, como se dissessem: *O que aquele garoto está fazendo aqui? Ele vai roubar alguma coisa?* Sei que é ridículo, mas é verdade. Não estou dizendo que acontece com *todos* os policiais, mas quando não acontece... Bem, digamos que é uma surpresa agradável.

Mas não foi o caso. Eu sabia que o policial ia me seguir, e sabia que devia parecer calmo e caminhar como se tivesse um propósito... o que não é fácil quando se tem um papagaio empoleirado no braço.

Era final de ano, época de Natal, e o aeroporto estava cheio. O movimento era basicamente de famílias na fila dos guichês de compra de passagem, crianças brigando e pais despachando bagagem. Imaginei como seria uma viagem normal em família, sem problemas mágicos ou monstros querendo devorá-lo.

Pare com isso, disse a mim mesmo. Você tem trabalho a fazer.

Mas eu não sabia para onde ir. Bastet já havia passado pela segurança? Ou estava lá fora? A multidão ia se movendo enquanto eu percorria o terminal. As pessoas olhavam para Sadie. Eu sabia que não podia perambular por ali como se estivesse perdido. Era só uma questão de tempo até os policiais...

— Mocinho.

Eu me virei. Era o policial. Sadie grasnou e o homem recuou, apoiando a mão no cassetete.

— Não pode ficar aqui com animais de estimação — avisou ele.

— Tenho passagens... — Tentei levar a mão ao bolso, mas lembrei que as passagens tinham ficado com Bastet.

O policial estava carrancudo.

— É melhor vir comigo.

De repente, uma voz feminina gritou:

— Aí está você, Carter.

Bastet corria em nossa direção, passando pelas filas e desviando dos obstáculos. Nunca tinha me sentido tão feliz por ver uma deusa egípcia.

Ela tinha conseguido roupas novas. Usava um macacão cor-de-rosa, muitas joias douradas e um casaco de caxemira, e parecia uma rica empresária. Ignorando o policial, ela examinou minha aparência e torceu o nariz.

— Carter, já disse para não usar essas roupas de falcoaria. Francamente, parece que dormiu na rua!

Ela pegou um lenço e começou a limpar meu rosto, enquanto o policial nos observava.

— Senhora — disse o homem depois de alguns instantes. — Esse menino é seu...

— É meu sobrinho — mentiu Bastet. — Peço desculpas, oficial. Estamos a caminho de Memphis para uma competição de falcoaria. Espero que ele não tenha causado problemas. Vamos perder o avião!

— Ah, o falcão não pode voar...

Bastet riu.

— É claro que pode, oficial! É uma ave!

Ele ficou vermelho.

— Quero dizer que ele não pode viajar no avião.

— Ah, sim. Temos a documentação.

Para minha surpresa, ela entregou ao policial um envelope e nossas passagens.

— Entendo. — Ele examinou a papelada. — Comprou uma passagem de primeira classe... para seu falcão?

— Na verdade, é um papagaio negro — corrigiu-o Bastet. — Mas, sim, a ave é muito temperamental. É premiada, sabe? Nós *sempre* voamos de primeira classe, não é, Carter?

— Sim... tia Kitty.

Bastet me lançou um olhar ameaçador, como se não aprovasse o apelido que encontrei para ela. Para quem não sabe, Kitty quer dizer gatinha em inglês. Bastet olhou novamente para o policial e sorriu. Ele devolveu nossas passagens e a "documentação".

— Bem, se nos der licença, oficial. A propósito, seu uniforme é muito elegante. Faz exercícios físicos?

Antes que ele pudesse responder, Bastet segurou meu braço e me puxou para o portão de embarque.

— Não olhe para trás — ela me disse em voz baixa.

Assim que contornamos o balcão, ela me puxou para a área das máquinas de venda de guloseimas.

— O animal Set está próximo — informou. — Não temos mais do que alguns minutos. Qual é o problema com Sadie?

— Ela não consegue... — comecei. — Não sei exatamente.

— Bem, vamos ter de pensar nisso no avião.

— Como trocou de roupa? E a documentação da ave...

Ela moveu a mão num gesto de desdém.

— A mente mortal é muito fraca. O "documento" é um envelope vazio de passagens. E eu não mudei de roupa. Não realmente. É só um toque de magia.

Olhei para ela com mais atenção e constatei que era verdade. Suas novas roupas tremulavam como uma miragem por cima da malha de pele de leopardo. Assim que ela contou, a magia se tornou evidente, óbvia.

— Vamos tentar passar pelo portão antes que o animal Set nos encontre — explicou ela. — Vai ser mais fácil se guardar suas coisas no Duat.

— O quê?

— Não quer andar por aí com essa caixa embaixo do braço, quer? Use o Duat como armário.

— Como?

Bastet revirou os olhos.

— Francamente, o que ensinam aos magos hoje em dia?

— Tivemos cerca de vinte segundos de treinamento!

— Imagine um espaço no ar, como uma prateleira ou uma arca...

— Um armário de vestiário? Nunca tive um armário desses, de escola.

— Tudo bem. Dê a ele uma fechadura com combinação. Qualquer uma. Imagine-se abrindo o armário com essa combinação. Depois, guarde a caixa lá dentro. Quando precisar dela, basta chamá-la com a mente e ela vai aparecer.

Eu duvidava, mas imaginei o armário. Dei a ele uma combinação: 13/32/33 — números dos Lakers, naturalmente: Chamberlain, Johnson, Abdul-Jabbar. Segurei a caixa de magia de meu pai e a coloquei no armário imaginário, certo de que teria de fechar a porta. Em vez disso, a caixa desapareceu.

— Legal — comentei. — Tem certeza de que posso tê-la de volta?

— Não — Bastet respondeu. — Agora vamos!

CARTER

22. Leroy é apresentado ao armário da desgraça

Eu nunca tinha passado pela segurança carregando uma ave. Esperava causar confusão, mas, em vez disso, os guardas nos encaminharam a uma fila especial. Eles verificaram nossa documentação. Bastet sorria muito, flertava com os guardas e dizia que todos ali deviam se exercitar muito, e eles nos mandaram seguir adiante. As lâminas de Bastet não acionaram o alarme do detector de metais, por isso pensei que, talvez, ela as tivesse deixado guardadas no Duat. Os guardas nem tentaram passar Sadie pela máquina de raios X.

Eu estava recolocando meus sapatos quando ouvi um grito do outro lado da barreira da segurança.

Bastet praguejou em egípcio.

— Demoramos demais.

Olhei para trás e vi o animal Set correndo pelo terminal, derrubando passageiros. As estranhas orelhas de coelho giravam. Uma espuma branca escorria de seu focinho de dentes afiados, e a cauda bifurcada balançava freneticamente, procurando alguma coisa para picar.

— Alce! — gritou uma mulher. — Um alce raivoso!

Todos começaram a gritar, correndo em diferentes direções e bloqueando o caminho do animal Set.

— Alce? — murmurei.

Bastet deu de ombros.

— É impossível prever como os humanos vão ver as coisas. A ideia agora é espalhar o poder da sugestão.

Claro que mais passageiros começaram a gritar "alce!" e a correr pelo terminal, enquanto o animal Set se movimentava pelas filas e ia se enroscando nas malas e nos carrinhos. Os oficiais da segurança do terminal tentaram contê-lo, mas o animal os jogou longe como se fossem bonecas de pano.

— Vamos! — chamou Bastet.

— Não posso deixar que ele machuque essas pessoas.

— Não podemos detê-lo!

Mas não me movi. Eu queria acreditar que Hórus me dava coragem, ou que os últimos dias tinham despertado em mim algum gene adormecido da bravura, legado de meus pais. Mas a verdade era ainda mais assustadora. Desta vez, ninguém me induzia a tomar uma atitude. Eu *queria* fazer aquilo.

As pessoas estavam encrencadas por nossa causa. Eu precisava ajudá-las. Senti o mesmo instinto que tinha me orientado quando Sadie precisou de minha ajuda, como se fosse hora de interferir. E, sim, isso me apavorava. Mas eu também sentia que era o *certo*.

— Vá para o portão — indiquei a Bastet. — Leve Sadie. Encontro vocês lá.

— O quê? Carter...

— Vá!

Imaginei que abria meu armário invisível: 13/32/33. Estendi a mão, mas não para pegar a caixa de magia do papai. Concentrei-me em algo que havia perdido em Luxor. *Tinha* de estar ali. Por um momento, não senti nada. Depois, minha mão se fechou em volta de um cabo de couro, e então puxei minha espada.

Os olhos de Bastet se arregalaram.

— Impressionante.

— Vá logo. É minha vez de parar o monstro.

— Sabe que aquilo vai matar você.

— Obrigado pelo voto de confiança. Agora, vá!

Bastet partiu em velocidade máxima, com Sadie batendo as asas para se equilibrar em seu braço.

Ouvi um tiro. Eu me virei e vi o animal Set investir contra um policial que tinha acabado de disparar inutilmente contra sua cabeça. O pobre oficial voou para trás e caiu sobre o detector de metais.

— Ei, alce — gritei.

O animal Set me olhou com seus olhos brilhantes.

Muito bem!, Hórus manifestou-se. *Vamos morrer com honra!*

Cale a boca, pensei.

Olhei para trás para me certificar de que Bastet e Sadie tinham mesmo desaparecido. Só então me aproximei da criatura.

— E aí, você não tem nome? — perguntei. — Ninguém conseguiu pensar em alguma coisa suficientemente feia?

A criatura rosnou, passando por cima do policial inconsciente.

— *Animal Set* é muito difícil de dizer — decidi. — Vou chamar você de Leroy.

Aparentemente, Leroy não gostou do novo nome. Ele atacou.

Eu me esquivei de suas garras e consegui bater no focinho dele com a lateral da lâmina da espada, mas isso não o incomodou. Leroy recuou e atacou novamente, rosnando, mostrando as presas. Tentei acertá-lo no pescoço, mas Leroy era esperto. Ele se esquivou para a esquerda e cravou os dentes em meu braço livre. Não fosse pelo protetor improvisado com as alças da bolsa de papai, eu teria um braço a menos. Mas os dentes de Leroy cortaram o couro. Sentia uma dor terrível.

Gritei, e uma onda primitiva de poder percorreu meu corpo. Notei que deixava o chão e era cercado pela aura dourada de um falcão guerreiro. O animal Set teve as mandíbulas abertas com tanta força, que berrou e soltou meu braço. Cercado por uma barreira mágica duas vezes maior que eu, enchi o peito e, com um chute, lancei Leroy contra a parede.

Muito bom!, Hórus elogiou. *Agora despache a criatura para o mundo inferior!*

Fique quieto, cara. Estou fazendo todo o trabalho aqui.

Percebi vagamente os seguranças tentando se recuperar e se reagrupar, gritando em seus rádios comunicadores e pedindo ajuda. Passageiros ainda gritavam e corriam de um lado para outro. Ouvi uma garotinha berrar:

— Homem-galinha, acabe com o alce!

Tem ideia do quanto é difícil se sentir uma máquina de guerra com cabeça de falcão quando alguém chama você de "homem-galinha"?

Levantei a espada, que agora era rodeada por uma lâmina de energia de três metros de comprimento.

Leroy sacudiu a poeira das orelhas de cone e investiu contra mim novamente. Minha forma protegida podia ser poderosa, mas também era desajeitada e lenta, movendo-se como se andasse em um lago de gelatina. Leroy se esquivou do golpe da espada e aterrissou em meu peito, derrubando-me. Ele era muito mais pesado do que parecia. A cauda e as garras atacavam minha armadura. Agarrei seu pescoço com as mãos brilhantes e tentei manter as presas longe de meu rosto, mas onde ele babava, meu escudo mágico fervia e evaporava. Eu já sentia o braço ferido começando a formigar.

Alarmes soavam. Mais passageiros se aglomeravam na área de embarque para ver o que estava acontecendo. Eu precisava acabar logo com aquilo — antes que desmaiasse de dor ou que mais mortais se machucassem.

Sentia minha força desaparecendo, meu escudo fraquejando. As presas de Leroy estavam a um centímetro de meu rosto e Hórus não dizia nada para me incentivar.

Então, eu me lembrei do armário invisível no Duat. Imaginei se outras coisas poderiam ser guardadas nele... Coisas grandes e más.

Fechei as mãos em torno do pescoço de Leroy e enfiei o joelho em suas costelas. Imaginei uma abertura no Duat — no ar, acima de mim: 13/32/33. E imaginei meu armário se abrindo num vão gigantesco.

Com o que me restava de força, empurrei Leroy para o alto. Ele voou para o teto, seus olhos se arregalando surpresos quando o corpo gigantesco passava por um vão invisível e desaparecia.

— Para onde ele foi? — gritou alguém.

— Ei, garoto! — chamou um homem. — Você está bem?

Meu escudo de energia havia desaparecido. Eu queria desmaiar, mas precisava sair dali antes que os seguranças se recuperassem do susto e me prendessem por brigar com um alce. Eu me levantei e joguei a espada para o alto.

Ela desapareceu no Duat. Em seguida, enrolei da melhor maneira possível o couro rasgado no braço ferido e corri para o portão de embarque.

Entrei quando as portas do avião já estavam sendo fechadas.

Aparentemente, a notícia sobre a confusão com o homem-galinha ainda não tinha se espalhado. O agente de embarque apontou para trás de mim ao receber a passagem.

— Que barulho foi esse?

— Um alce passou pela segurança — respondi. — Mas já foi dominado. — E corri para o avião antes que tivesse de responder a mais perguntas.

Sentei-me, exausto, na poltrona ao lado de Bastet, com o corredor entre nós.

Ela deixou escapar um profundo suspiro de alívio.

— Carter, você conseguiu! Mas está ferido. O que aconteceu?

Contei a ela.

— Guardou o animal Set no armário? — perguntou ela, incrédula. — Tem ideia de quanta força isso exige?

— Sim, eu sei. Eu estava lá.

A comissária de bordo começou a fazer seus anúncios. Tudo indicava que o incidente no terminal não afetara pousos e decolagens. O avião partiu no horário previsto.

Eu me curvei para a frente com a intensidade da dor, e só então Bastet percebeu a gravidade do ferimento em meu braço. Sua expressão tornou-se preocupada.

— Fique quieto.

Ela sussurrou alguma frase em egípcio, e meus olhos começaram a ficar pesados.

— Precisa dormir para curar essa ferida — explicou ela.

— Mas se Leroy voltar...

— Quem?

— Nada.

Bastet me olhou como se me visse pela primeira vez.

— Você foi muito corajoso, Carter. Enfrentar o monstro Set... Tem mais fibra de um gato vira-lata do que eu havia percebido.

— É... obrigado?

Ela sorriu e tocou minha testa.

— Logo estaremos chegando, meu gato vira-lata. Agora, durma.

Eu não podia protestar. A exaustão me dominava, e fechei os olhos.

Naturalmente, minha alma decidiu dar uma volta.

Eu estava em minha forma *ba*, sobrevoando Phoenix. Era uma clara manhã de inverno. O ar frio do deserto era agradável sob minhas asas. A cidade parecia diferente à luz do dia — uma vasta faixa de quadrados verdes e beges pontilhados por palmeiras e piscinas. Montanhas imponentes se erguiam aqui e ali como pedaços da lua. As mais elevadas estavam bem embaixo de mim — uma longa cordilheira com dois picos distintos. Como o seguidor de Set falara em minha primeira viagem da alma? Camelback. Corcova de camelo.

Os sopés eram ocupados por luxuosas mansões, mas o cume era deserto. Algo chamou minha atenção: uma fenda entre duas grandes rochas e um calor que brotava tremeluzindo do fundo da montanha — coisas que nenhum olho humano teria notado.

Recolhi as asas e voei até a fenda.

O ar quente soprava tão intensamente que tive de forçar minha passagem. Cerca de cento e cinquenta metros abaixo a fenda se abria, e me descobri em um lugar que não podia existir. Simplesmente não podia.

Toda a parte interna da montanha tinha sido escavada, formando um vão. No meio, uma pirâmide gigantesca estava em construção. Ecoava no ar o som das picaretas. Hordas de demônios cortavam o calcário vermelho-sangue em blocos e os transportavam para o centro da caverna, onde mais bandos de demônios usavam cordas e rampas para colocar os blocos no lugar, como meu pai me contava que tinham sido construídas as pirâmides de Gizé. Mas cada pirâmide de Gizé tinha levado uns vinte anos para ficar pronta. Aquela já estava na metade.

Havia algo estranho — e não era só a cor vermelho-sangue. Quando eu olhava para ela sentia um formigamento familiar, como se toda a estrutura vibrasse num tom... não, com uma *voz* que eu quase reconhecia.

Notei uma forma menor flutuando no alto da pirâmide — um barco de junco, como aquele de tio Amós. Nele viajavam duas figuras. Uma era um demônio alto, com armadura de couro. A outra era um homenzinho encorpado, num traje de guerra vermelho.

Eu me aproximei voando em círculos, tentando me manter nas sombras, porque não sabia se era realmente invisível. Aterrissei no topo do mastro. Foi uma manobra difícil, mas nenhum dos ocupantes do barco olhou para cima.

— Quanto tempo mais? — perguntou o homem de vermelho.

A voz era a de Set, mas sua aparência era completamente diferente daquela de minha última visão. Ele não era uma coisa negra e escorregadia e não estava em chamas — exceto pela mistura assustadora de ódio e diversão cintilando em seus olhos. O corpo era grande e forte como o de um jogador de rúgbi e as mãos eram imensas. O rosto era embrutecido. Os cabelos arrepiados e o cavanhaque aparado eram tão vermelhos quanto as roupas de guerra. Eu nunca tinha visto camuflagem naquela cor. Talvez planejasse se esconder dentro de um vulcão.

Ao lado dele, um demônio se curvava e parecia agitado. Era aquele esquisito com pés de galo que eu tinha visto antes. A criatura tinha uns dois metros, no mínimo, era muito magra e tinha garras de ave em vez de pés. Infelizmente, desta vez pude ver seu rosto. Era quase horrível demais para ser descrito. Sabe essas exposições de anatomia que mostram cadáveres só em pele? Imagine um rosto desses vivo, com olhos inteiramente negros e com presas.

— Estamos fazendo excelente progresso, mestre! — garantiu o demônio. — Hoje conjuramos mais cem demônios. Com sorte, teremos tudo pronto ao pôr do sol de seu aniversário!

— Isso é inaceitável, Rosto do Terror — respondeu Set, calmo.

O servo se encolheu. Acho que o nome dele era Rosto do Terror. Quanto tempo a mãe dele devia ter levado para pensar nisso? *Bob? Não. Sam? Não. Que tal Rosto do Terror?*

— Mas... mestre... — gaguejou Rosto. — Eu pensei...

— Não pense, demônio. Nossos inimigos têm mais recursos do que eu imaginava. Incapacitaram temporariamente meu bichinho favorito e agora vêm em nossa direção. Precisamos terminar antes que eles cheguem. *Amanhecer* de meu aniversário, Rosto do Terror. No máximo. Será o amanhecer de meu novo reino. Banirei toda a vida desse continente e esta pirâmide restará como um monumento a meu poder — a última e definitiva tumba de Osíris!

Meu coração quase parou. Olhei novamente para a pirâmide, para baixo, e percebi por que a julgara tão familiar. Havia ali uma energia — a energia *de meu pai*. Não sei explicar como, mas eu sabia que seu sarcófago estava escondido em algum lugar naquela pirâmide.

Set sorriu com crueldade, como se ver a obediência de Rosto do Terror ou cortá-lo em pedaços pudessem fazê-lo igualmente feliz.

— Entendeu minha ordem?

— Sim, senhor! — Rosto moveu os pés de pássaro como se tentasse encontrar coragem. — Mas, posso perguntar, senhor... por que parar por aí?

As narinas de Set inflaram.

— Você está a uma frase da destruição, Rosto do Terror. Escolha suas palavras com cuidado.

O demônio passou a língua negra pelos dentes.

— Bem, meu senhor, a aniquilação de um único deus é digna de sua gloriosa existência? E se pudermos criar ainda mais energia do caos a fim de alimentar sua pirâmide para sempre, e fazer de meu senhor o deus eterno de todos os mundos?

Uma luz ambiciosa surgiu nos olhos de Set.

— Senhor de todos os mundos? Isso soa bem. E como conseguiria tal feito, demônio?

— Ah, eu não, meu senhor. Sou só um verme insignificante. Mas se capturássemos os outros... Néftis...

Set chutou o peito de Rosto, que caiu ofegando.

— Já disse para nunca pronunciar esse nome.

— Sim, mestre. — Rosto arfava. — Desculpe-me, mestre. Mas se a capturássemos, e aos outros... Pense no poder que poderia absorver. Com o plano adequado...

Set começou a balançar a cabeça em sentido afirmativo, gostando da ideia.

— Acho que é hora de darmos uma utilidade para Amós Kane.

A tensão me dominou. Amós estava ali?

— Brilhante, mestre. Um plano brilhante.

— Sim, fico feliz por eu ter pensado nisso. Em breve, Rosto do Terror, muito em breve, Hórus, Ísis e minha esposa traiçoeira se curvarão a meus pés... E Amós vai nos ajudar. Teremos uma agradável reunião de família.

Set olhou para cima... para mim, como se soubesse desde o início que eu estava ali, e sorriu como se planejasse me fazer em pedaços.

— Não é verdade, garoto?

Quis abrir as asas e voar. Precisava sair da caverna e avisar Sadie. Mas minhas asas não funcionavam. Fiquei ali, paralisado, enquanto Set erguia a mão para me pegar.

23. A prova final do Professor Tot

SADIE FALANDO. DESCULPEM A DEMORA, mesmo achando que vocês não a teriam notado numa gravação. Meu irmão de dedos moles derrubou o microfone em um buraco cheio de... Ah, deixe para lá. De volta à história.

Carter acordou sobressaltado e bateu o joelho na bandeja de bebidas. E foi muito engraçado.

— Dormiu bem? — perguntei.

Ele piscou, olhando para mim com ar confuso.

— Você está humana.

— Que gentil de sua parte notar.

Mordi mais um pedaço de minha pizza. Eu nunca tinha comido pizza em prato de porcelana, nem tinha bebido Coca em um copo (com gelo, óbvio, os americanos são muito estranhos), mas estava gostando da primeira classe.

— Voltei há uma hora. — Pigarreei, limpando a garganta. — Foi... ah, útil, o que você disse sobre focar no que é importante.

Foi estranho eu ter dito só isso, porque eu lembrava tudo o que ele tinha me falado enquanto eu era um papagaio, tudo o que contara sobre as viagens com papai — que tinha se perdido no metrô, tinha ficado doente em Veneza, tinha gritado como um bebê ao encontrar um escorpião em sua meia. Tanta munição para torturá-lo! Mas, estranhamente, eu não me sentia tentada. O jeito como ele tinha exposto sua alma... Talvez pensasse que eu não poderia entendê-lo em minha forma de papagaio. Mas ele tinha sido tão honesto, tão franco, e tinha feito de tudo para me acalmar. Se ele não tivesse me dado algo em que focar, eu provavelmente ainda estaria caçando ratos em Washington.

Carter falara sobre nosso pai como se as viagens que eles fizeram juntos fossem ótimas, sim, mas também uma tremenda provação, com ele sempre se esforçando para agradar e se comportar da melhor maneira possível, sem ninguém com quem relaxar ou conversar. Eu tinha de admitir que papai *era* uma presença imponente. Era difícil *não querer* sua aprovação. (Sem dúvida foi daí que herdei minha personalidade tão carismática.) Eu o via duas vezes por ano e, mesmo assim, tinha de me preparar mentalmente para a experiência. Pela primeira vez, comecei a pensar se Carter tinha mesmo ficado com a melhor parte da divisão. Eu trocaria minha vida pela dele?

Também decidi não lhe contar o que finalmente me devolvera à forma humana. Não havia sido o foco em nosso pai. Eu tinha imaginado nossa mãe viva, um passeio com ela pela rua Oxford, nós duas olhando vitrines, rindo e conversando — atividades corriqueiras que não tivemos a chance de compartilhar. Um desejo impossível, eu sei. Mas poderoso o bastante para fazer eu me lembrar de quem era.

Não contei nada disso, mas Carter estudava meu rosto, e senti que ele tinha captado meus pensamentos.

Bebi um gole de Coca.

— Perdeu o almoço — comentei.

— Você não tentou me acordar?

Do outro lado do corredor, Bastet arrotou. Ela tinha acabado de esvaziar seu prato de salmão e parecia bem satisfeita.

— Posso conjurar mais Friskies — ofereceu Bastet. — Ou queijos-quentes.

— Não, obrigado — resmungou Carter.

Ele parecia devastado.

— Deus, Carter, se isso é tão importante para você, ainda tem pizza em meu prato...

— Não é isso — respondeu ele, e contou como seu *ba* quase fora capturado por Set.

O relato prejudicou minha capacidade respiratória. Eu me sentia como se estivesse outra vez aprisionada na forma de papagaio, incapaz de pensar com clareza. Meu pai preso em uma pirâmide vermelha? O coitado do Amós usado como uma peça em um jogo? Olhei para Bastet, esperando que ela me tranquilizasse de alguma maneira.

— Há algo que possamos fazer?

A expressão dela era tensa.

— Sadie, não sei. Set será mais poderoso no dia de seu aniversário, e o nascer do sol é o momento mais auspicioso para a magia. Se nesse dia, quando o sol nascer, ele conseguir gerar uma grande explosão de energia com a tempestade, usando não só sua magia, mas intensificando-a com o poder de outros deuses que conseguiu escravizar... O caos que poderá desencadear é quase inimaginável.

Estremeci.

— Carter, você disse que um demônio deu a ele essa ideia? — perguntou Bastet.

— Foi o que vi. Ou ele adaptou o plano original, não sei.

— Isso não é do feitio de Set. — Ela sacudiu a cabeça.

Tossi.

— Como não? Isso é *exatamente* a cara dele.

— Não — insistiu Bastet. — É horrendo demais, até para ele. Set quer ser rei, mas uma explosão dessa magnitude poderá deixá-lo sem nada para governar. É quase como... — Ela parou, aparentemente abalada com o próprio pensamento. — Não entendo isso tudo, mas logo estaremos aterrissando. Você vai ter que perguntar a Tot.

— Está falando como se não fosse conosco — observei.

— Tot e eu não nos damos muito bem. Suas chances de sobrevivência podem ser maiores se...

A luz do cinto de segurança se acendeu. O piloto anunciou que começaríamos o procedimento de pouso em Memphis. Olhei pela janela e vi um vasto rio marrom cortando a paisagem, um rio maior do que todos os que eu já tinha visto. Parecia uma desagradável cobra gigante.

A comissária de bordo se aproximou e apontou meu prato.

— Terminou, meu bem?

— Parece que sim — respondi, desanimada.

Memphis não havia recebido o comunicado de que já era inverno. As árvores estavam verdes, o céu era claro e azul.

Insistimos para que desta vez Bastet não pegasse um carro "emprestado", e ela acabou concordando. Alugamos um conversível. Não perguntei de onde ela tirava dinheiro, mas logo estávamos percorrendo as ruas mais desertas de Memphis a bordo do nosso BMW. A capota estava abaixada.

Só me lembro de cenas isoladas da cidade. Passamos por uma região que poderia ter servido de cenário para ...*E o vento levou*, com grandes mansões brancas, gramados muito verdes e ciprestes altíssimos, embora o Papai Noel de plástico na maioria dos telhados atrapalhasse um pouco. No quarteirão seguinte, quase fomos mortos por uma velha dirigindo um Cadillac, saindo do estacionamento de uma igreja. Bastet buzinou e desviou, e a mulher sorria e acenava. Hospitalidade sulista, suponho.

Depois de mais alguns quarteirões, as casas deram lugar a casebres precários. Vi dois meninos afro-americanos vestindo jeans e camiseta, sentados em uma varanda, tocando violão e cantando. Eles pareciam tão bons que tive vontade de parar para ouvir.

Mais um quarteirão e vimos na esquina um restaurante e um prédio de concreto, um lugar identificado por uma placa manuscrita: FRANGO & WAFFLES. Havia uma fila de vinte pessoas do lado de fora.

— Vocês, americanos, têm um gosto estranho. Que planeta é este? — perguntei.

Carter balançou a cabeça.

— E onde está Tot?

Bastet farejou o ar e virou à esquerda, em uma rua chamada Poplar.

— Estamos chegando perto. Se conheço Tot, ele vai encontrar um centro de aprendizado. Uma biblioteca, talvez, ou uma sala de livros na tumba de um mago.

— Não há muitas delas no Tennessee — lembrou Carter.

Então, vi uma placa e sorri.

— A Universidade de Memphis, talvez?

— Muito bem, Sadie! — Bastet ronronou.

Carter me olhou de cara feia. O coitado sente inveja de mim, eu sei.

Minutos depois, caminhávamos pelo campus de uma pequena universidade: prédios de tijolos vermelhos e pátios amplos. Tudo ali era sinistramente quieto, exceto pelo som de uma bola batendo no chão.

Assim que ouviu o barulho, Carter se animou.

— Basquete!

— Ah, por favor — reagi. — Precisamos encontrar Tot.

Mas Carter seguiu o som da bola, e nós o seguimos. Ele contornou um prédio e parou de repente.

— Vamos perguntar a eles.

Eu não entendia o que ele estava fazendo. Mas, ao contornar também o prédio, gritei. Na quadra de basquete, cinco jogadores disputavam uma animada partida. Vestiam camisas de times americanos, e todos pareciam dispostos a vencer — roubavam a bola, empurravam e disputavam a liderança.

Ah... os jogadores eram todos babuínos.

— O animal sagrado de Tot — informou Bastet. — Estamos no lugar certo.

Um dos babuínos tinha pelos dourados e brilhantes, muito mais claros que os dos outros, e também um... ah... um traseiro mais colorido. Estava com uma camisa roxa que parecia estranhamente familiar.

— Aquele é o uniforme... dos Lakers? — perguntei, hesitando antes de mencionar a tola obsessão de Carter.

Ele assentiu, e nós dois rimos.

— Khufu! — gritamos.

Sim, mal conhecíamos o babuíno. Tínhamos passado menos de um dia com ele, e aquele tempo na mansão de Amós parecia ter ficado num passado muito distante, mas ainda assim eu tinha a sensação de estar revendo um velho amigo.

Khufu pulou em meus braços e gritou:

— *Agh! Agh!*

Ele mexeu em meus cabelos, catando piolhos, eu acho [Não se atreva a fazer comentários, Carter!], e jogando no chão, batendo no piso para mostrar o quanto estava feliz.

Bastet riu.

— Ele disse que você tem cheiro de flamingo.

— Você entende os babuínos? — perguntou Carter.

A deusa deu de ombros.

— Também quer saber onde vocês estiveram.

— Onde *nós* estivemos? — repeti. — Bem, para começar, diga a ele que passei a maior parte do dia como um papagaio, que não é um flamingo e, embora termine em *o*, não vai fazer parte da dieta dele. Depois...

— Espere. — Bastet se virou para Khufu e disse: — *Agh!* — Então olhou para mim. — Tudo bem, continue.

Eu pisquei.

— Tudo bem... é... depois, pergunte onde *ele* esteve.

Ela traduziu tudo isso com um único grunhido.

Khufu bufou e pegou a bola de basquete, o que causou um frenesi entre seus amigos babuínos. Todos gritavam, se coçavam e rosnavam.

— Ele mergulhou no rio e depois nadou de volta — traduziu Bastet —, mas, quando chegou, a casa estava destruída e nós havíamos desaparecido. Esperou um dia pelo retorno de Amós. Como ele não voltou, Khufu veio procurar Tot. Afinal, os babuínos são seus protegidos.

— Por quê? — perguntou Carter. — Quer dizer, sem ofensa, mas Tot é o deus do conhecimento, não é?

— Os babuínos são animais muito espertos — explicou Bastet.

— *Agh!*

Khufu coçou o nariz, depois virou seu traseiro tecnicolor em nossa direção e jogou a bola para os amigos. Eles a disputaram, mostrando as presas uns aos outros e batendo na cabeça.

— Espertos? — perguntei.

— Bem, eles não são *gatos*, é claro — acrescentou Bastet. — Mas, sim, espertos. Khufu disse que assim que Carter cumprir sua promessa, ele o levará ao professor.

Eu pisquei.

— O prof... Ah, você quer dizer... Certo.

— Que promessa? — perguntou Carter.

Um canto da boca de Bastet tremeu.

— Parece que prometeu mostrar a ele sua habilidade no basquete.

Carter arregalou os olhos, assustado.

— Não temos tempo!

— Ah, tudo bem — garantiu Bastet. — É melhor eu ir agora.

— Mas para onde, Bastet? — perguntei, porque não queria me separar dela outra vez. — Como a encontraremos?

Ela mudou a expressão, revelando talvez certa culpa, como se tivesse acabado de causar um horrível acidente.

— Encontrarei vocês quando saírem, se saírem...

— Como assim, *se*? — perguntou Carter, mas Bastet tinha se transformado em Muffin e corria para longe dali.

Khufu gritou para Carter com mais insistência. Ele puxava a mão de meu irmão, levando-o para a quadra. Os babuínos se dividiram imediatamente em dois times. Metade tirou a camisa. A outra continuou vestida. Carter, infelizmente, ficou no time sem camisa, e Khufu o ajudou a tirá-la, mostrando seu peito magro. Os times começaram a jogar.

Não sei nada sobre basquete. Mas tenho certeza de que você não deveria tropeçar no pé do adversário, nem receber a bola com a testa, nem driblar (é essa a palavra?) com as duas mãos, como se afagasse um cachorro possivelmente raivoso. Mas era exatamente assim que Carter jogava. Os babuínos o atropelavam, literalmente. E marcavam cestas e mais cestas enquanto Carter corria de um lado para outro da quadra, levando boladas e tropeçando nos pés dos macacos até ficar tonto, rodopiar e cair. Os babuínos pararam de jogar e olharam para ele, incrédulos. Carter estava jogado no meio da quadra, ofegante e coberto de suor. Os outros babuínos olharam Khufu. Era evidente o que estavam pensando: Quem convidou esse humano? Khufu cobriu os olhos, envergonhado.

— Carter — eu disse, rindo —, toda essa conversa sobre os Lakers, sobre basquete, e você não joga nada! Perdeu para os macacos!

Ele gemeu, infeliz.

— Era... Era o esporte favorito do papai.

Eu o encarei. O esporte favorito do papai. Por que eu não tinha pensado nisso?

Carter interpretou minha expressão atordoada como uma crítica.

— Eu... posso enumerar todas as estatísticas da NBA — disse ele meio desesperado. — Rebotes, assistências, arremessos, enfim, todas as porcentagens.

Os outros babuínos voltaram ao jogo, ignorando Carter e Khufu, que fez um ruído de desgosto, uma mistura de grito e grunhido.

Entendi o sentimento, mas me adiantei e estendi a mão para Carter.

— Venha. Não tem importância.

— Se eu tivesse sapatos melhores — insistiu ele. — Ou se eu não estivesse tão cansado...

— Carter — repeti com uma careta. — *Não* tem importância. E não vou contar nada ao papai quando o salvarmos.

Ele me olhou com gratidão óbvia. (Afinal, sou mesmo maravilhosa.) Em seguida, segurou minha mão e eu o ajudei a se levantar.

— Ah, e vista a camisa, por favor — pedi. — E, Khufu, é hora de nos levar ao professor.

Khufu nos conduziu até um edifício deserto. O ar nos corredores cheirava a vinagre e os laboratórios vazios pareciam mais apropriados a um colégio americano, não ao tipo de lugar onde um deus poderia ser encontrado. Subimos a escada e encontramos um corredor de salas de professores. Muitas portas estavam fechadas, e uma tinha sido deixada aberta, revelando um espaço que não era maior que um armário para vassouras, cheio de livros, com uma mesa pequena e uma cadeira. Talvez o professor tivesse feito algo errado para ter uma sala tão pequena.

— *Agh!*

Khufu parou diante de uma porta de mogno polido, muito melhor que as outras. Um nome fora gravado recentemente no vidro: DR. TOT.

Sem bater, Khufu abriu a porta e entrou.

— Depois de você, homem-galinha — disse a Carter. (E sim, tenho certeza de que ele já estava arrependido de ter me contado sobre esse incidente em particular. Afinal, eu não poderia parar *completamente* de provocá-lo. Tenho uma reputação a zelar.)

Esperava encontrar outro armário para vassouras, mas a sala era muito grande.

O pé-direito era de uns dez metros, pelo menos, e um lado do cômodo era todo de janelas, por onde se podia ver o horizonte de Memphis. Uma escada de metal levava a um mezanino ocupado por um enorme telescópio, e lá de cima vinha o som de uma guitarra elétrica tocada por alguém sem habilidade alguma. As outras paredes do escritório eram repletas de estantes de livros. Nas mesas havia um pouco de tudo: *kits* de química, computadores desmontados ou em processo de montagem, animais empalhados com fios elétricos brotando da cabeça. O ambiente tinha um cheiro forte de bife, mas com um toque defumado e temperado que eu jamais tinha sentido.

Mais estranho que tudo, bem na nossa frente, meia dúzia de aves de pescoço longo — íbis — estavam atrás de mesas, como recepcionistas, digitando no laptop com o bico.

Carter e eu nos entreolhamos. Pela primeira vez não soube o que dizer.

— *Agh!* — Khufu gritou.

No mezanino, o som da guitarra cessou. Um homem magro, de seus vinte anos, levantou-se segurando o instrumento. Tinha cabelos louros e rebeldes, como Khufu, e vestia um jaleco branco manchado por cima de jeans e camiseta preta. Ao vê-lo, pensei que um fio de sangue escorria do canto de sua boca. Depois percebi que era um molho qualquer para carne.

— Fascinante. — Ele sorriu. — Descobri algo, Khufu. *Não* estamos em Mênfis, Egito.

Khufu me olhou de soslaio, e eu poderia jurar que sua expressão significava *dã*.

— Também descobri uma nova forma de magia, chamada música, ou blues — continuou o homem. — E churrasco. Sim, você precisa experimentar churrasco.

Khufu não parecia impressionado. Ele subiu em uma estante de livros, pegou uma caixa de Cheerios e começou a comer.

O guitarrista desceu escorregando pelo corrimão com perfeito equilíbrio e parou a nossa frente.

— Ísis e Hórus — disse ele. — Vejo que encontraram novos corpos.

Seus olhos tinham uma dúzia de cores e mudavam como um caleidoscópio, com um efeito hipnótico.

— Hum... não somos... — consegui gaguejar.

— Ah, entendo — disse ele. — Tentando compartilhar o corpo, não é? Não pense que consegue me enganar, Ísis. Nem por um minuto. Sei que você está no comando.

— Mas ela não está! — protestei. — Meu nome é Sadie Kane. Presumo que seja Tot.

Ele ergueu uma sobrancelha.

— Quer dizer que não me conhece? É claro que sou Tot. Também chamado Djehuti. Também chamado...

Sufoquei o riso.

— Ja-hooty?

Tot pareceu ofendido.

— Em egípcio antigo, esse é um nome perfeitamente o.k. Os gregos me chamavam de Tot. Mais tarde, eles me confundiram com o deus deles Hermes. Tiveram até a ousadia de mudar o nome de minha cidade sagrada para Hermópolis, embora não fôssemos nada parecidos. Se conhecesse Hermes...

— *Agh!* — Khufu gritou com a boca cheia de Cheerios.

— Tem razão — concordou Tot. — Estou me desviando do assunto. Então, você diz ser Sadie Kane. E... — Ele apontou o dedo para Carter, que olhava as aves digitadoras. — Suponho que você não seja Hórus.

— Carter Kane — respondeu meu irmão, ainda distraído com os pássaros. — O que é *aquilo*?

Tot se animou.

— O nome é computador. Maravilhoso, não é? Aparentemente...

— Não, estou perguntando o que as aves estão digitando. — Carter se aproximou para ler uma das telas. — "Breve tratado sobre a evolução dos Yaks"?

— Meus ensaios acadêmicos — explicou Tot. — Tentei desenvolver vários projetos ao mesmo tempo. Sabia, por exemplo, que esta universidade não oferece cursos de astrologia ou de arte da cura? Deprimente! Pretendo mudar essa situação. Estou reformando minhas novas instalações, perto do rio. Logo Memphis será um verdadeiro centro de aprendizado!

— Brilhante! — Comentei com pouca animação. — Precisamos de ajuda para derrotar Set.

As aves pararam de digitar e me olharam.

Tot limpou o molho de churrasco da boca.

— Tem coragem de me pedir isso? Depois da última vez?

— Última vez? — repeti.

— Tenho a conta aqui em algum lugar. — Tot bateu nos bolsos do jaleco de laboratório, tirando de um deles um pedaço de papel amarrotado. — Não, lista do supermercado.

Ele amassou o papel e jogou por cima do ombro. Assim que tocou o chão, o papel se transformou em uma baguete de pão, um litro de leite e uma embalagem com seis latinhas de refrigerante.

Tot examinou as mangas. Percebi que as manchas em seu jaleco eram palavras borradas, escritas em todos os idiomas. Moviam-se e mudavam, formando hieróglifos, letras do alfabeto latino, símbolos demóticos. Ele bateu a mão em uma mancha na lapela e sete letras caíram no chão, formando uma palavra: *lagosta*. A palavra se transformou no crustáceo, parecido com um camarão, porém maior, que moveu as patas por uns instantes antes de um íbis capturá-lo.

— Ah, esqueça — disse Tot finalmente. — Vou contar a versão resumida: para vingar o pai, Osíris, Hórus desafiou Set em um duelo. O vencedor se tornaria o rei dos deuses.

— Hórus venceu — disse Carter.

— Você se lembra!

— Não, eu li sobre isso.

— Lembra também que sem minha ajuda você e Ísis teriam morrido? Tentei mediar a situação e impedir a batalha. Essa era uma das minhas responsabilidades: manter o equilíbrio entre ordem e caos. Mas, nããão, Ísis me convenceu a ficar do lado de vocês, porque Set estava se tornando muito poderoso. E a batalha quase destruiu o mundo.

Ele reclama demais, Ísis disse dentro de minha cabeça. *Não foi tão ruim.*

— Não? — perguntou Tot, e tive a sensação de que ele podia ouvir a voz tão bem quanto eu. — Set arrancou um olho de Hórus.

— Ai. — Carter piscou.

— Sim, e eu o substitui por um olho novo feito de luar. O Olho de Hórus: seu famoso símbolo. Esse fui *eu*, muito obrigado. E quando você cortou a cabeça de Ísis...

— Espere aí. — Carter olhou para mim. — Eu cortei a *cabeça* dela?

Eu fiquei melhor, Ísis me garantiu.

— Só porque eu a curei, Ísis! — disse Tot. — E sim, Carter, Hórus, como preferir ser chamado, você ficou tão maluco que cortou a cabeça dela. Foi incauto, sabe... Queria atacar Set enquanto ainda estava fraco, e Ísis tentou impedi-lo. Isso o deixou tão zangado que você empunhou sua espada... Bem, resumindo, vocês quase destruíram um ao outro antes que eu pudesse derrotar Set. Se começarem outra batalha contra o Lorde Vermelho, cuidado. Ele vai usar o caos para jogá-los um contra o outro.

Nós o derrotaremos novamente, Ísis prometeu. *Tot está com ciúmes, só isso.*

— Cale a boca — Tot e eu dissemos ao mesmo tempo.

Ele me olhou surpreso.

— Então, Sadie... Você *está* tentando se manter no controle. Não vai durar muito. Pode ter o sangue dos faraós, mas Ísis é obcecada pelo poder, dissimulada...

— Eu posso contê-la.

E precisei usar toda minha força de vontade para impedir Ísis de recitar uma sequência de insultos.

Tot dedilhou as cordas de sua guitarra.

— Não tenha tanta certeza. Ísis provavelmente já lhe contou que ela ajudou a derrotar Set. Também contou que foi por causa dela que Set perdeu o controle? Ela exilou nosso primeiro rei.

— Rá? — perguntou Carter. — Ele não ficou velho e decidiu deixar a terra?

Tot riu.

— Ele estava velho, sim, mas foi *forçado* a partir. Ísis se cansou de esperar pela aposentadoria de Rá. Ela queria que o marido, Osíris, se tornasse rei.

E também queria mais poder. Então, um dia, enquanto Rá cochilava, Ísis colheu em segredo um pouco da baba do deus sol.

— *Eca* — reagi. — Desde quando baba deixa alguém poderoso?

Tot me lançou um olhar acusador.

— Você misturou a baba com argila para criar uma cobra venenosa. Naquela noite, a serpente entrou no quarto de Rá e o mordeu no tornozelo. Nenhuma magia, nem mesmo a minha, foi suficiente para salvá-lo. Ele teria morrido...

— Deuses podem morrer? — perguntou Carter.

— Ah, sim — respondeu Tot. — É claro que, na maioria das vezes, nós voltamos do Duat... em algum momento. Mas esse veneno devorava a própria essência de Rá. Ísis, é claro, fez-se de inocente. Chorou diante do sofrimento dele. Tentou ajudá-lo com sua magia. Finalmente, disse ao deus sol que só havia uma maneira de salvá-lo: Rá deveria dizer a ela seu nome secreto.

— Nome secreto? — estranhei. — Como Bruce Wayne?

— Tudo na Criação tem um nome secreto — explicou Tot. — Até os deuses. Conhecer o nome secreto de um ser significa ter poder sobre essa criatura. Ísis garantiu que, com o nome secreto de Rá, ela poderia curá-lo. Ele sentia muita dor, por isso concordou. E Ísis o curou.

— Mas adquiriu poder sobre ele — supôs Carter.

— Extremo poder — confirmou Tot. — Ela obrigou Rá a se retirar para o céu, abrindo caminho para seu amado, Osíris, tornar-se o novo rei dos deuses. Set fora um importante ajudante de Rá, e não suportava ver o irmão Osíris tornando-se rei. Isso fez de Set e Osíris inimigos, e aqui estamos, cinco milênios mais tarde, ainda lutando aquela mesma guerra, tudo por causa de Ísis.

— Mas isso não é culpa minha! — falei. — Eu jamais faria uma coisa dessa.

— Não? — perguntou Tot. — Não seria capaz de qualquer coisa para salvar sua família, mesmo que isso perturbasse o equilíbrio do cosmos?

Os olhos de caleidoscópio capturaram os meus, e senti um forte impulso de rebeldia. Ora, e por que não deveria ajudar minha família? Quem era aquele doido de jaleco para me dizer o que eu podia ou não podia fazer?

De repente, percebi que não sabia quem estava pensando essas coisas: Ísis ou eu? O pânico começou a se formar em meu peito. Se não conseguia distinguir meus pensamentos dos de Ísis, em quanto tempo eu estaria completamente maluca?

— Não, Tot — retruquei. — Precisa acreditar em mim. Estou no controle, eu, Sadie, e preciso de sua ajuda. Set capturou nosso pai.

Falei tudo de uma vez, desde o British Museum até a visão de Carter com a pirâmide vermelha. Tot ouviu sem comentar, mas eu podia jurar que novas manchas surgiam em seu jaleco enquanto eu falava, como se algumas de minhas palavras fossem adicionadas à mistura.

— Só quero que dê uma olhada em uma coisa para nós — concluí. — Carter, mostre a ele o livro.

Carter revirou sua bolsa e pegou o livro que tínhamos roubado em Paris.

— Você escreveu isto, certo? — Meu irmão perguntou. — Aqui diz como derrotar Set.

Tot desdobrou o papiro.

— Ah, não. Odeio ler o que escrevo. Esta frase, por exemplo. Hoje eu jamais a construiria desse jeito. — Ele tateou os bolsos do jaleco. — Caneta vermelha... alguém tem uma?

Ísis desafiava meu controle, insistindo que Tot precisava de um pouco de bom senso. *Uma bola de fogo*, ela suplicou. *Só uma bola de fogo enorme e mágica, por favor?*

Não posso dizer que não me senti tentada, mas eu a mantive sob controle.

— Escute, Tot — chamei —, Ja-hooty, o que for. Set se prepara para destruir a América do Norte, no mínimo, possivelmente o mundo. Milhões de pessoas vão morrer. Você disse que se preocupa com o equilíbrio. Vai nos ajudar ou não?

Por um momento, tudo o que ouvíamos era o ruído dos íbis bicando as teclas dos laptops.

— Vocês *estão* encrencados — concordou Tot. — Então, digam-me, por que acham que seu pai os meteu nessa encrenca? Por que ele libertou os deuses?

Eu quase disse: *Para trazer de volta nossa mãe*. Mas não acreditava mais nisso.

— Minha mãe viu o futuro — deduzi. — Algo ruim estava para acontecer. Acho que ela e papai tentavam impedir isso. E decidiram que a única saída seria libertar os deuses.

— Embora usar o poder dos deuses seja extremamente perigoso para os mortais — pressionou Tot — e contra a lei da Casa da Vida: uma lei que eu convenci Iskandar a criar, aliás.

Lembrei-me de alguma coisa que o Sacerdote-leitor Chefe dissera quando estávamos no Salão das Eras. "Os deuses têm grande poder, mas só os humanos têm criatividade." Acho que minha mãe convenceu Iskandar de que a lei era errada. Talvez ele não pudesse admitir publicamente, mas ela o fez mudar de ideia. O que estava por acontecer era tão ruim que deuses e mortais precisariam uns dos outros.

— E o que está a caminho? — perguntou Tot. — A ascensão de Set?

O tom dele era contido, como o de um professor propondo uma pergunta capciosa.

— Talvez — respondi, cuidadosa —, mas não sei.

No alto da estante, Khufu guinchou e mostrou os dentes, numa careta estranha.

— Tem razão, Khufu — resmungou Tot. — Ela não soa como Ísis. Ísis jamais confessaria que não sabe alguma coisa.

Tive de usar uma espécie de mão mental para tapar a boca de Ísis.

Tot jogou o livro de volta para Carter.

— Vamos ver se você age tão bem quanto fala. Vou mostrar o livro de encantamentos, desde que me provem que realmente têm controle sobre seus deuses, que não estão apenas repetindo antigos padrões.

— Uma prova? — deduziu Carter. — Nós aceitamos.

— Ei, espere aí — protestei.

Talvez por ter estudado em casa, por nunca ter frequentado uma escola, Carter não saiba que "prova" normalmente é uma coisa ruim.

— Maravilhoso — respondeu Tot. — Há um item de poder na tumba de um mago. Tragam-no para mim.

— Na tumba de que mago? — repeti.

Mas Tot pegou um pedaço de giz do bolso do jaleco e escreveu no ar. Uma porta se abriu diante dele.

— Como fez isso? — perguntei. — Bastet disse que não podemos conjurar portais nos Dias do Demônio.

— Os mortais não — concordou Tot. — Mas um bom mago pode. Se passarem na prova, teremos churrasco.

O portal nos sugou para um buraco negro e o escritório de Tot desapareceu.

24. Explodo alguns sapatos de camurça azul

— Onde estamos? — perguntei.

Era um local deserto, do lado de fora do portão de uma grande propriedade. Aparentemente, ainda estávamos em Memphis — pelo menos as árvores, o clima, a luz da tarde, tudo ainda era como antes.

A propriedade devia ter muitos hectares. O portão de ferro branco tinha belos desenhos de guitarristas e notas musicais. Além deles, a alameda se estendia sinuosa entre árvores, até uma casa de dois andares com um pórtico com colunas brancas.

— Ah, não — disse Carter. — Conheço aqueles portões.

— O quê? Por quê?

— Papai me trouxe aqui uma vez. A tumba de um grande mago... Tot devia estar brincando.

— Carter, do que está falando? Tem alguém enterrado aqui?

Ele assentiu.

— Estamos em Graceland, lar do músico mais famoso do mundo.

— Michael Jackson morava aqui?

— Não, tonta — respondeu Carter. — Elvis Presley.

Eu não sabia se ria ou se xingava.

— Elvis Presley. Ternos brancos com cristais, cabelos com gel e topete, a coleção de discos da vovó... *esse* Elvis?

Carter olhou em volta, nervoso. Ele sacou a espada, apesar de estarmos completamente sozinhos.

— Ele viveu e morreu aqui. Está enterrado atrás da mansão.

Eu olhei para a casa.

— Está me dizendo que Elvis era um mago?

— Não sei. — Carter segurava a espada. — Tot disse algo sobre a música ser um tipo de magia. Mas há algo errado aqui. Por que estamos sozinhos? Normalmente tem um bando de turistas.

— Férias de fim de ano? Natal?

— E a segurança?

— Não sei. Talvez seja como o que Zia fez em Luxor. Talvez Tot tenha removido todo mundo.

— Talvez. — Mas eu percebia que Carter ainda estava incomodado. Ele empurrou o portão, que se abriu com facilidade. — Não está certo — murmurou.

— Não — concordei. — Mas vamos prestar nossa homenagem.

Enquanto caminhávamos pela alameda, não pude deixar de pensar que a casa do "Rei" não era lá muito impressionante. Comparada às de alguns ricos e famosos que eu tinha visto na televisão, a de Elvis era bem pequena. Tinha apenas dois andares, com aquela entrada com colunas brancas e tijolos na fachada. Leões de gesso ridículos ladeavam a escada. Talvez as coisas fossem mais simples nos tempos de Elvis, ou ele gastava todo o dinheiro que tinha em ternos brilhantes.

Paramos ao pé da escada.

— Papai trouxe você aqui? — perguntei.

— Sim. — Carter olhou para os leões como se esperasse que eles atacassem. — Papai adora blues e jazz, principalmente, mas ele disse que Elvis era importante porque tinha tornado a música afro-americana popular entre os brancos. Ele ajudou a inventar o rock. Enfim, papai e eu estávamos na cidade para um simpósio ou coisa parecida. Não lembro. Ele fez questão de me trazer aqui.

— Sorte sua.

E sim, talvez eu estivesse começando a entender que a vida de Carter com papai não tinha sido só glamour e férias, mas, ainda assim, não conseguia deixar de sentir certa inveja. Não que algum dia eu tenha desejado conhecer Graceland, é claro, mas papai nunca tinha feito questão de me levar a lugar algum, pelo menos até a visita ao British Museum, quando ele desapareceu. Eu nem sabia que papai era fã de Elvis, o que era bem assustador.

Subimos a escada. A porta da frente se abriu sozinha.

— Não gosto disso — comentou Carter.

Eu me virei para olhar para trás e meu sangue gelou. Agarrei o braço de meu irmão.

— Carter, falando em coisas de que não gostamos...

Dois magos brandindo cajados e varinhas chegavam pela alameda.

— Entre — disse Carter. — Depressa!

Eu não tive muito tempo de admirar a casa. Havia uma sala de jantar à nossa esquerda e uma sala de estar e música à direita, com um piano e um arco de vitrais decorados com pavões. Toda a mobília estava isolada por cordas. A casa cheirava a gente velha.

— Item de poder — lembrei. — Onde?

— Não sei. — Carter se irritou. — Eles não mostram "itens de poder" no *tour* de visitação.

Olhei pela janela. Os inimigos se aproximavam. O da frente vestia jeans, camisa preta sem mangas, botas e um velho chapéu de caubói. Parecia mais um fora da lei do que um mago. O amigo dele se vestia de maneira semelhante, porém era mais encorpado, calvo, com braços tatuados e uma barba irregular. Quando estavam a uns dez metros de distância, o homem de chapéu de caubói baixou seu cajado, que se transformou em um revólver.

— Ah, não! — gritei e empurrei Carter para dentro da sala de estar.

Um disparo atravessou a porta da frente e fez meus ouvidos zumbirem. Nós nos levantamos e corremos para o fundo da casa. Passamos por uma cozinha antiga depois pela saleta mais estranha que eu já vi. A parede do fundo era de tijolos cobertos com trepadeiras e uma fonte jorrando água. O carpete era verde e felpudo (no piso *e* no teto, imagine) e a mobília era entalhada com sinistros desenhos de animais. Como se tudo isso já não fosse suficientemente horrível, macacos de gesso e leões de pelúcia ficavam estrategicamente espalhados pela sala. Apesar do perigo que corríamos, o lugar era tão horroroso que tive de parar para olhar.

— Deus. Elvis não tinha *nenhum* bom gosto?

— A Sala da Selva — informou Carter. — Ele a decorou nesse estilo para irritar o pai.

— Isso é algo que posso respeitar.

Outro tiro ecoou na casa.

— Vamos nos separar — decidiu Carter.

— Péssima ideia!

Eu já ouvia os magos andando pela casa, derrubando coisas ao se aproximar.

— Vou distraí-los — avisou Carter. — Você procura. A sala de troféus fica logo ali.

— Carter!

Mas o idiota correu para me proteger. *Odeio* quando ele faz isso. Eu devia ter ido atrás dele ou ter corrido para o outro lado, mas fiquei paralisada, em choque, enquanto ele desaparecia empunhando a espada, o corpo começando a brilhar com uma luz dourada e... deu tudo errado.

Bum! Um lampejo verde-esmeralda derrubou Carter de joelhos. Por um instante, pensei que ele tivesse levado um tiro, e tive de sufocar um grito. Mas, imediatamente, Carter caiu e começou a encolher. As roupas, a espada, tudo se fundindo em uma tripinha verde.

O lagarto, que antes era meu irmão, correu em minha direção, subiu por minha perna até minha mão e me olhou desesperado.

Uma voz áspera soou na entrada da sala.

— Vamos nos separar e encontrar a irmã. Ela deve estar em algum lugar perto daqui.

— Ah, Carter — sussurrei com afeto para o lagarto. — Vou *matar* você por causa disso.

Eu o guardei no bolso e corri.

Os dois magos continuavam derrubando e quebrando objetos nos cômodos de Graceland, tombando móveis e destruindo peças. Aparentemente, não eram fãs de Elvis.

Eu passei por baixo de algumas cordas, rastejei por um corredor e encontrei a sala de troféus. Espantosamente, o lugar estava repleto deles. Discos de ouro cobriam as paredes. Os macacões brilhosos usados por Elvis eram mantidos em quatro redomas de vidro. A sala era pouco iluminada, provavelmente para que os ternos não ofuscassem os visitantes, e uma música tocava baixinho nos alto-falantes do teto: Elvis dizendo a alguém para não pisar em seus sapatos de camurça azul.

Olhei em volta, mas não vi nada que parecesse mágico. Os macacões? Esperava que Tot não pretendesse me fazer vestir um deles. Os discos de ouro? Lindos Frisbees, mas não.

— Jerrod! — uma voz chamou à minha direita.

Um mago se aproximava pelo corredor.

Eu corri para a saída oposta, mas uma voz respondeu vinda daquele lado:

— Estou aqui.

Eu estava cercada.

— Carter — sussurrei. — Maldito seja seu cérebro de lagarto.

Ele se agitou, nervoso, em meu bolso, mas isso não ajudava.

Vasculhei minha bolsa de magia e empunhei a varinha. Devia tentar traçar um círculo mágico? Não tinha tempo e não queria enfrentar dois magos mais velhos. Precisava continuar sendo capaz de me mover. Transformei a varinha em um cajado. Podia incendiá-lo, ou transformá-lo em um leão, mas de que adiantaria? Minhas mãos começaram a tremer. Eu queria me encolher e me esconder sob a coleção de discos de ouro de Elvis.

Deixe-me assumir, pediu Ísis. *Posso transformar nossos inimigos em pó.*

Não, disse a ela.

Você vai nos matar.

Eu a sentia tentando se impor à minha vontade, tentando sair. Podia sentir sua fúria contra aqueles magos. Como eles ousavam nos desafiar? Com uma palavra poderíamos destruí-los.

Não, pensei novamente. Depois, lembrei algo que Zia dissera: "Use o que estiver disponível." A sala tinha iluminação fraca... talvez eu pudesse diminuí-la ainda mais.

— Escuridão — sussurrei.

Senti uma pressão no estômago e as luzes piscaram. A música parou. A luz continuava perdendo intensidade, até a luz do sol desapareceu das janelas, e todo o ambiente mergulhou na escuridão.

À minha esquerda, o primeiro mago bufou, irritado.

— Jerrod!

— Não fui eu, Wayne! — respondeu Jerrod. — Você sempre me culpa!

Wayne murmurou alguma frase em egípcio, ainda se deslocando em minha direção. Eu precisava distraí-lo.

Fechei os olhos e imaginei o ambiente que me cercava. Apesar da escuridão, conseguia ver Jerrod no corredor à esquerda, tropeçando às cegas. Senti Wayne do outro lado da sala, à direita, a poucos passos da porta. E conseguia visualizar as quatro redomas de vidro com as roupas do Elvis.

Estão revirando sua casa, pensei. *Defenda-a!*

A pressão no abdome aumentou, como se eu estivesse levantando um objeto muito pesado — e depois as redomas se abriram. Ouvi o farfalhar de tecido engomado, como velas de barco ao vento, e tive a vaga impressão de que quatro formas brancas estavam em movimento — duas delas se dirigiam às portas.

Wayne foi o primeiro a gritar quando as roupas vazias o atacaram. Sua arma iluminou a escuridão. À minha esquerda, Jerrod gritou, surpreso. Um baque surdo me informou que ele tinha sido derrubado. Decidi seguir na direção de Jerrod — melhor um mago desequilibrado que um armado. Passei pela porta e percorri o corredor, deixando Jerrod se debatendo atrás de mim e gritando:

— Largue-me! Solte-me!

Pegue-o enquanto ele está caído, Ísis me disse. *Reduza-o a cinzas!*

Em parte, eu sabia que ela estava com a razão. Se deixasse Jerrod inteiro, em pouco tempo ele estaria em pé e atrás de mim novamente. Mas não me parecia correto feri-lo, especialmente enquanto ele era atacado pelas roupas do Elvis. Encontrei uma porta e saí para a tarde ensolarada.

Estava no quintal de Graceland. Uma grande fonte gorgolejava perto de mim, cercada por lápides. No alto de uma delas havia uma chama dentro de uma redoma e muitas flores. Imaginei que fosse a sepultura de Elvis.

A *tumba de um mago.*

É claro. Havíamos vasculhado a casa, mas o item de poder estaria na sepultura. Mas *o que* exatamente seria esse item?

Antes que eu pudesse me aproximar do túmulo, a porta se abriu. O homem grande, careca e de barba irregular saiu cambaleando. Havia um traje de Elvis destruído pendendo de seu pescoço sobre as costas.

— Ora, ora. — O mago se livrou da roupa vazia. A voz confirmava que aquele era Jerrod. — É só uma menininha. Você nos causou muitos problemas, mocinha.

Ele baixou o cajado e disparou um raio de luz verde. Levantei minha varinha, que refletiu o raio. Ouvi um som de surpresa — o arrulhar de um pombo — e um lagarto recém-criado caiu a meus pés.

— Desculpe — eu disse à coisa.

Jerrod rosnou e jogou o cajado no chão. Ele devia ser especialista em lagartos, porque o transformou em um dragão-de-komodo do tamanho de um táxi londrino.

O monstro investiu contra mim com velocidade sobrenatural. Ele abriu as mandíbulas e teria me partido ao meio com uma mordida, e eu só tive tempo de enfiar meu cajado em sua boca.

Jerrod riu.

— Boa tentativa, menina!

Senti os dentes do dragão forçando o cajado. Era só uma questão de segundos até a madeira se partir, e então eu ia virar o lanchinho de um dragão-de-komodo. *Uma ajudinha*, eu disse a Ísis. Com cuidado, muito cuidado, tentei recorrer ao poder dela. Usá-lo sem permitir que ela assumisse o comando era como me equilibrar sobre uma prancha em uma onda gigantesca, tentando desesperadamente me manter em pé. Senti cinco mil anos de experiência, conhecimento e poder me inundando. Ela me ofereceu alternativas, e escolhi a mais simples. Canalizei o poder para o cajado e senti que ele esquentava entre minhas mãos, emitindo uma luz branca. O dragão sibilou e gorgolejou enquanto meu cajado se alongava, forçando a criatura a abrir ainda mais a boca, mais, mais, até que... *bum!*

O dragão explodiu e uma chuva de pedaços do cajado de Jerrod me atingiu.

Jerrod só teve um instante para observar aquilo, perplexo, até que arremessei minha varinha-bumerangue e o acertei na testa. Os olhos dele reviraram, e ele caiu. A varinha voltou para minha mão.

Esse teria sido um lindo final feliz... se eu não tivesse esquecido Wayne. O mago de chapéu de caubói cambaleou porta afora, quase tropeçando no amigo, mas se recuperou espantosamente depressa.

Ele gritou "Vento!", e meu cajado foi arrancado de minhas mãos, para ir parar nas dele.

Wayne sorriu com crueldade.

— Lutou bem, queridinha. Mas a magia elementar é sempre mais rápida.

Ele bateu com os dois cajados, o dele e o meu, no chão. Uma onda ergueu-se no piso como se ele fosse líquido, derrubando-me e jogando longe minha varinha. Recuei engatinhando, mas ouvia Wayne recitando um encantamento, conjurando fogo com os cajados.

Corda, disse Ísis. *Todo mago carrega uma corda.*

O pânico tinha esvaziado minha mente, mas minha mão buscou instintivamente a bolsa de magia. Tirei dali o barbante enrolado. Não era uma corda, nem era um fio muito comprido, mas despertou em mim uma lembrança — algo que Zia havia feito no British Museum. Joguei-o na direção de Wayne e gritei uma palavra sugerida por Ísis.

— *Tas!*

Um hieróglifo dourado brilhou sobre a cabeça de Wayne:

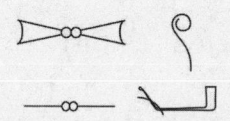

O barbante lançou-se até ele como uma serpente furiosa, adquirindo comprimento e espessura enquanto voava. Os olhos de Wayne se arregalaram. Ele recuou e projetou jatos de fogo dos dois cajados, mas o barbante era rápido demais. Enroscado em seus tornozelos, derrubou-o de lado e envolveu todo seu corpo, até que ficasse preso num casulo de barbante, apenas a cabeça de fora. O mago se debatia e gritava, chamando-me de nomes nada lisonjeiros.

Eu me levantei, cambaleando. Jerrod ainda estava inconsciente. Recuperei meu cajado, que tinha caído perto de Wayne. Ele ainda lutava contra o barbante e praguejava em egípcio, o que soava estranho com seu sotaque do sul dos Estados Unidos.

Acabe com ele, Ísis me avisou. *Ele ainda consegue falar. E não vai descansar enquanto não destruí-la.*

— Fogo! — gritou Wayne. — Água! Queijo!

Nem o comando do queijo funcionou. Percebi que a fúria desequilibrava sua magia, impossibilitando a concentração, mas sabia que ele se recuperaria depressa.

— Silêncio — pronunciei.

De repente, a voz de Wayne parou de funcionar. Ele ainda movia os lábios, mas nenhum som saía de sua garganta.

— Não sou sua inimiga — comecei. — Mas também não posso permitir que me mate.

Alguma coisa se mexeu em meu bolso e me lembrei de Carter. Tirei-o de lá. Ele parecia bem, exceto, é claro, por ainda ser um lagarto.

— Vou tentar reverter a transformação — falei. — Espero não piorar a situação.

Ele emitiu um ruído que não sugeria muita confiança.

Fechei os olhos e imaginei Carter como ele devia ser: um menino alto, de quatorze anos, malvestido, bastante humano e muito irritante. Carter começou a pesar em minha mão. Eu o coloquei no chão e vi o lagarto ganhar uma forma vagamente humana. Em três segundos meu irmão estava deitado de bruços, a espada e a bolsa ao lado dele no gramado.

Carter cuspiu um tufo de grama.

— Como fez isso?

— Não sei — confessei. — Você só parecia estar... errado.

— Muito obrigado.

Ele se levantou e verificou se todos os seus dedos estavam no lugar. Depois, quando viu os dois magos, ficou boquiaberto.

— O que fez com eles?

— Amarrei um e nocauteei o outro. Magia.

— Não, quer dizer...

Ele hesitou, procurando as palavras, depois desistiu e apontou.

Olhei para os magos e gritei. Wayne não se movia. Os olhos e a boca estavam abertos, mas ele não piscava nem respirava. Ao lado, Jerrod parecia igualmente paralisado. Diante de nossos olhos, a boca deles começou a brilhar como se estivesse cheia de fósforos acesos. Duas pequenas esferas amarelas de fogo brotaram de seus lábios e flutuaram no ar, desaparecendo sob a luz do sol.

— O que... O que era aquilo? — gaguejei. — Eles morreram?

Carter aproximou-se deles com cuidado e tocou o pescoço de Wayne.

— Nem parece pele. Parece pedra.

— Não, eles eram humanos! Eu não os transformei em pedra!

Carter pôs a mão na testa de Jerrod, onde eu o acertara com minha varinha-bumerangue.

— Está rachada.

— O quê?

Ele pegou a espada. Antes que eu pudesse gritar, meu irmão bateu com o cabo no rosto de Jerrod, e a cabeça do mago se partiu em cacos, como um vaso de cerâmica.

— Argila. Os dois são *shabti* — concluiu Carter.

Ele chutou o braço de Wayne e ouvi o estalo sob o barbante.

— Mas eles recitavam encantamentos — argumentei. — E falavam. Eram *reais*!

Vimos os *shabti* se transformarem em pó, restando apenas um emaranhado de barbante, dois cajados e algumas roupas amarrotadas.

— Tot estava nos testando — supôs Carter. — Mas aquelas bolas de fogo... — Ele se concentrou como se tentasse lembrar algo importante.

— Provavelmente, era a magia que os animava — sugeri —, que voltou para o mestre deles, como um relatório do que fizeram.

Para mim, essa teoria parecia muito lógica e consistente, mas Carter ainda estava preocupado. Ele apontou para a porta dos fundos, destruída.

— A casa inteira ficou daquele jeito?

— Pior. — Olhei para os trajes de Elvis arruinados sob as roupas de Jerrod e para as contas brilhantes espalhadas pelo chão. Elvis podia ter mau gosto, mas eu me sentia mal por ter destruído o palácio do Rei. Se o lugar era importante para meu pai... De repente, uma ideia me animou.

— O que Amós disse quando consertou aquele prato?

Carter franziu o cenho.

— Não se trata de um prato, Sadie. É uma casa inteira.

— Lembrei! Foi *hi-nehm*!

Um hieróglifo dourado ganhou vida na palma de minha mão.

Eu a ergui e soprei o símbolo na direção da casa. Todo o contorno de Graceland começou a brilhar. Os pedaços da porta voaram de volta a seus lugares e se juntaram com perfeição. Os restos das roupas de Elvis desapareceram.

— Uau — murmurou Carter. — Acha que o interior também foi consertado?

— Eu...

Minha visão ficou turva, meus joelhos dobraram. Eu teria caído e batido a cabeça no chão se Carter não tivesse me amparado.

— Tudo bem. Você fez um feitiço enorme, Sadie. Foi fabuloso.

— Mas não encontramos o que Tot nos mandou procurar.

— Sim, talvez tenhamos encontrado.

Ele apontou para o túmulo de Elvis e eu vi claramente: um objeto deixado por algum fã fervoroso — um colar cujo pingente era uma cruz com uma alça ovalada na parte superior, igual à que vi na camiseta de minha mãe, em uma fotografia antiga.

— Um *ankh*. — Mostrei a ele. — O símbolo egípcio da vida eterna.

Carter pegou o colar. Havia um papiro pequenino preso à corrente.

— O que é isso? — sussurrou ele, desenrolando a folha.

Ele a olhava tão intensamente que tive medo de que seus olhos fizessem um furo no papel.

— O que é? — Tentei olhar por cima do ombro de meu irmão.

A pintura parecia antiga. Retratava um gato dourado de pelo malhado segurando uma faca com uma das patas, cortando a cabeça de uma cobra.

Embaixo, com tinta preta, alguém escrevera: "Continue lutando!"

— Isso é vandalismo, não é? — perguntei. — Rabiscar um desenho antigo como esse! E que coisa estranha para deixar para Elvis.

Carter nem parecia me ouvir.

— Já vi esse desenho. Está em muitas sepulturas. Não sei por que nunca me ocorreu...

Estudei a imagem com mais atenção. Algo nela me parecia familiar.

— Sabe o que significa? — perguntei.

— É o Gato de Rá, enfrentando o maior inimigo do deus sol: Apófis.

— A cobra — lembrei.

— Sim, Apófis era...

— A personificação do caos — completei, lembrando o que Nut dissera.

Carter parecia impressionado, e devia mesmo estar.

— Exatamente. Apófis era ainda pior que Set. Os egípcios acreditavam que o Dia do Juízo chegaria quando Apófis comesse o sol e destruísse toda a Criação.

— Mas... o gato a matou — sugeri, esperançosa.

— O gato teve de matá-la muitas e muitas vezes. É como o que Tot disse sobre padrões que se repetem. A questão é que... uma vez perguntei a papai se o gato tinha nome. Ele respondeu que ninguém sabe ao certo, mas que muitas pessoas deduzem que seja Sekhmet, a poderosa deusa leoa. Ela era chamada de Olho de Rá, porque fazia seu trabalho sujo. Ele via o inimigo, ela o matava.

— Tudo bem. E daí?

— E daí que o gato não parece Sekhmet. Acabou de me ocorrer...

Finalmente percebi, e um arrepio percorreu minhas costas.

— O Gato de Rá parece Muffin. É Bastet.

O chão tremeu. A fonte perto da sepultura começou a brilhar, e um portal escuro se abriu.

— Vamos — chamei. — Tenho algumas perguntas para Tot. E depois, vou dar um soco naquele bico.

C
A
R
T
E
R

25. Ganhamos uma viagem com tudo pago para a morte

S*er transformado em lagarto* pode estragar seu dia. Quando passamos pelo portal, tentei disfarçar, mas não estava me sentindo nada bem.

Você deve estar pensando: Ei, você já se transformou em um falcão. Qual é o problema? Mas outra pessoa *obrigá-lo* a assumir outra forma — isso é totalmente diferente. Imagine-se dentro de um compactador de lixo, seu corpo todo encolhido em uma forma muito menor que sua mão. É doloroso e humilhante. Seus inimigos o imaginam como um estúpido e inofensivo lagarto, depois impõem a você essa visão e essa vontade, dominando seus pensamentos até que se torne aquilo que *eles* querem. Acho que podia ter sido pior. Eles podiam ter me imaginado como um morcego de frutas, mas...

É claro que me sentia grato por Sadie ter me salvado, mas também me sentia um completo fracasso. Como se não bastasse eu ter me exposto ao ridículo na quadra de basquete com um bando de babuínos. E também ter fracassado completamente na luta. Talvez tivesse me saído bem com Leroy, o monstro do aeroporto, mas diante de uma dupla de magos (mesmo que fossem de argila), eu tinha sido transformado em réptil nos primeiros dois segundos. Que chances teria contra Set?

Abandonei esses pensamentos quando emergimos do portal, porque percebi que não estávamos no escritório de Tot.

À nossa frente havia uma pirâmide de vidro e metal quase tão grande quanto as de Gizé. O horizonte da cidade de Memphis podia ser visto ao longe. Atrás de nós estavam as margens do rio Mississippi.

O sol estava se pondo, tingindo de dourado o rio e a pirâmide. Na escada diante da pirâmide, ao lado de uma estátua de faraó de uns seis metros de altura identificada como RAMSÉS, O GRANDE, Tot havia montado um piquenique com costelas e carne na brasa, pão, picles, serviço completo. Ele tocava sua guitarra com um amplificador portátil. Khufu estava ali perto, tampando os ouvidos.

— Ah, que bom. — Tot tocou uma nota que lembrava o grito de morte de um jumento doente. — Vocês sobreviveram.

Olhei a pirâmide com espanto.

— De onde veio isso? Você não... a construiu, não é?

Lembrei a viagem de meu *ba* à pirâmide vermelha de Set, e de repente comecei a imaginar deuses construindo monumentos por todo o território norte-americano.

Tot riu.

— Não precisei construí-la. O povo de Memphis fez isso. Os humanos nunca esquecem o Egito, sabe? Cada vez que constroem uma cidade à margem de um rio, relembram o passado, recuperam informações enterradas no fundo do inconsciente. Essa é a Pirâmide Arena — a sexta maior no mundo. É usada como uma arena esportiva para... Como é mesmo o nome daquele jogo de que você gosta, Khufu?

— *Agh!* — Khufu respondeu indignado, e juro que me olhou feio.

— Isso, basquete — disse Tot. — Mas a arena passou por dificuldades. Está largada há anos. Ou estava. Estou me mudando para cá. Trouxeram o *ankh*?

Por um momento, pensei se tinha sido boa ideia ajudar Tot, mas precisávamos dele. Entreguei o colar.

— Excelente — aprovou ele. — Um *ankh* do túmulo de Elvis. Magia poderosa!

Sadie cerrou os punhos.

— Quase morremos para pegar o colar. Você nos enganou.

— Não enganei. Foi um teste.

— Aquelas *coisas* — insistiu Sadie. — Os *shabti*...

— Sim, meu melhor trabalho nos últimos séculos. Uma pena quebrá-los, mas não podia permitir que vocês derrotassem magos *de verdade*, podia? Os *shabti* são excelentes dublês.

— Então você viu tudo — deduzi.

— Ah, sim. — Tot estendeu a mão. Duas pequenas bolas de fogo dançavam no centro da palma: as essências de magia que vimos sair da boca dos *shabti*. — São... gravadores, como vocês chamariam. Tenho um relatório completo. Você derrotou o *shabti* sem matá-lo. Devo admitir que fiquei impressionado, Sadie. Controlou sua magia e controlou Ísis. E você, Carter, saiu-se bem ao se transformar em lagarto.

Achei que estivesse debochando de mim. Depois, percebi que havia uma sincera solidariedade em seus olhos, como se meu fracasso tivesse sido um tipo de teste.

— Vai encontrar inimigos piores, Carter — ele me preveniu. — Agora mesmo, a Casa da Vida está enviando o que tem de melhor atrás de você. Mas também encontrará amigos onde menos espera.

Não sei por que, mas tive a sensação de que ele falava sobre Zia... ou talvez isso fosse apenas o que eu queria.

Tot se levantou e entregou a guitarra a Khufu. Ele jogou o *ankh* na direção da estátua de Ramsés e o colar ficou pendurado no pescoço do faraó.

— Aí está, Ramsés — Tot falou para a estátua. — À nossa nova vida.

A estátua brilhou levemente, como se o pôr do sol tivesse se tornado dez vezes mais radiante. O brilho se espalhou por toda a pirâmide antes de desaparecer.

— Ah, sim — Tot falava sozinho. — Acho que serei feliz aqui. Na próxima visita de vocês, terei um laboratório muito maior.

A ideia era assustadora, mas tentei me manter focado.

— Não foi só isso que encontramos — revelei. — Precisa nos explicar *isto*. — Mostrei a pintura do gato e da cobra.

— São um gato e uma cobra — disse Tot.

— Muito obrigado, deus da sabedoria. Você deixou isso lá para ser encontrado por nós, não foi? Está tentando nos dar algum tipo de pista.

— Quem, eu?

Acabe com ele de uma vez, disse Hórus.
Cale a boca, respondi.
Pelo menos acabe com a guitarra.

— O gato é Bastet — afirmei, tentando ignorar minha psique falcão. — Isso tem alguma coisa a ver com o motivo pelo qual os nossos pais libertaram os deuses?

Tot apontou para os pratos do piquenique.

— Já disse que estamos fazendo churrasco?

Sadie bateu o pé.

— Fizemos um acordo, Ja-hooty!

— Sabe... eu gosto desse nome — comentou Tot —, mas não gosto tanto quando *você* o pronuncia. Creio que nosso acordo era que eu explicaria como usar o livro de encantamentos. Posso?

Ele estendeu a mão. Relutante, tirei o livro da bolsa e o entreguei a ele. Tot folheou o livro.

— Ah, isso me confunde. Tantas fórmulas! Nos velhos tempos, acreditávamos no ritual. Um bom encantamento podia levar semanas para ser preparado, com ingredientes exóticos do mundo todo.

— Não temos semanas — retruquei.

— Pressa, pressa, pressa — suspirou Tot.

— *Agh!* — concordou Khufu, cheirando a guitarra.

Tot fechou o livro e o devolveu a mim.

— Bem, isso é um encantamento para destruir Set.

— Sim, *sabemos* disso — manifestou-se Sadie. — Vai destruí-lo para sempre?

— Não, não. Mas vai destruir sua forma no mundo, bani-lo para o fundo do Duat e reduzir seu poder, de maneira que ele não possa aparecer de novo por muito, muito tempo. Séculos, provavelmente.

— Parece bom — aprovei. — E como lemos o livro?

Tot me olhou como se a resposta fosse óbvia.

— Não vão fazer isso agora, porque as palavras só podem ser ditas na presença de Set. Uma vez diante dele, Sadie deve abrir o livro e recitar o encantamento. Ela saberá o que fazer quando chegar a hora.

— Certo — disse Sadie. — E Set vai ficar ali parado enquanto eu leio as palavras que serão seu fim.

Tot deu de ombros.

— Eu não disse que seria fácil. Ah, e vocês vão precisar de dois ingredientes para o encantamento funcionar: um ingrediente verbal, o nome secreto de Set...

— O *quê?* — protestei. — E como vamos descobri-lo?

— Com dificuldade, imagino. Não podem simplesmente ler um nome secreto em um livro. O nome precisa sair dos lábios daquele que o tem, pronunciado por ele próprio, para dar poder àquele que o escuta.

— Ótimo — ironizei. — Então vamos obrigar Set a nos dizer seu nome secreto.

— Ou enganá-lo — sugeriu Tot. — Ou convencê-lo.

— Não há outro jeito? — perguntou Sadie.

Tot limpou uma mancha de tinta de seu jaleco. Um hieróglifo transformou-se em mosca e voou para longe.

— Suponho que... sim. Vocês podem perguntar à pessoa mais próxima a Set, à pessoa que mais o ama. Ela também é capaz de pronunciar o nome.

— Mas ninguém ama Set! — exclamou Sadie.

— A mulher dele — deduzi. — Aquela outra deusa, Néftis.

Tot assentiu.

— Ela é uma deusa dos rios. Talvez possam encontrá-la em algum.

— Isso está ficando cada vez melhor — resmunguei.

Sadie franziu as sobrancelhas para Tot.

— Você disse que havia outro ingrediente.

— Um ingrediente físico — confirmou ele. — Uma pena da verdade.

— Uma o quê? — Sadie estranhou.

Mas eu sabia do que ele estava falando, e meu coração ficou apertado.

— Do Mundo dos Mortos, você quer dizer.

Tot se animou.

— Exatamente.

— Espere — interrompeu Sadie. — Do que ele está falando?

Tentei disfarçar o medo.

— No Egito Antigo, quando alguém morria, tinha de fazer a viagem para o Mundo dos Mortos — expliquei. — Uma jornada *realmente* perigosa. Finalmente, você chegava ao Salão do Julgamento, onde sua vida era pesada na Balança de Anúbis: o coração de um lado, a pena da verdade do outro. Quem passava nesse teste era abençoado com a felicidade eterna. Quem era reprovado tinha o coração devorado por um monstro e deixava de existir.

— Ammit, o Devorador — comentou Tot com um tom distante. — Uma gracinha.

Sadie piscou.

— Então, precisamos pegar uma pena nesse Salão do Julgamento. *Como*, exatamente?

— Talvez Anúbis esteja de bom humor — sugeriu Tot. — Acontece de vez em quando, a cada mil anos, aproximadamente.

— Mas como podemos chegar ao Mundo dos Mortos? — perguntei. — Quer dizer... sem estarmos mortos.

Tot olhou para o horizonte a oeste, onde o sol se punha tingindo o céu de vermelho-sangue.

— Descendo o rio à noite, acho. É assim que a maioria das pessoas chega lá. Eu usaria um barco. Vocês vão encontrar Anúbis no final do rio... — Ele apontou para o norte, mas mudou de ideia e apontou para o sul. — Esqueçam, os rios correm para o sul aqui. Tudo é ao contrário.

— *Agh!*

Khufu deslizou os dedos pela corda da guitarra e soltou um acorde bem rock'n'roll. Depois, abaixou-se como se nada tivesse acontecido e colocou a guitarra no chão. Sadie e eu apenas olhamos para ele, mas Tot assentiu como se o babuíno tivesse dito algo muito profundo.

— Tem certeza, Khufu? — perguntou Tot.

O babuíno grunhiu.

— Muito bem. — Tot suspirou. — Khufu diz que gostaria de ir com vocês. Já sugeri que ficasse para digitar minha tese de doutorado em física quântica, mas ele não aceitou a proposta.

— Não sei por quê — comentou Sadie. — É bom saber que teremos a companhia de Khufu, mas onde vamos encontrar um barco?

— Vocês têm o sangue dos faraós — lembrou Tot. — Faraós sempre têm acesso a um barco. Certifiquem-se apenas de usá-lo com sabedoria.

Ele olhou para o rio. Aproximando-se da margem vinha um antigo vapor com rodas de pás soltando fumaça pelas chaminés.

— Desejo a vocês uma boa viagem — disse Tot. — Até a próxima.

— Quer que embarquemos *naquilo*? — perguntei.

Mas, quando me virei para Tot, ele tinha desaparecido. E tinha levado o churrasco.

— Maravilha — resmungou Sadie.

— *Agh!* — Khufu concordou.

Ele nos segurou pela mão e nos levou para a margem do rio.

26. A bordo do *Rainha Egípcia*

CONSIDERANDO O QUE SE PODERIA ESPERAR de uma viagem ao Mundo dos Mortos, até que o barco era bem legal. Tinha vários conveses com balaustradas ornamentadas pintadas de verde e preto. As rodas laterais reviravam o rio formando uma espuma densa, e, ao lado da casa das máquinas, o nome da embarcação brilhava em letras douradas: RAINHA EGÍPCIA.

À primeira vista, você ia pensar que o barco era só uma atração turística: um cassino flutuante ou um cruzeiro para idosos. No entanto, olhando com mais atenção, você começava a notar detalhes estranhos. O nome do barco estava escrito em demótico e em hieróglifos sob as palavras em inglês. Das chaminés brotava fumaça brilhante, como se os motores queimassem ouro. Bolas de fogo multicolorido flutuavam pelo convés. E na proa do barco, dois olhos pintados se moviam e piscavam, vigiando o rio em busca de possíveis problemas.

— Que esquisito — murmurou Sadie.

Eu assenti.

— Já vi olhos pintados em barcos antes. Ainda fazem isso no Mediterrâneo. Mas, normalmente, eles não se movem.

— O quê? Não, não aqueles olhos idiotas. A mulher no convés mais alto. Aquela não é... — Sadie sorriu. — Bastet!

Sim, nossa felina preferida se debruçava na janela da cabine do comandante. Eu me preparava para acenar quando notei a criatura ao lado de Bastet, segurando o leme. Tinha o corpo de um humano e vestia um uniforme branco de capitão. Mas, no lugar da cabeça, o que saía da gola do uniforme era um machado de duas lâminas. E não estou falando de um machado pequeno de cortar lenha. Estou falando de um *machado de guerra*: duas lâminas em meia-lua, uma na frente, onde deveria haver um rosto, outra atrás, o fio com manchas muito suspeitas de um líquido vermelho que respingou e secou.

O navio parou no píer. Bolas de fogo começaram a se mover de um lado para o outro — baixando a prancha de embarque, amarrando cordas e fazendo basicamente todo o trabalho da tripulação. Como eles conseguiam tudo isso sem mãos e sem incendiar tudo, não sei, mas aquela foi a coisa mais estranha que vi em uma semana.

Bastet desceu da cabine. Ela nos abraçou quando embarcamos — incluindo Khufu, que tentou retribuir o gesto de afeto catando alguns piolhos.

— Fico feliz por terem sobrevivido! — Bastet nos disse. — O que aconteceu?

Contamos o básico, e os cabelos dela se arrepiaram novamente.

— Elvis? *Gah!* Tot está ficando cruel com a idade. Bem, não posso dizer que é uma alegria estar a bordo deste barco novamente. *Odeio* água, mas suponho que...

— Já esteve neste barco? — perguntei.

O sorriso de Bastet tremeu.

— Um milhão de perguntas, como sempre. Mas vamos comer primeiro. O capitão nos aguarda.

Eu não estava ansioso por conhecer um machado gigante, nem animado para mais um jantar de queijo-quente e Friskies, mas seguimos Bastet até o interior do barco.

A sala de jantar era ricamente decorada ao estilo egípcio. Painéis coloridos retratando deuses cobriam as paredes. Colunas douradas sustentavam o teto. Uma longa mesa de refeições oferecia todo o tipo de alimento que alguém podia desejar: sanduíches, pizzas, hambúrgueres, comida mexicana, tudo. Era uma compensação mais do que razoável pelo churrasco de Tot, que tínhamos perdido. Sobre uma mesa auxiliar havia um balde de gelo, uma fileira de cálices dourados e uma máquina de refrigerante com umas vinte opções. As cadeiras de mogno eram entalhadas de forma a parecerem babuínos, o que me fez lembrar a Sala da Selva em Graceland, mas Khufu pareceu gostar delas. Ele gritou com sua cadeira, só para mostrar quem mandava ali, depois se sentou. Khufu pegou um abacate de uma cesta de frutas e começou a descascá-lo.

Do outro lado da sala, uma porta se abriu e o homem-machado entrou. Ele teve de se abaixar para passar sob o batente.

— Lorde e Lady Kane — disse o capitão se curvando.

A voz dele era uma vibração que ressoava na lâmina frontal de sua cabeça de machado. Uma vez, vi um vídeo de um cara tirando música de uma serra, batendo nela com um martelo, e era esse tipo de som que tinha a voz do capitão.

— É uma honra tê-los a bordo.

— Lady Kane — repetiu Sadie. — Gosto disso.

— Eu sou Lâmina Suja de Sangue — o capitão se apresentou. — Quais são as ordens?

Sadie levantou uma sobrancelha para Bastet.

— Ele espera ordens nossas?

— Desde que sejam razoáveis, sim — confirmou Bastet. — Ele serve a sua família. Seu pai... — Ela pigarreou. — Bem, seu pai e sua mãe conjuraram este barco.

O homem-machado emitiu um som desaprovador.

— Não contou a eles, deusa?

— Vou chegar lá — resmungou ela.

— Não nos contou o quê? — perguntei.

— Apenas detalhes. O barco pode ser conjurado uma vez por ano, e só em tempos de grande necessidade. Agora precisam dar as ordens ao capitão. Ele precisará receber orientações claras se quisermos proceder, ah, com *segurança*.

Tentei adivinhar o que incomodava Bastet, mas o homem-machado aguardava nossas ordens, e as manchas de sangue seco em suas lâminas sugeriam que era melhor não fazê-lo esperar muito.

— Precisamos visitar o Salão do Julgamento — informei a ele. — Leve--nos ao Mundo dos Mortos.

Lâmina Suja de Sangue vibrou, pensativo.

— Tomarei as providências, Lorde Kane, mas vai levar algum tempo.

— Não temos tempo. — Eu olhei para Sadie. — Hoje é... o quê? Noite de vinte e sete de dezembro?

Ela assentiu.

— Depois de amanhã, quando o sol nascer, Set completará sua pirâmide e destruirá o mundo, a menos que o impeçamos. Portanto, sim, Capitão Lâmina Muito Grande ou seja lá qual for seu nome, estamos com um pouco de pressa.

— Faremos, é claro, o melhor que pudermos — respondeu Lâmina Suja de Sangue, embora sua voz soasse um pouco, hum, cortante. — A tripulação vai preparar seus aposentos. Querem comer enquanto esperam?

Olhei para a mesa cheia de comida e percebi que estava com muita fome. Não comia desde o lanche no Monumento a Washington.

— Sim, hum, obrigado, LSS.

O capitão se curvou novamente, o que o fez parecer uma guilhotina. Depois, ele se retirou e nos deixou com a refeição.

No início, eu estava ocupado demais comendo, por isso não falava. Devorei um sanduíche de rosbife, dois pedaços de torta de cereja com sorvete, e três cálices de *ginger ale* antes de, finalmente, parar para respirar.

Sadie não comeu tanto. Tinha almoçado no avião. Comeu um sanduíche de queijo com pepino e tomou uma daquelas bebidas inglesas de que gosta, um Ribena. Khufu escolheu cuidadosamente tudo que terminava com o — Doritos, Oreos e alguns pedaços de carne. Búfalo? Carneiro? Eu nem queria pensar.

As bolas de fogo flutuavam atenciosas pela sala, enchendo nossos cálices e tirando os pratos quando terminávamos de comer.

Depois de tantos dias apenas lutando para sobreviver, era bom poder sentar à mesa, fazer uma boa refeição e relaxar. O capitão informou que poderia nos levar imediatamente ao Mundo dos Mortos, e essa foi a melhor notícia que eu recebia em um bom tempo.

— *Agh!*

Khufu limpou a boca e agarrou uma das bolas de fogo. Ele deu às chamas a forma de uma bola de basquete e fez uma careta para mim.

Pela primeira vez, tive certeza do que ele queria dizer em babuíno. Não era um convite. Significava algo como: *Agora vou jogar basquete sozinho. Não vou convidar você, porque sua falta de habilidade vai me fazer vomitar.*

— Tudo bem, cara — respondi, embora sentisse o rosto arder de vergonha. — Divirta-se.

Khufu bufou, depois pulou da cadeira com a bola de basquete embaixo do braço. Talvez ele encontrasse uma quadra em algum lugar a bordo.

Na ponta da mesa, Bastet empurrou o prato quase intocado de Friskies de atum.

— Sem apetite? — perguntei.

— *Hum?* Ah, acho que sim.

Ela girava o cálice sem muito interesse. Sua expressão não era muito comum em gatos: culpa.

Sadie e eu nos entreolhamos. Travamos uma conversa breve e silenciosa, mais ou menos assim:

Pergunte você.

Não, você.

Sadie é muito melhor na arte de lançar olhares ameaçadores, por isso perdi a disputa.

— Bastet? — comecei. — O que o capitão queria que você nos dissesse?

Ela hesitou.

— Ah, aquilo? Não deviam ficar ouvindo demônios. Lâmina Suja de Sangue é obrigado a servir pela força da magia, mas, se um dia se libertar, vai usar aquele machado em todos nós, acreditem em mim.

— Está mudando de assunto — acusei-a.

Bastet deslizou um dedo pela beirada da mesa, desenhando hieróglifos na condensação deixada pelo cálice.

— A verdade? Não subo a bordo desde a noite em que sua mãe morreu. Seus pais haviam atracado no Tâmisa. Depois do... acidente, seu pai me trouxe para cá. E foi aqui que selamos nosso acordo.

Ali, naquela mesa. Sim, era isso o que ela dizia. Meu pai tinha se sentado ali, desesperado depois da morte de mamãe... sem ninguém para consolá-lo, exceto a deusa gata, um demônio-machado e um bando de luzes flutuantes.

Estudei o rosto de Bastet na penumbra. Pensei no desenho que tínhamos encontrado em Graceland. Mesmo na forma humana, Bastet ainda era muito parecida com aquele gato — um gato desenhado por um artista milhares de anos atrás.

— Não era só um monstro do caos, era? — perguntei.

Bastet olhou para mim.

— O que quer dizer?

— A coisa contra a qual você estava lutando quando nossos pais a libertaram do obelisco. Não era só um monstro do caos. Você lutava contra Apófis.

A intensidade das luzes diminuiu. Uma das bolas de fogo derrubou um prato e tremulou nervosa.

— Não mencione o nome da Serpente — Bastet me repreendeu. — Especialmente quando nos encaminhamos para a noite. A noite é o reino dele.

— É verdade, então — concluiu Sadie, balançando a cabeça com desânimo. — Por que não disse nada? Por que mentiu?

Bastet baixou os olhos. Sentada na penumbra, ela parecia frágil e cansada. Seu rosto era marcado por muitas cicatrizes de velhas batalhas.

— Eu era o Olho de Rá — disse ela, em voz baixa. — A defensora do deus sol, o instrumento de sua vontade. Tem ideia de quanto isso era honroso?

Ela estendeu as garras e as estudou.

— Quando as pessoas veem imagens do gato guerreiro de Rá, presumem ser Sekhmet, a leoa. E ela *foi* sua primeira defensora, é verdade. Mas era muito violenta, descontrolada. Sekhmet acabou sendo forçada a abdicar do posto, e Rá *me* escolheu para ser sua guerreira: eu, a pequena Bastet.

— Por que fala como se estivesse envergonhada? — Sadie quis saber. — Você disse que era uma honra.

— No início, fiquei orgulhosa. Lutei contra a Serpente por eras. Gatos e cobras são inimigos mortais. Fiz meu trabalho com muita competência.

Mas, depois, Rá se retirou para o céu. Com seu último encantamento, me prendeu-me à Serpente. Ele nos lançou naquele abismo, onde fui encarregada de mantê-la presa para sempre.

De repente, percebi algo importante.

— Você *não era* uma prisioneira *qualquer*. Você nunca foi uma prisioneira sem importância. Ficou presa por mais tempo que a maioria dos deuses.

Ela fechou os olhos.

— Ainda lembro as palavras de Rá: "Minha gata leal. Esse é seu maior dever." E me orgulhei disso... por séculos. E milênios. Podem imaginar como era? Lâminas contra presas, rasgando e lutando, uma guerra infinita na escuridão. Fomos enfraquecendo, perdendo a força vital, minha inimiga e eu, e comecei a perceber que este era o plano de Rá. Nós nos destruiríamos, nós nos reduziríamos a nada, e o mundo ficaria seguro. Só assim Rá poderia se retirar em paz, sabendo que o caos não se imporia ao Maat. E eu teria cumprido meu dever. Não tinha escolha. Até seus pais...

— Oferecerem uma possibilidade de fuga — deduzi. — E você a aceitou.

Bastet me olhou desolada.

— Sou a rainha dos gatos. Tenho muitas habilidades. Mas, para ser honesta, Carter... os gatos não são muito corajosos.

— E Ap... o inimigo?

— Ficou preso no abismo. Seu pai e eu nos certificamos disso. A Serpente já estava bem enfraquecida por eras de luta, e quando sua mãe usou a força da própria vida para fechar o abismo, bem... Ela realizou uma magia poderosa. Não é possível a Serpente romper aquele tipo de lacre. Mas, com o passar dos anos... bem, nós fomos perdendo a certeza de que a prisão seria suficiente para reter o inimigo. Se ele conseguisse escapar e recuperar sua força, nem imagino o que poderia acontecer. E a culpa seria minha.

Tentei imaginar a serpente, Apófis — uma criatura do caos ainda pior que Set. Imaginei Bastet com suas lâminas, presa em um combate de milênios contra aquele monstro. Talvez eu devesse ficar furioso por Bastet não nos ter contado a verdade antes. Mas, em vez disso, sentia pena dela. Bastet tinha sido posta na mesma posição em que estávamos: forçada a cumprir uma missão que era grandiosa demais para ela.

— Então, por que meus pais a libertaram? — perguntei. — Eles contaram?

Ela assentiu devagar.

— Eu estava perdendo a briga. Seu pai me disse que sua mãe havia previsto... coisas horríveis, se a Serpente me derrotasse. Eles precisavam me libertar, dar tempo para que eu me recuperasse. Disseram que esse era o primeiro passo para a restauração dos deuses. Não tenho a pretensão de entender o plano completo. Fiquei aliviada com a oferta de seu pai e então a aceitei, é claro. E me convenci de que fazia o que era certo pelos deuses. Mas isso não muda o fato de que fui covarde. Deixei de cumprir meu dever.

— Não é sua culpa — eu disse a ela. — Não foi justo o que Rá exigiu de você.

— Carter tem razão — opinou Sadie. — Era um sacrifício grande demais para uma pessoa só... ou uma deusa gata, no seu caso.

— Era a vontade de meu rei — retrucou Bastet. — O faraó pode comandar seus súditos pelo bem do reino, pode exigir até que sacrifiquem a vida, e eles devem obedecer. Hórus sabe disso. Ele foi faraó muitas vezes.

É verdade, Hórus falou.

— Então você tinha um rei estúpido — concluí.

O barco tremeu como se uma das rodas tivesse se chocado contra um banco de areia.

— Cuidado, Carter — Bastet me repreendeu. — O Maat, a ordem da Criação, depende da lealdade ao rei certo. Se você a questiona, pode sofrer a influência do caos.

Eu me sentia frustrado, com vontade de quebrar alguma coisa. Queria gritar que a ordem nem parecia ser muito melhor que o caos, se você precisava se matar por ela.

Está sendo infantil, Hórus me censurou. *Você é um servo do Maat. Esses pensamentos são inadequados.*

Meus olhos ardiam.

— Talvez então eu *seja* inadequado.

— Carter? — Sadie estranhou.

— Não é nada — respondi. — Vou me deitar.

Saí da sala sem olhar para trás. Uma das luzes me seguiu, guiando-me até minha cabine no andar de cima. Devia ser um espaço bem legal. Não prestei atenção. Só me joguei na cama e apaguei.

Eu precisava muito de um travesseiro mágico extraforte, porque meu *ba* não parava quieto. [Não, Sadie, não acho que enrolar minha cabeça com fita isolante pudesse ajudar.]

Meu espírito flutuou até a cabine de comando do barco a vapor, mas não era Lâmina Suja de Sangue que estava ao leme. Um jovem com armadura de couro comandava a embarcação. Seus olhos estavam delineados com *kohl* e sua cabeça era calva, exceto por uma trança na parte de trás. O cara se exercitava muito, com certeza, porque seus braços eram definidos. Uma espada como a minha estava presa a sua cintura.

— O rio é traiçoeiro — ele me disse com uma voz familiar. — O piloto não pode se distrair. Precisa estar sempre alerta para os bancos de areia e outros perigos ocultos. Por isso os barcos têm meus olhos pintados neles. Para que os perigos sejam vistos.

— Olhos de Hórus — deduzi. — Você.

O deus falcão olhou para mim e vi que seus olhos eram de cores diferentes — um deles amarelo-ouro como o sol, o outro prateado como a lua. O efeito era tão desorientador que tive de desviar o olhar. E quando fiz isso, notei que a sombra de Hórus não era igual à sua forma. No piso da cabine havia o contorno de um falcão gigantesco.

— Você está se perguntando se a ordem é melhor que o caos — afirmou ele. — E se distrai de nosso verdadeiro inimigo: Set. Devia levar uma boa lição.

Eu estava preste a dizer: Não, de verdade, já entendi.

Mas, antes que eu pudesse falar, meu *ba* foi levado para longe. De repente, eu estava em um avião — uma aeronave grande, de viagens internacionais, como as que meu pai e eu havíamos tomado milhões de vezes. Zia Rashid, Desjardins e dois outros magos viajavam espremidos em uma fileira do meio, cercados por famílias com crianças berrando. Zia não parecia se incomodar. Ela meditava serenamente, de olhos fechados, enquanto

Desjardins e os outros dois homens pareciam tão desconfortáveis que eu quase senti vontade de rir.

O avião sacudiu. Desjardins derrubou vinho na roupa. O aviso de apertar os cintos piscou e uma voz soou no sistema de som:

— Aqui é o capitão. Parece que vamos enfrentar pequena turbulência no pouso em Dallas, por isso vou pedir aos comissários de bordo...

Bum! Um estrondo sacudiu as janelas. Um relâmpago seguido imediatamente pelo trovão.

Zia abriu os olhos.

— O Lorde Vermelho.

Os passageiros gritaram quando o avião despencou várias centenas de metros.

— *Il commence!* — Desjardins gritou no meio da confusão. — Depressa!

O avião sacudia, os passageiros gritavam e se agarravam aos assentos. Desjardins se levantou e abriu o bagageiro.

— Senhor! — gritou uma comissária. — Senhor, sente-se!

Desjardins a ignorou. Ele pegou quatro bolsas familiares — *kits* de ferramentas mágicas — e as distribuiu entre os colegas.

Então, as coisas realmente desandaram. Um horrível baque sacudiu a cabine e o avião se inclinou para o lado. Pelas janelas à direita, vi a asa ser arrancada do lado de fora por uma rajada de vento de uns 700 km/h.

O interior da aeronave mergulhou no caos, com bebidas, livros e sapatos voando em todas as direções, máscaras de oxigênio caindo e se enroscando, pessoas gritando.

— Protejam os inocentes! — ordenou Desjardins.

O avião começou a tremer e rachaduras apareceram nas janelas e na fuselagem. Os passageiros mergulharam no silêncio, na inconsciência provocada pela despressurização repentina. Os quatro magos ergueram suas varinhas quando o avião se partiu em pedaços.

Por um momento, os magos flutuaram num redemoinho de nuvens de tempestade, pedaços de fuselagem, bagagens e passageiros ainda presos aos assentos. Depois, um brilho branco os cercou, uma bolha de energia que desacelerou o desmantelamento do avião e manteve os pedaços orbitando dentro de si. Desjardins estendeu a mão e uma nuvem se prolongou na direção dele, um tentáculo de algodão branco, como uma linha de proteção. Os outros magos fizeram o mesmo, e a tempestade cedeu à vontade deles. O vapor branco os envolveu, e mais tentáculos, como se fossem nuvens em forma de funil, iam resgatando pedaços do avião e os unindo.

Uma criança despencou ao lado de Zia. Ela apontou seu cajado e recitou um encantamento. Uma nuvem envolveu a garotinha e a levou de volta. Logo os quatro magos construíram o avião em torno deles, selando as fendas com teias de nuvem até que toda a cabine estivesse cercada por um casulo de vapor. Do lado de fora, a tempestade continuava e os trovões se sucediam, mas os passageiros dormiam tranquilos em seus assentos.

— Zia! — gritou Desjardins. — Não conseguiremos manter isso por muito tempo.

Zia passou correndo por ele a caminho do painel de comando. A frente do avião, de alguma forma, sobrevivera intacta à explosão. A entrada estava fechada, mas o cajado de Zia brilhou e a porta derreteu como cera. Ela entrou na cabine e encontrou os três pilotos inconscientes. A imagem na janela foi o suficiente para me dar enjoo. Através das nuvens em movimento, o chão se aproximava depressa, *muito* depressa.

Zia bateu com o cajado no painel de controle. Uma energia vermelha percorreu os mostradores. Ponteiros giraram, medidores piscaram e o altímetro se estabilizou. O nariz do avião subiu, a velocidade foi reduzida. Vi Zia conduzir o avião para um pasto e aterrissar sem solavanco algum. Depois, seus olhos se reviraram nas órbitas e ela caiu.

Desjardins a encontrou e a pegou nos braços.

— Depressa — disse aos colegas —, logo os mortais vão acordar.

Ele levou Zia para fora da cabine de comando, e meu *ba* foi arrastado por uma confusão de imagens.

Vi Phoenix novamente — ou pelo menos *alguma* parte da cidade. Uma violenta tempestade de areia vermelha varria o vale, engolindo prédios e montanhas. O vento forte e quente carregava as gargalhadas de Set, revelando seu poder.

Eu vi o Brooklyn: a casa de Amós no rio East destruída e uma tempestade de inverno castigando a área, cobrindo tudo de gelo e provocando inundações.

Depois, vi um lugar que eu não reconhecia: um rio cortando um cânion no deserto. O céu era um manto de nuvens negras e a superfície do rio parecia borbulhar. Algo se movia sob a água, algo grande, mau e poderoso — e eu sabia que aquilo esperava por mim.

Isso é só o começo, Hórus me avisou. *Set vai destruir todos de quem você gosta. Acredite em mim, eu sei.*

O rio se tornou um pântano de juncos altos. O sol ardia no céu. Cobras e crocodilos deslizavam pela água. Na margem havia um casebre de telhado de sapê. Do lado de fora, uma mulher e uma criança de uns dez anos examinavam um sarcófago em péssimas condições. Era possível ver que o esquife já tinha sido uma obra de arte — com ouro e pedras preciosas —, mas agora estava rachado e coberto de sujeira.

A mulher deslizou as mãos pela tampa do caixão.

— Finalmente.

O rosto era o de minha mãe: olhos azuis e cabelos cor de caramelo, mas brilhava com uma aura mágica, e eu soube que estava olhando para a deusa Ísis.

Ela olhou para o menino.

— Procuramos por tanto tempo, meu filho. Finalmente o recuperamos. Vou usar minha magia para devolver a vida a ele!

— Papai? — O menino olhava perplexo para o caixão. — Ele está mesmo aí dentro?

— Sim, Hórus. E agora...

De repente, o casebre explodiu em chamas. O deus Set surgiu do inferno — um poderoso guerreiro de pele vermelha com olhos negros penetrantes. Ele usava a coroa dupla do Egito e as vestes de um faraó. Nas mãos dele, fumegava um cajado de ferro.

— Encontrou o caixão, não é? Que bom para você — disse ele.

Ísis ergueu as mãos para o céu. Ela invocou os raios contra o deus do caos, mas o cajado de Set absorveu o impacto e o devolveu. Arcos de eletricidade atingiram a deusa, que caiu.

— Mãe! — O menino sacou uma faca e investiu contra Set. — Vou matar você!

Set gargalhou. Ele se esquivou com grande facilidade, chutou o garoto com violência e derrubou-o no chão de terra.

— Você é corajoso, sobrinho — admitiu Set. — Mas não vai viver o bastante para me desafiar. Quanto a seu pai, preciso me livrar dele em caráter mais... permanente.

Set bateu com o cajado na tampa do caixão.

Ísis gritou ao ver o caixão rachar como gelo.

— Faça um pedido. — Set soprou, e os fragmentos o caixão voaram para o céu, espalhando-se em todas as direções. — Pobre Osíris, despedaçado, espalhado por todo o Egito. E quanto a você, irmã Ísis... fuja! Isso é o que você faz melhor!

Set deu um passo à frente. Ísis segurou a mão do filho e eles se transformaram em aves e voaram para longe dali.

A cena desapareceu e eu voltei ao barco. O sol se erguia rapidamente enquanto cidades e embarcações passavam depressa, e a margem do rio Mississippi, era uma confusão de luz e sombras.

— Ele destruiu meu pai — Hórus me contou. — E vai fazer o mesmo com o seu.

— Não — eu disse.

Hórus cravou em mim aqueles olhos estranhos — um dourado, outro prateado.

— Minha mãe e tia Néftis passaram anos procurando os pedaços do caixão e do corpo de meu pai. Quando conseguiram reunir todos eles, quatorze, meu primo Anúbis ajudou a reconstituir meu pai com faixas de múmia, mas a magia de minha mãe não conseguia trazê-lo de volta à vida. Não como deveria. Osíris se tornou um deus morto-vivo, uma sombra de meu pai, alguém que só poderia governar no Duat. Mas perdê-lo me encheu de ira. A ira me deu força para derrotar Set e tomar o trono. Você deve fazer o mesmo.

— Não quero um trono — retruquei. — Quero meu pai.

— Não se engane. Set só está brincando com você. Ele o levará ao desespero, e o sofrimento vai enfraquecer você.

— Preciso salvar meu pai!

— Essa não é sua missão — censurou-me Hórus. — O mundo está correndo risco. Agora, acorde!

Sadie sacudia meu braço. Ela e Bastet estavam debruçadas sobre mim e pareciam preocupadas.

— O que é? — perguntei.

— Chegamos — anunciou Sadie, nervosa.

Ela trocara de roupa, e agora vestia um traje de linho limpo, preto, combinando com os coturnos. Conseguira tingir os cabelos, e as mechas ficaram azuis.

Eu me sentei e percebi que estava descansado pela primeira vez em uma semana. Minha alma podia ter viajado, mas meu corpo havia dormido muito. Olhei pela janela do barco. Lá fora, a escuridão era total.

— Por quanto tempo eu dormi? — perguntei.

— Viajamos por boa parte do Mississippi e entramos no Duat — respondeu Bastet. — Agora estamos nos aproximando da Primeira Catarata.

— Primeira Catarata? — repeti.

— A entrada — respondeu Bastet, séria — do Mundo dos Mortos.

27. Um demônio com amostras grátis

Eu? Dormi como se estivesse morta, o que esperava não ser um sinal do que estava por vir.

Dava para perceber que a alma de Carter tinha perambulado por alguns lugares pavorosos, mas ele nada falava sobre a experiência.

— Viu Zia? — perguntei. Ele reagiu tão surpreso que nem precisei de uma resposta. — Eu sabia — concluí.

Seguimos Bastet até a cabine do barco, onde Lâmina Suja de Sangue estudava um mapa enquanto Khufu pilotava.

— O babuíno está ao leme — notei. — Devo ficar preocupada?

— Silêncio, por favor, Lady Kane. — Lâmina Suja de Sangue deslizava um dedo por uma longa faixa de um mapa em papiro. — Este é um trabalho delicado. Dois graus a estibordo, Khufu.

— Agh! — Khufu respondeu.

O céu já estava escuro, e à medida que seguimos adiante, as estrelas desapareceram. O rio se tingiu da cor do sangue. As trevas engoliram o horizonte, e ao longo das margens as luzes das cidades deram lugar a fogueiras bruxuleantes, depois se apagaram por completo.

A única iluminação vinha das bolas de fogo e da fumaça que brotava das chaminés, cercando-nos com seu brilho metálico.

— Deve ser logo ali na frente — anunciou o capitão.

Na penumbra, a lâmina manchada de sangue parecia ainda mais assustadora.

— Que mapa é esse? — perguntei.

— *Feitiços para chegar à luz do dia* — respondeu ele. — Não se preocupe. É uma boa edição.

Olhei para Carter, esperando uma tradução.

— Muitas pessoas o chamam de *O livro dos mortos* — ele me disse. — Os egípcios ricos eram quase sempre enterrados com uma cópia, para que pudessem encontrar o caminho pelo Duat para o Mundo dos Mortos. É como um "Guia do idiota para o pós-vida".

O capitão vibrou, indignado.

— Não sou idiota, Lorde Kane.

— Não, não, só quis dizer... — A voz de Carter falhou. — É... O que é *aquilo*?

À frente, rochedos emergiam do rio como presas, transformando-o em uma borbulhante coleção de cataratas.

— A Primeira Catarata — anunciou Lâmina Suja de Sangue. — Segurem-se.

Khufu girou o leme para a esquerda, e o barco deslizou para o lado, passando entre duas rochas com poucos centímetros de folga. Não sou muito de gritar, mas confesso que gritei até quase perder a voz. [E não olhe para mim desse jeito, Carter. Você não agiu muito melhor.]

Caímos em um trecho de água clara — ou vermelha — e nos desviamos de uma rocha do tamanho da estação Paddington. O barco fez mais duas curvas suicidas entre as pedras, descreveu um giro de trezentos e sessenta graus, mergulhou em uma catarata de dez metros e caiu tão vertiginosamente que meus ouvidos estalaram, como tiros.

Continuamos navegando como se nada tivesse acontecido, ouvindo o barulho ensurdecedor das cataratas atrás de nós.

— Não gosto de cataratas — decidi. — Ainda tem mais?

— Não tão grandes, felizmente — respondeu Bastet, que também parecia mareada. — Já entramos no...

— Mundo dos Mortos — anunciou Carter.

Ele apontou para a margem, que estava encoberta pela névoa. Coisas estranhas espreitavam da escuridão: luzes fantasmagóricas, rostos de fumaça gigantescos, sombras que flutuavam como se não estivessem ligadas a nada físico. Ao longo das margens, ossos eram arrastados pelo lodo, ligando-se a outros ossos aleatoriamente.

— Acho que esse não é o Mississippi — comentei.

— O rio da Noite — vibrou Lâmina Suja de Sangue. — Todos os rios e nenhum rio: uma sombra do Mississippi, do Nilo, do Tâmisa. Ele flui pelo Duat, com muitos afluentes e braços.

— Quero sair daqui — resmunguei.

As cenas foram piorando. Vimos vilarejos fantasmas de tempos antigos — pequenos aglomerados de choupanas de sapé feitas de névoa. Vimos vastos templos desmoronando e se reconstruindo muitas e muitas vezes, como um vídeo em *loop*. E, em todos os lugares, os fantasmas olhavam para o barco ao nos deslocarmos. Mãos nebulosas tentavam nos tocar. Sombras nos chamavam em silêncio, depois se viravam em desespero quando passávamos.

— Os perdidos e confusos — informou Bastet. — Espíritos que nunca encontraram o caminho para o Salão do Julgamento.

— Por que são tão tristes? — perguntei.

— Bem, eles estão mortos — especulou Carter.

— Não, é mais que isso — retruquei. — É como se estivessem... esperando alguém.

— Rá — confirmou Bastet. — Por eras, o glorioso barco do sol de Rá percorreu esta rota todas as noites, enfrentando as forças de Apófis. — Ela olhou em volta nervosa, como se lembrasse velhas emboscadas. — Era perigoso: todas as noites, uma luta pela sobrevivência. Mas, enquanto passava, Rá trazia calor e sol ao Duat, e esses espíritos perdidos se alegravam, relembrando o mundo dos vivos.

— Mas isso é uma lenda — comentou Carter. — A Terra gira em torno do Sol. O Sol nunca desce realmente até a Terra.

— Não aprendeu nada sobre o Egito? — disparou Bastet. — Histórias conflitantes podem ser igualmente verdadeiras. O sol é uma bola de fogo no espaço, sim. Mas a imagem que você vê quando ele cruza o céu, o calor gerador de vida e a luz derramada sobre a Terra, isso era personificado por Rá. O Sol era seu trono, sua fonte de força e de poder, seu espírito. Mas agora Rá se retirou para o céu. Ele dorme, e o Sol é só o Sol. O barco de Rá já não viaja em seu ciclo pelo Duat. Ele não ilumina mais a escuridão, e os mortos sentem intensamente sua ausência.

— De fato — concordou Lâmina Suja de Sangue, embora não parecesse muito preocupado com isso. — Diz a lenda que o mundo vai acabar quando Rá estiver cansado demais para viver em seu estado enfraquecido. Apófis engolirá o Sol. A escuridão reinará. O caos vai dominar o Maat e a Serpente reinará para sempre.

Em parte, eu achava isso absurdo. Os planetas não iam simplesmente parar de girar. O Sol não deixaria de se erguer todos os dias.

Por outro lado, lá estava eu navegando pelo Mundo dos Mortos com um demônio e um deus. Se Apófis também era real, eu preferia não conhecê-lo.

E, para ser bem honesta, eu me sentia culpada. Se a história que Tot me contara era verdadeira, Ísis havia *provocado* a retirada de Rá para o céu com aquele negócio de nome secreto. O que significava, de um jeito ridículo e meio maluco, que o fim do mundo seria minha culpa. Típico. Pensei em me socar para castigar Ísis, mas desconfiei de que a dor maior seria minha.

— Rá devia acordar e cheirar o *sahlab* — comentei. — Ele devia voltar.

Bastet riu sem humor.

— E o mundo devia ser jovem novamente, Sadie. Gostaria que fosse possível...

Khufu grunhiu e apontou para a frente. Ele devolveu o leme ao capitão e saiu da cabine, descendo a escada aos saltos.

— O babuíno está certo — anunciou Lâmina Suja de Sangue. — Deviam ir para a proa. Logo surgirá um desafio.

— Que tipo de desafio? — indaguei.

— É difícil dizer — respondeu Lâmina Suja de Sangue, e tive a impressão de que havia certa satisfação em sua voz. — Boa sorte, Lady Kane.

— Por que eu? — gemi.

Bastet, Carter e eu nos posicionamos na proa do barco, vendo o rio surgir da escuridão. Embaixo, os olhos pintados da embarcação brilhavam fracos na escuridão, lançando raios de luz na água vermelha. Khufu estava empoleirado no topo da rampa de embarque, que ficava ereta quando era recolhida, e tinha unido as mãos acima dos olhos, como o vigia no mastro de um navio.

Mas toda essa vigilância de nada adiantou. Com a escuridão e a névoa, a visibilidade era nula. Rochas imensas, pilares quebrados e ruínas de estátuas de faraós surgiam do nada. Lâmina Suja de Sangue girava o leme para evitar os obstáculos, o que nos obrigava a segurar firme na balaustrada. De vez em quando, víamos linhas longas cortando a superfície da água, como tentáculos ou como as costas de criaturas submersas — eu realmente não queria saber.

— Almas mortais são sempre desafiadas — Bastet me disse. — Você precisa provar seu valor para entrar no Mundo dos Mortos.

— Como se fosse uma grande honra?

Não sei por quanto tempo olhei para a escuridão, mas em algum momento uma mancha vermelha apareceu ao longe, como se o céu começasse a clarear.

— É minha imaginação ou...

— Nosso destino — continuou Bastet. — Estranho, já devíamos ter sido desafiados a esta altura...

O barco balançou e a água começou a ferver. Uma figura gigantesca emergiu do rio. Eu só conseguia vê-lo da cintura para cima, mas era vários metros mais alto que o barco. O corpo era humanoide: peito nu e peludo com pele avermelhada. Um cinto de corda envolvia a cintura, e nele havia bolsas de couro, várias cabeças de demônio e outros penduricalhos muito encantadores. A cabeça era uma estranha combinação de leão e homem, com olhos dourados e uma juba negra de *dreadlocks*. A boca respingada de sangue era felina, com bigodes pontudos e dentes afiados. Ele rugiu, assustando Khufu, que correu de seu observatório. O pobre babuíno saltou para os braços de Carter e os dois caíram no convés.

— Você *tinha* que dizer alguma coisa... — eu me queixei com Bastet. — Suponho que seja algum parente seu?

Bastet balançou a cabeça.

— Dessa vez não posso ajudá-la, Sadie. *Vocês* são os mortais. O desafio é para vocês.

— Ah, muito obrigada.

— Eu sou Shezmu! — disse o homem-leão pavoroso.

Senti vontade de dizer "Ah, sim, claro que é", mas achei melhor ficar quieta.

Ele voltou os olhos dourados para Carter e inclinou a cabeça. Suas narinas inflaram.

— Sinto cheiro de sangue de faraó. Uma guloseima deliciosa... ou você se atreve a me nomear?

— No... nomeá-lo? — Carter gaguejou. — Refere-se a seu nome secreto?

O demônio riu. Ele agarrou uma rocha próxima e a amassou como se fosse de gesso.

Olhei para Carter sem disfarçar o desespero.

— Por acaso não tem o nome secreto dele anotado em algum lugar, tem?

— Talvez... *O livro dos mortos* — sugeriu meu irmão. — Esqueci de olhar.

— E então?

— Mantenha-o ocupado — respondeu Carter, antes de se afastar.

Manter um demônio ocupado, eu pensei. É claro. Talvez ele queira jogar palitinhos.

— Você desiste? — urrou Shezmu.

— Não! — gritei. — Não, nós não desistimos. Vamos nomeá-lo. Apenas... Ei, você é bem musculoso, hein? Faz exercícios?

Olhei para Bastet, e ela aprovou minha tática com um movimento de cabeça.

Shezmu vibrou de orgulho e flexionou os braços poderosos. Isso nunca falha com os homens, não é? Mesmo que tenham vinte metros de altura e cabeça de leão.

— Eu sou Shezmu! — urrou ele.

— Sim, você já disse isso — respondi. — Mas ainda não disse, por exemplo, que tipo de títulos acumulou ao longo dos anos. Lorde isso, lorde aquilo... Alguma coisa?

— Sou o algoz real de Osíris! — gritou ele, batendo com um punho fechado na água e balançando o barco. — Sou o Lorde de Sangue e Vinho!

— Brilhante — comentei, tentando não ficar enjoada. — Mas... é... como sangue e vinho se relacionam, exatamente?

— *Garrr!* — Ele se inclinou para a frente e mostrou as presas, que não eram mais bonitas de perto. A juba era enfeitada por pequenos pedaços de peixe e vegetação do fundo do rio. — Lorde Osíris me manda decapitar os impuros! Eu os esmago em minha prensa e faço vinho para os mortos!

Nota mental: nunca beber o vinho dos mortos.

Você está indo bem. A voz de Ísis me assustou. Ficara quieta por tanto tempo que eu quase tinha me esquecido de sua presença. *Pergunte a ele sobre suas outras atribuições.*

— E quais são suas outras atribuições... oh, poderoso demônio do vinho?

— Eu sou o Lorde do... — Ele flexionou os músculos para conseguir o máximo de efeito. — Perfume.

E ficou me olhando com um meio sorriso, como se esperasse ver o terror me dominando.

— Ah, puxa! — respondi. — Isso deve fazer seus inimigos tremerem!

— Ha-ha-ha-ha-ha! Sim! Quer uma amostra grátis? — Ele arrancou uma das bolsas de couro que levava no cinturão e tirou dali um pote de cerâmica cheio de um pó amarelo de cheiro adocicado. — Este eu chamo de... Eternidade!

— Delicioso — comentei, apesar do enjoo.

Olhei para trás, tentando descobrir onde estava Carter, mas não havia nem sinal dele.

Faça-o continuar falando, Ísis me instruiu.

— E, hum... perfume é parte de seu trabalho, porque... Espere, já sei: você o extrai das plantas, como extrai o vinho espremendo...

— Ou do sangue — acrescentou Shezmu.

— Bem, naturalmente — concordei. — Nem precisamos citar o sangue.

— Sangue!

Khufu gritou e cobriu os olhos.

— Você serve Osíris? — perguntei ao demônio.

— Sim! Pelo menos... — Ele hesitou, rosnando com alguma dúvida. — Eu servia. O trono de Osíris está vazio. Mas ele vai voltar. Ele vai!

— É claro. E seus amigos chamam você de... Sheezy? Tira-sangue?

— Não tenho amigos! Mas, se tivesse, eles me chamariam de Açougueiro de Almas, Face da Fúria! Mas não tenho amigos, por isso meu nome não corre perigo. Ha-ha-ha!

Olhei para Bastet, perguntando-me se eu acabara de ter a sorte que estava imaginando. Ela sorriu para mim.

Carter desceu a escada cambaleando, segurando O *livro dos mortos*.

— Achei! Está aqui, em algum lugar. Não consigo ler essa parte, mas...

— Nomeie-me ou serão devorados! — berrou Shezmu.

— Eu o nomeio! — gritei de volta. — Shezmu, Açougueiro de Almas, Face da Fúria!

— AAAAAHHHH! — Ele se contorceu de dor. — Como eles sempre sabem?

— Deixe-nos passar! — ordenei. — Ah, e só mais uma coisa... meu irmão quer uma amostra grátis.

Só tive tempo de sair da frente, e Carter só teve tempo de fazer uma cara confusa quando o demônio soprou pó amarelo nele. Depois, Shezmu afundou sob as ondas.

— Que sujeito agradável — comentei.

Pfff!

Carter cuspiu perfume. Ele parecia um pedaço de peixe empanado.

— Que foi isso?

— Você está com um cheiro ótimo — garanti. — E agora?

Eu me sentia muito satisfeita comigo mesma, até o barco descrever uma curva no rio. De repente, o brilho vermelho no horizonte virou uma luz ofuscante. Na cabine de comando, o capitão acionou o alarme.

À frente, o rio estava em chamas, correndo por uma impressionante sequência de cataratas que mais pareciam a cratera borbulhante de um vulcão.

— O Lago de Fogo — anunciou Bastet. — É aqui que a coisa fica interessante.

28. Dou uma volta com o deus do papel higiênico

BASTET TINHA UMA DEFINIÇÃO INTERESSANTE de *interessante*: um lago borbulhante com vários quilômetros de largura e cheiro de petróleo queimado e carne podre. Nosso barco parou brevemente onde o rio encontrava o lago, porque um enorme portão de metal impedia a passagem. Era um disco de bronze como um escudo, tão largo quanto o barco, meio submerso no rio. Eu não sabia como aquilo não derretia no calor, mas seguir adiante era impossível. Em cada uma das margens do rio, virados para o disco, havia um grande babuíno de bronze com os braços erguidos.

— O que é isso? — perguntei.

— O Portão do Ocidente — respondeu Bastet. — O barco do sol de Rá o cruzava e era renovado pelo fogo do lago, depois continuava do outro lado e emergia pelo Portão do Oriente para iniciar um novo dia.

Olhando os babuínos gigantescos, imaginei se Khufu tinha algum tipo de código secreto dos babuínos para nos permitir entrar. Mas ele gritou para as estátuas e se encolheu heroicamente atrás de minhas pernas.

— Como vamos passar? — perguntei.

— Talvez deva me perguntar — sugeriu uma nova voz.

O ar vibrou. Carter recuou e Bastet sibilou.

Na minha frente apareceu um radiante espírito de pássaro: um *ba*. Tinha aquela combinação habitual de cabeça humana e corpo de peru assassino, as asas estavam recolhidas e toda sua forma brilhava, mas algo naquele *ba* era diferente. Percebi que conhecia o rosto do espírito: um homem idoso e calvo com a pele marrom, olhos leitosos e sorriso simpático.

— Iskandar? — arrisquei.

— Olá, minha querida. — A voz do mago soou como se ele estivesse no fundo de um poço.

— Mas... — Meus olhos se encheram de lágrimas. — Você morreu, então?

Ele riu.

— Na última vez que cheguei, sim, eu estava morto.

— Mas por quê? Eu não fiz...

— Não, minha querida. Não foi culpa sua. Simplesmente chegou a hora.

— Péssima hora! — Minha surpresa e tristeza de repente se transformaram em raiva. — Você nos *deixou* antes de sermos treinados, ou coisa parecida, e agora Desjardins está atrás de nós e...

— Minha querida, veja como chegou longe. Veja como se saiu bem. Não precisava de mim, nem teria sido necessário mais tempo de treinamento. Meu confrade logo teria descoberto a verdade sobre você. Eles são excelentes para farejar deuses menores, e não teriam compreendido.

— Você sabia, não é? Sabia que estávamos possuídos por deuses.

— Vocês são *hospedeiros* dos deuses.

— Tanto faz! Você sabia.

— Depois de nosso segundo encontro, sim. Meu único pesar é não ter percebido antes. Eu não teria conseguido proteger você e seu irmão tanto quanto...

— Tanto quanto quem?

Os olhos de Iskandar ficaram tristes e distantes.

— Fiz escolhas, Sadie. Algumas pareceram sábias no momento em que as fiz. Outras, agora que reflito sobre elas...

— Sua decisão de banir os deuses. Minha mãe o convenceu de que não era boa ideia, certo?

Suas asas espectrais se moveram.

— Você precisa entender, Sadie. Quando o Egito caiu sob a força dos romanos, meu espírito ficou dilacerado. Milhares de anos de poder e tradição derrubados por aquela tola Rainha Cleópatra, que pensava poder hospedar uma deusa. O sangue dos faraós parecia fraco e diluído, perdido para sempre. Na época, culpei todo mundo: os deuses que usaram homens para realizar suas pequenas contendas, os governantes ptolomaicos que haviam lançado o Egito ao chão, meus irmãos na Casa por terem se tornado fracos, gananciosos e corruptos. Eu me comuniquei com Tot e nós concordamos: os deuses deviam ser afastados, banidos. Os magos precisavam encontrar seu caminho sem eles. As novas regras mantiveram a Casa da Vida intacta por mais dois mil anos. Na época, foi uma boa escolha.

— E agora? — indaguei.

O brilho de Iskandar diminuiu.

— Sua mãe previu um grande desequilíbrio. Ela previu o dia, logo, logo, quando o Maat seria destruído e o caos reclamaria toda a Criação. Ela dizia que só os deuses e a Casa, juntos, poderiam prevalecer. O jeito antigo, o caminho dos deuses, teria de ser restabelecido. Eu era um velho tolo. Sabia que ela estava certa, mas me recusava a acreditar... e seus pais decidiram tomar o problema nas mãos, agir por conta própria. Eles se sacrificaram tentando consertar as coisas, porque eu fui teimoso demais para mudar. E por isso eu sinto muito, sinceramente.

Por mais que eu tentasse, era difícil ficar zangada com o velho peru. É raro um adulto admitir que errou, especialmente a uma criança, principalmente um adulto sábio de dois mil anos de idade. É preciso saber valorizar esses momentos.

— Eu o perdoo, Iskandar. Honestamente. Mas Set se prepara para destruir a América do Norte com uma gigantesca pirâmide vermelha. O que *fazer*?

— Isso eu não posso responder, meu bem. A escolha é sua... — Ele inclinou a cabeça para o lago, como se ouvisse uma voz. — Nosso tempo está terminando. Preciso fazer meu trabalho de guardião do portão e decidir se permito ou não que tenha acesso ao Lago de Fogo.

— Mas eu tenho mais perguntas!

— E eu gostaria de ter mais tempo com você — disse Iskandar. — Tem um espírito forte, Sadie Kane. Um dia, será um excelente *ba* guardião.

— Obrigada — resmunguei. — Mal posso esperar para ter penas para sempre.

— Só posso lhe dizer isso: sua escolha se aproxima. Não deixe que seus sentimentos a impeçam de enxergar o que é melhor, como aconteceu comigo.

— Que escolha? Melhor para quem?

— Essa é a chave, não é? Seu pai, sua família. Os deuses, o mundo. Maat e Isfet, ordem e caos, estão para colidir com uma violência jamais vista. Você e seu irmão podem equilibrar essas forças ou destruir tudo. E essa também foi uma previsão de sua mãe.

— Espere aí. O que você...

— Até nosso próximo encontro, Sadie. Talvez um dia tenhamos a chance de conversar mais. Mas, por enquanto, passe! Meu trabalho é avaliar sua coragem, e isso é algo que você tem de sobra.

Pensei em dizer que não, que não tinha coragem alguma. Queria que Iskandar ficasse e me dissesse exatamente o que minha mãe tinha previsto. Mas o espírito desapareceu e tudo ficou em silêncio. Só então percebi que ninguém mais tinha falado dentro do barco.

Olhei para Carter.

— Deixando tudo nas minhas costas, não é?

Ele olhava para o espaço, sem piscar. Khufu ainda estava agarrado às minhas pernas, absolutamente petrificado. O rosto de Bastet estava paralisado no meio de um sibilo.

— Ei, pessoal? — Estalei os dedos e todos descongelaram.

— *Ba!* — Bastet concluiu o sibilo. Depois olhou em volta e franziu o cenho. — Espere, pensei ter visto... O que aconteceu?

Eu me perguntava quão poderoso um mago precisava ser para fazer parar o tempo, congelar até uma deusa. Um dia Iskandar teria de me ensinar esse truque, morto ou não.

— Sim — respondi. — Tem razão, havia um *ba*, mas ele já foi.

As estátuas dos babuínos começaram a tremer e a ranger, e eles baixaram os braços. O disco dourado no meio do rio submergiu, abrindo caminho para o lago. O barco voltou a deslizar para a frente, para as chamas e as ondas vermelhas borbulhantes. Através das ondas de calor eu conseguia ver uma ilha no meio do lago. Nela se erguia um templo negro, que não parecia ser um lugar muito hospitaleiro.

— O Salão do Julgamento — supus.

Bastet assentiu.

— É nesses momentos que fico feliz por não ter uma alma mortal.

Quando atracamos na ilha, Lâmina Suja de Sangue desceu para se despedir de nós.

— Espero vê-los novamente, Lorde e Lady Kane — vibrou ele. — Seus aposentos estarão esperando a bordo do *Rainha Egípcia*. A menos, é claro, que julguem apropriado me desligar do serviço.

Atrás dele, Bastet balançou a cabeça com veemência.

— Nós, hum, vamos mantê-lo por perto — respondi ao capitão. — Obrigada por tudo.

— Como quiser — respondeu ele.

Se machados pudessem franzir o cenho, tenho certeza de que ele o teria feito.

— Mantenha-se afiado — disse Carter.

E, com Bastet e Khufu, descemos pela prancha. Em vez de partir, o barco simplesmente afundou na lava fervente e desapareceu.

Olhei, intrigada, para Carter.

— Mantenha-se afiado?

— Achei que era engraçado.

— Você não tem jeito.

Subimos a escada para o templo negro. Uma floresta de pilares de pedra sustentava o telhado. Todas as superfícies eram cobertas de hieróglifos e imagens, mas não havia cor — era só preto sobre preto. A névoa do lago pairava no templo, e apesar de tochas de junco queimarem em cada coluna, era impossível enxergar muito longe na penumbra nebulosa.

— Fiquem atentos — avisou Bastet farejando o ar. — Ele está próximo.

— Quem? — perguntei.

— O Cão — respondeu ela com desdém.

Ouvi um rosnado, e uma grande forma preta saltou da névoa. O animal colidiu com Bastet, que rolou e miou num ultraje felino, depois correu, deixando-nos sozinhos com a criatura. Acho que ela já nos havia prevenido sobre sua falta de coragem.

O novo animal era esguio e negro, como o animal Set que vimos em Washington, porém mais canino, obviamente, gracioso e até bonitinho, na verdade. Um chacal, percebi, com uma coleira dourada no pescoço.

Então, ele se metamorfoseou num rapaz e meu coração quase parou. Era o garoto de meus sonhos, literalmente — o garoto de preto que eu encontrara duas vezes antes nas visões de meu *ba*.

Anúbis era ainda mais lindo em pessoa, se é que isso era possível. Lindo de morrer! [É... he-he. Não peguei o trocadilho, mas obrigada, Carter. Deus dos mortos, lindo de morrer. Sim, hilário. Agora, posso continuar?]

Ele tinha a pele pálida, cabelos pretos e rebeldes e olhos castanhos que lembravam chocolate. Vestia jeans preto, coturnos (como os meus!), camiseta rasgada e uma jaqueta de couro preto que ficava perfeita nele. Era alto e esguio como um chacal. Suas orelhas, como as de um chacal, eram um pouco salientes (eu acho bonitinho), e ele usava uma corrente de ouro no pescoço.

Não, por favor, entenda, *não* sou doida por meninos. Não sou! Na escola, passo a maior parte do tempo rindo de Liz e de Emma, que estão sempre interessadas neles, e fiquei muito feliz por elas não estarem comigo nesse momento, porque iriam me atormentar para sempre.

O garoto de preto ajeitou o corpo e tirou o pó da jaqueta.

— *Não* sou um cachorro — disse ele.

— Não — concordei. — Você é...

Sem dúvida, eu teria dito *maravilhoso* ou algum outro adjetivo igualmente constrangedor, mas Carter me salvou.

— Você é Anúbis? — perguntou ele. — Viemos procurar a pena da verdade.

Anúbis franziu o cenho. E cravou aqueles olhos lindos em mim.

— Vocês não estão mortos.

— Não — respondi. — Apesar de estarmos tentando com muita dedicação.

— Não lido com os vivos — anunciou ele com firmeza. Depois, olhou para Khufu e Carter. — Porém, vocês viajam com um babuíno. Isso demonstra bom gosto. Não vou matá-los até que tenham uma chance de explicar. Por que Bastet os trouxe aqui?

— Na verdade, Tot nos mandou — esclareceu Carter.

Carter começou a contar a história, mas Khufu interrompeu impaciente.

— *Agh! Agh!*

A língua dos babuínos deve ser muito eficiente, porque Anúbis assentiu como se tivesse entendido tudo.

— Percebo.

Ele olhou muito sério para Carter.

— Então, você é Hórus. E você é... — O dedo apontou para mim.

— Eu sou... Eu sou... — Eu não costumava ficar sem palavras, confesso, mas olhar para Anúbis fazia eu me sentir como se o dentista tivesse aplicado uma enorme injeção anestésica em minha boca. Carter me olhava como se eu tivesse ficado maluca. — Não sou Ísis — consegui dizer. — Quer dizer, Ísis está aqui dentro, mas não sou ela. Ela é só... uma visita.

Anúbis inclinou a cabeça.

— E vocês planejam desafiar Set?

— Essa é a ideia geral — confirmou Carter. — Vai nos ajudar?

Anúbis brilhou. Lembrei Tot dizendo que Anúbis só ficava de bom humor de vez em quando, raramente. Tive a sensação de que aquele não era um desses dias.

— Não — respondeu ele, sem rodeios. — E vou mostrar por quê.

Ele se transformou em chacal e voltou correndo para o lugar de onde viera. Carter e eu nos entreolhamos. Sem saber o que fazer, fomos atrás dele, mergulhando mais fundo na escuridão.

No centro do templo havia uma grande câmara circular que parecia ser dois lugares ao mesmo tempo. Por um lado, era um grande salão com braseiros radiantes e um trono vazio no canto mais afastado. O centro da sala era dominado por um conjunto de balanças — um T de ferro preto com cordas sustentando dois pratos dourados, cada um grande o bastante para sustentar uma pessoa —, mas estavam quebradas. Um dos pratos estava dobrado em V, como se algo muito pesado tivesse pulado em cima dele. O outro pendia de uma só corda.

Encolhido sob as balanças, dormindo profundamente, estava o monstro mais estranho que eu já tinha visto. Tinha cabeça de crocodilo e juba de leão. A metade frontal de seu corpo também era de leão, mas, atrás, ele era um hipopótamo gordo e viscoso. O mais esquisito era que a criatura era pequena — quer dizer, não era maior que um poodle comum, o que, suponho, fazia dele um hipopoodle.

Isso descrevia o ambiente, ou parte dele, pelo menos. Ao mesmo tempo, eu parecia estar em pé no meio de um cemitério fantasmagórico — como se uma projeção tridimensional fosse imposta sobre a sala. Em alguns lugares, o piso de mármore dava lugar a poças de barro e pedras de calçamento cobertas de limo. Fileiras de sepulturas surgiam do centro da câmara, como casas em miniatura em um padrão circular. Muitas estavam rachadas. Algumas eram cercadas por muretas de tijolos ou por cercas de ferro. Nos cantos da sala, os pilares negros mudavam de forma, às vezes parecendo antigos ciprestes. Eu me sentia vagando entre dois mundos, e não conseguia dizer qual deles era real.

Khufu saltou na direção das balanças quebradas e escalou uma delas, totalmente à vontade. Não dava a menor atenção ao hipopoodle.

O chacal caminhou até a escada do trono e recuperou a forma de Anúbis.

— Bem-vindos — disse ele — ao último aposento que jamais verão.

Carter olhou em volta, admirado.

— O Salão do Julgamento. — E olhou intrigado para o hipopoodle. — Isso é...

— Ammit, o Devorador — anunciou Anúbis. — Olhem para ele e tremam.

Ammit deve ter ouvido seu nome enquanto dormia, porque latiu uma vez, baixinho, e mudou de posição. As pernas de leão e hipopótamo tremeram. Fiquei pensando se monstros do mundo inferior sonham em perseguir coelhos.

— Eu sempre o imaginei... maior — confessou Carter.

Anúbis olhou-o com ar de censura.

— Ammit só precisa ser grande o bastante para devorar o coração dos impuros. Acredite, ele faz muito bem seu trabalho. Ou... *fazia*, pelo menos.

Khufu grunhiu em cima de uma das balanças. Ele quase se desequilibrou e o prato amassado despencou no piso com um barulho metálico.

— Por que as balanças estão quebradas? — indaguei.

Anúbis ficou ainda mais sério.

— O Maat está enfraquecendo. Tentei consertá-las, mas... — Ele abriu os braços num gesto de impotência.

Apontei para a fileira de sepulturas fantasmas.

— Por isso o, *hum*, cemitério está caindo aos pedaços?

Carter me olhou, confuso.

— Que cemitério?

— As tumbas — expliquei. — As árvores.

— Do que está falando?

— Ele não pode vê-las — disse Anúbis. — Mas você, Sadie... Você é perceptiva. O que ouve?

No início não entendi o que ele queria dizer. Tudo o que eu ouvia era o sangue pulsando em minha cabeça e o barulho distante do Lago de Fogo. (E Khufu se coçando e grunhindo, mas isso não é novidade.)

Então, fechei os olhos e escutei um som distante... Música que despertava antigas recordações, meu pai sorrindo enquanto dançava comigo na casa em Los Angeles.

— Jazz — respondi.

Abri os olhos, e o Salão do Julgamento havia desaparecido. Ou não, mas pelo menos tinha perdido nitidez. Eu ainda via as balanças quebradas e o trono. Mas não havia mais colunas negras, nem o fogo cintilante. Carter, Khufu e Ammit tinham desaparecido.

O cemitério era *muito* real. Pedras soltas do calçamento oscilavam sob meus pés. O ar úmido da noite tinha cheiro de especiarias, peixe ensopado e lugares antigos e mofados. Eu podia estar novamente na Inglaterra — em um cemitério em Londres, talvez —, mas as inscrições nas sepulturas estavam em francês e o clima era ameno demais para um inverno inglês. Árvores frondosas estavam cobertas de musgo-espanhol.

E havia música. Logo além da cerca do cemitério, do lado de fora, uma banda de jazz desfilava pela rua em sóbrios ternos pretos e vistosos chapéus de festa. Saxofonistas sopravam seus instrumentos. Cornetas e clarinetes despejavam notas no ar. Percussionistas sorriam e dançavam, manejando as baquetas. E, atrás deles, carregando flores e tochas, uma multidão em trajes de funeral dançava em torno de um carro fúnebre muito antigo.

— Onde *estamos*? — perguntei, confusa.

Anúbis saltou do alto de uma sepultura e aterrissou a meu lado. Ele inspirou o ar do cemitério e sua expressão relaxou. Surpreendi-me estudando o desenho de sua boca, a curva do lábio inferior.

— Nova Orleans — respondeu ele.

— Como?

— A Cidade Alagada — acrescentou. — No Bairro Francês, do lado oeste do rio, a margem dos mortos. Adoro este lugar. Por isso o Salão do Julgamento frequentemente se conecta com esta parte do mundo mortal.

A procissão musical seguiu rua abaixo, atraindo mais gente.

— O que eles estão comemorando?

— Um funeral — explicou Anúbis. — Acabaram de enterrar o morto. Agora estão cortando os laços com o corpo. Aqui, as pessoas costumam marcar o fim de uma vida com música e dança enquanto acompanham o carro fúnebre vazio na saída do cemitério. É um ritual muito egípcio.

— Como sabe tudo isso?

— Sou o deus dos funerais. Conheço cada costume fúnebre do mundo: morrer de maneira apropriada, preparar corpo e alma para o pós-vida. Eu vivo para a morte.

— Você deve ser alguém divertido em uma festa. Por que me trouxe aqui?

— Para conversar.

Ele abriu as mãos, e o túmulo mais próximo tremeu. Uma faixa branca, comprida e maleável brotou de uma fenda na parede. A faixa continuava brotando, movendo-se sinuosa e formando alguma coisa perto de Anúbis. E meu primeiro pensamento foi: Meu Deus, ele produziu um rolo mágico de papel higiênico.

Depois percebi que era tecido, uma faixa branca de linho para embalsamar múmias. O material se contorceu até formar um banco, e Anúbis se sentou.

— Não gosto de Hórus. — Ele fez um gesto me convidando a sentar, também. — Ele é barulhento e arrogante, e se acha melhor que eu. Mas Ísis sempre me tratou como um filho.

Cruzei os braços.

— Você não é meu filho. E eu não sou Ísis.

Anúbis inclinou a cabeça.

— Não. Você não se comporta como um deus menor. Você me lembra sua mãe.

O comentário me atingiu como um balde de água fria (e, infelizmente, eu sabia exatamente como era essa sensação, graças a Zia).

— Você conheceu minha mãe?

Anúbis piscou, como se percebesse que havia cometido um erro.

— Eu... conheço todos os mortos, mas o caminho de cada espírito é um segredo. Não devia ter falado.

— Não pode falar uma coisa como essa e depois se calar! Ela está no pós-vida egípcio? Passou por seu Salão do Julgamento?

Anúbis olhou com evidente desconforto para as balanças douradas, que brilhavam como uma miragem no cemitério.

— Não é *meu* salão. Eu apenas cuido dele, até que Lorde Osíris volte. Lamento se a aborreço, mas não posso dizer mais nada. Não sei por que falei. É que... Sua alma e a dela têm brilhos similares. Um brilho muito forte.

— Lisonjeiro — resmunguei. — Minha alma brilha.

— Lamento — repetiu ele. — Por favor, sente-se.

Eu não queria mudar de assunto, nem me sentar em bandagens de embalsamar múmia, mas minha abordagem direta para obter informação parecia não estar funcionando. Por isso, eu me deixei cair no banco, tentando parecer muito aborrecida.

— Então... — Olhei para ele, carrancuda. — Que forma é essa, afinal? Você é um deus menor?

Ele franziu o cenho e pôs a mão no peito.

— Quer saber se habito um corpo humano? Não, posso habitar qualquer cemitério, qualquer lugar de morte ou luto. Essa é minha aparência natural.

— Ah...

Em parte, eu esperava que houvesse um corpo de verdade sentado a meu lado: alguém que hospedasse um deus. Mas devia saber que seria bom demais para ser verdade. Estava desapontada. Depois, fiquei furiosa comigo por me sentir desapontada.

Não é como se houvesse alguma chance, Sadie, censurei-me, ele é o deus dos funerais. Deve ter uns cinco mil anos.

— Então — falei novamente —, se você não pode me dizer nada de útil, ao menos me ajude. Precisamos de uma pena da verdade.

Ele balançou a cabeça.

— Não sabe o que está pedindo. A pena da verdade é muito perigosa. Entregá-la a um mortal seria contrariar as regras de Osíris.

— Mas Osíris nem está aqui. — Apontei para o trono vazio. — Aquele é o lugar dele, não é? Está vendo Osíris?

Anúbis olhou para o trono. Ele deslizou os dedos pela corrente de ouro, como se ela de repente apertasse seu pescoço.

— É verdade que espero aqui há eras, guardando meu posto. Não fui aprisionado como os outros. Não sei por quê... Mas fiz o melhor que pude. Quando soube que cinco haviam sido libertados, tive esperanças de que Lorde Osíris retornasse, mas... — Ele balançou a cabeça com desânimo. — Por que ele negligenciaria seus deveres?

— Provavelmente porque está preso dentro do corpo de meu pai.

Anúbis me encarou.

— O babuíno não explicou essa parte.

— Bem, não posso explicar tão bem quanto um babuíno, mas, de maneira geral, meu pai queria libertar alguns deuses por motivos que eu não... Talvez ele tenha pensado: Ah, vou ali destruir o British Museum e explodir a Pedra de Roseta! E ele libertou Osíris, mas trouxe também Set e toda aquela turma.

— Então, Set aprisionou seu pai enquanto ele era hospedeiro de Osíris, o que significa que Osíris também foi aprisionado por meu... — Ele parou. — Por Set.

Interessante, pensei.

— Então você entendeu — concluí. — Precisa nos ajudar.

Anúbis hesitou, depois balançou a cabeça.

— Não posso. Vou me meter em encrenca.

Olhei para ele e ri. Não consegui me conter, porque ele parecia muito ridículo.

— Você vai se meter em *encrenca*? Quantos anos você tem, dezesseis? Você é um deus!

Era difícil afirmar na penumbra, mas eu poderia jurar que ele ficou vermelho.

— Você não entende. A pena não pode permitir sequer a menor mentira. Se eu puser uma delas em sua mão e você disser uma única inverdade enquanto a carregar, ou se agir de um jeito que não seja verdadeiro, você vai queimar até virar cinzas.

— Está presumindo que sou mentirosa.

Ele piscou.

— Não, eu só...

— Você nunca contou uma mentira? O que ia dizer agora há pouco... sobre Set? Ele é seu pai, imagino. É isso?

Anúbis fechou a boca, depois voltou a abri-la. Ele parecia querer ficar zangado, mas era como se não lembrasse como.

— Você é sempre tão irritante?

— Normalmente sou mais — confessei.

— Por que sua família ainda não casou você com alguém que a levasse para bem, bem longe?

Ele falou com sinceridade, e foi a minha vez de ficar perplexa e irritada.

— Desculpe, garoto morto, mas eu só tenho doze anos! Bem... quase treze, e sou madura demais para quase treze anos, mas *não* é isso o que importa. Na minha família as meninas não são "casadas" para serem despachadas para longe, e você pode saber tudo sobre funerais, mas não parece muito informado sobre os rituais de conquista e namoro.

Anúbis pareceu realmente confuso.

— É, acho que não.

—Ótimo! Espere... Do que estamos falando? Ah, pensou que poderia me distrair, não é? Lembrei. Set é seu pai, não é? Diga a verdade.

Anúbis olhou para fora do cemitério. O som da banda de jazz se distanciava pelas ruas do Bairro Francês.

— Sim — confirmou ele. — Pelo menos, é o que dizem. Nunca o conheci. Minha mãe, Néftis, entregou-me a Osíris quando eu era criança.

— Ela... deu você?

— Ela disse que não queria que eu conhecesse meu pai. Mas, na verdade, não sei se ela sabia bem o que fazer comigo. Eu não era como meu primo Hórus. Não era um guerreiro. Era uma criança... *diferente*.

Ele parecia tão magoado que eu não soube o que falar. Quer dizer, eu tinha pedido a verdade, mas normalmente não a *recebemos*, especialmente de um garoto. E eu também sabia algumas coisas sobre ser uma criança diferente... e sentir que meus pais tinham desistido de mim.

— Talvez sua mãe estivesse tentando protegê-lo — sugeri. — Sendo seu pai o Lorde do Mal, e tudo isso...

— Talvez — concordou ele sem muita convicção. — Osíris me tomou sob a proteção dele. Ele me fez o Lorde dos Funerais, o Guardião dos Caminhos da Morte. É um bom trabalho, mas... você perguntou quantos anos tenho. A verdade é que não sei. Os anos não passam no Mundo dos Mortos. Ainda me sinto bem jovem, mas o mundo envelhece à minha volta. E Osíris partiu há tanto tempo... Ele é minha única família.

Olhei para Anúbis à luz pálida do cemitério e vi um adolescente solitário. Tentei lembrar que ele era um deus, um ser de milhares de anos, provavelmente com capacidade de controlar poderes fabulosos e fazer muito mais do que produzir papel higiênico mágico, mas ainda senti pena dele.

— Ajude-nos a salvar meu pai — insisti. — Vamos mandar Set de volta ao Duat e Osíris será libertado. Todos nós ficaremos felizes.

Anúbis balançou a cabeça outra vez.

— Já disse...

— Suas balanças estão quebradas — lembrei. — É porque Osíris não está aqui, imagino. O que acontece com todas as almas que se apresentam para julgamento?

Eu sabia que tocara num assunto delicado. Anúbis se mexeu com desconforto no banco.

— Isso aumenta o caos. As almas ficam confusas. Algumas não conseguem chegar no pós-vida. Outras conseguem, mas precisam encontrar outros caminhos. Eu tento ajudar, mas... O Salão do Julgamento também é chamado de Salão do Maat. Significa o centro da ordem, uma fundação estável. Sem Osíris, está desmoronando, ruindo.

— Então, o que você está esperando? Entregue-nos a pena. A menos que tenha medo de que seu pai vá colocá-lo de castigo.

Os olhos dele brilharam com grande irritação. Por um momento, pensei que estivesse planejando *meu* funeral, mas Anúbis suspirou, exasperado apenas.

— Eu faço uma cerimônia chamada a abertura da boca. Ela permite que a alma da pessoa se apresente. Para você, Sadie Kane, eu inventaria uma nova cerimônia: o fechamento da boca.

— Ha-ha. Vai me dar a pena ou não?

Ele abriu a mão. Houve um lampejo de luz. Uma pena brilhante flutuou sobre sua palma, uma pena branca como aquelas de escrever.

— Pelo bem de Osíris... Mas devo insistir em várias condições. Primeiro, só você pode manuseá-la.

— Sim, é claro. Não creio que deixaria Carter...

— Além disso, vai ter de ouvir minha mãe, Néftis. Khufu me disse que você estava procurando por ela. Se conseguir encontrá-la, escute-a.

— Fácil — respondi, embora o pedido me deixasse estranhamente incomodada. Por que Anúbis me faria tal pedido?

— E antes de ir — continuou ele —, precisará responder a algumas perguntas enquanto segura a pena da verdade, para provar que é honesta.

De repente, senti a boca seca.

— Hum... que tipo de perguntas?

— Todas que eu quiser. E, lembre-se, a menor mentira a destruirá.

— Dê logo a droga da pena.

Ele a pôs em minha mão. A pena parou de brilhar, mas eu a senti mais quente e pesada do que qualquer outra poderia ser.

— É a pena da cauda de um benu — explicou Anúbis. — Vocês chamariam de fênix. Tem o peso exato da alma de um humano. Pronta?

— Não — respondi, o que devia ser verdade, porque não peguei fogo. — Isso já conta como uma pergunta?

Anúbis sorriu, e o efeito foi fascinante.

— Suponho que sim. Você negocia como um mercador fenício, Sadie Kane. Segunda pergunta, então: Você daria a vida por seu irmão?

— Sim — respondi imediatamente.

(Eu sei. Também fiquei surpresa. Mas segurar a pena me obrigava a ser honesta. Obviamente, não me tornava mais sensata.)

Anúbis assentiu, como se não estivesse surpreso.

— Última questão: Se esse for o preço da salvação do mundo, está preparada para perder seu pai?

— Essa pergunta não é justa.

— Responda com honestidade.

Como eu poderia? Não era simplesmente um caso de sim ou não.

Eu sabia qual era a resposta "certa", é claro. A heroína deve se negar a sacrificar o próprio pai. Depois, ela segue seu caminho com coragem e salva o pai *e* o mundo, certo? Mas se *fosse* mesmo um caso de um *ou* outro? O mundo todo é um lugar muito grande: vovô e vovó, Carter, tio Amós, Bastet, Khufu, Liz e Emma, todos que eu conheço. O que meu pai diria se eu o escolhesse, em vez de todos os outros?

— Se... se realmente não tivesse outro jeito — comecei —, *nenhum* outro jeito... Ah, por favor! Essa pergunta é ridícula!

A pena começou a brilhar.

— Tudo bem — cedi. — Se fosse mesmo necessário, acho que... acho que eu salvaria o mundo.

Uma culpa horrível apertou meu peito. Que tipo de filha era eu? Agarrei o amuleto *tyet* pendurado no pescoço, a única lembrança que eu tinha de meu pai. Sei que muitos de vocês devem estar pensando: Você quase nunca vê seu pai. Mal o conhece. Por que se importa tanto?

Mas isso não o torna menos meu pai, certo? Nem torna menos horrível a ideia de perdê-lo para sempre. E pensar em falhar com ele, em *escolher* deixá-lo morrer para salvar o mundo... Que tipo de pessoa horrível eu era?

Mal podia encarar Anúbis, mas, quando olhei para ele, vi uma expressão suave.

— Acredito em você, Sadie.

— Ah, francamente! Estou segurando a porcaria da pena da verdade e você acredita em mim. Ah, obrigada.

— A verdade é cruel — Anúbis falou. — Espíritos chegam ao Salão do Julgamento o tempo todo e *não conseguem* desistir de suas mentiras. Negam seus erros, seus sentimentos reais, seus defeitos... mentem até Ammit devorar suas almas por toda a eternidade. É preciso força e coragem para reconhecer a verdade.

— Sim, eu me sinto forte e corajosa. Obrigada.

Anúbis levantou-se.

— Agora devo deixá-la. Seu tempo está acabando. Só tem pouco mais de vinte e quatro horas, e então o sol nascerá no dia do aniversário de Set e ele completará a pirâmide... A menos que o detenha. Talvez em nosso próximo encontro...

— Você vai continuar me irritando? — provoquei.

Ele cravou em mim aqueles lindos olhos castanhos.

— Ou talvez você possa me ajudar a entender os modernos rituais de conquista e namoro.

Fiquei ali sentada e perplexa até ele ensaiar um sorriso... O suficiente para eu entender que estava brincando. Em seguida, ele sumiu.

— Ah, muito engraçadinho! — gritei.

As balanças e o trono desapareceram. O banco de tecido se desfez e eu caí sentada no chão do cemitério. Carter e Khufu surgiram a meu lado, mas continuei gritando para o local onde Anúbis tinha estado, chamando-o de vários nomes bem ilustrativos.

— O que está acontecendo? — Carter quis saber. — Onde estamos?

— Ele é horrível! — resmunguei. — Arrogante, sarcástico, incrivelmente maravilhoso, insuportável...

— *Agh!* — Khufu reclamou.

— É — concordou Carter. — Conseguiu ou não a pena?

Eu abri a mão e lá estava ela: uma pena branca brilhante flutuando em minha palma. Cerrei o punho e ela desapareceu novamente.

— Uau — exclamou Carter. — Mas e Anúbis? Como conseguiu...

— Vamos encontrar Bastet e sair daqui — interrompi. — Temos trabalho a fazer.

E caminhei para fora do cemitério antes que ele pudesse fazer mais perguntas, porque eu não estava nem um pouco a fim de dizer a verdade.

29. Zia marca um encontro

CARTER

[SIM, MUITO OBRIGADO, SADIE. Você conta a parte do Mundo dos Mortos. Eu tenho que descrever a Interestadual 10 no Texas.]

Resumindo uma longa história: demorou muito e foi completamente maçante, a menos que você considere divertido ver vacas pastando.

Saímos de Nova Orleans por volta da uma da manhã no dia 28 de dezembro, um dia antes da data em que Set planejava destruir o mundo. Bastet tinha "pegado emprestado" um RV — uma espécie de *motor home*, remanescente do socorro pós-Furacão Katrina. No início, Bastet tinha sugerido viajarmos de avião, mas depois que contei a ela meu sonho com os magos explodindo uma aeronave, concordamos que voar não seria boa ideia. Nut, deusa do céu, nos prometera uma viagem segura até Memphis, mas eu não queria abusar da sorte, não quando nos aproximávamos mais e mais de Set.

— Set não é nosso único problema — alertou Bastet. — Se sua visão estiver correta, os magos estão próximos. E não são magos quaisquer, mas o próprio Desjardins.

— E Zia — acrescentou Sadie, só para me irritar.

No final, decidimos que era mais seguro viajar de carro, mesmo sendo mais lento. Com sorte, chegaríamos em Phoenix bem a tempo de desafiar Set. Quanto à Casa da Vida, tudo que podíamos fazer era torcer para não encontrar ninguém de lá durante nossa tarefa. Depois de cuidarmos de Set, talvez os magos concluíssem que éramos legais. Talvez...

Eu ainda pensava em Desjardins, tentando decidir se ele podia ser realmente um hospedeiro para Set. Um dia atrás, isso tinha feito sentido para mim. Desjardins queria destruir a família Kane. Ele odiava nosso pai e nos odiava. Devia ter esperado por décadas, provavelmente séculos, pela morte de Iskandar, porque assim poderia se tornar Sacerdote-leitor Chefe. Poder, ressentimento, arrogância, ambição: Desjardins tinha tudo. Se Set procurava uma alma gêmea, literalmente, não poderia encontrar nada melhor. E se Set pudesse começar uma guerra entre os deuses e os magos com o Sacerdote-leitor sob seu controle, o único vencedor seria o conjunto das forças do caos. Além do mais, Desjardins era um cara fácil de odiar. *Alguém* tinha sabotado a casa de Amós e alertado Set sobre a chegada de meu tio.

Mas a maneira como Desjardins salvara todas aquelas pessoas no avião... Isso não parecia uma atitude típica do Lorde do Mal.

Bastet e Khufu se revezaram na direção, enquanto Sadie e eu cochilávamos e acordávamos. Eu não sabia que babuínos conseguiam dirigir um RV, mas Khufu era bom motorista. Quando acordei, já perto do amanhecer, ele enfrentava a hora do *rush* matinal em Houston, mostrando as presas e gritando muito, e nenhum outro motorista parecia perceber nada de extraordinário.

Para o café da manhã, Sadie, Bastet e eu nos sentamos na cozinha do *motor home*, enquanto armários batiam, a louça tilintava e quilômetros e quilômetros de nada desfilavam pelas janelas. Bastet tinha pego comida e bebida (e Friskies, é claro) de uma loja de conveniência em Nova Orleans quando estávamos partindo, mas ninguém estava com fome. Percebi que Bastet estava ansiosa. Ela já tinha rasgado quase todo o estofamento do veículo, e agora usava a mesa da cozinha para afiar as unhas.

Sadie passava o tempo todo abrindo e fechando a mão, olhando para a pena da verdade como se fosse um telefone que ela quisesse ouvir tocar. Desde seu desaparecimento no Salão do Julgamento, ela estava agindo de um jeito distante e quieto. Não que eu esteja me queixando, mas não era ela.

— O que aconteceu com Anúbis? — perguntei pela milésima vez.

Ela olhou para mim, pronta para arrancar minha cabeça. Depois, aparentemente, decidiu que o esforço não valia a pena. Seus olhos voltaram à pena que brilhava na palma de sua mão.

— Nós conversamos — começou, cautelosa. — Ele me fez algumas perguntas.

— Que tipo de perguntas?

— Carter, sem interrogatório. Por favor.

Por favor? Agora eu tinha certeza de que aquela não era Sadie.

Olhei para Bastet, mas ela não foi muito útil. Ela raspava as garras na mesa devagar, deixando sulcos na fórmica.

— Qual é o problema? — perguntei a ela.

Bastet manteve os olhos fixos na mesa.

— No Mundo dos Mortos, eu abandonei vocês. *De novo.*

— Anúbis a afugentou — retruquei. — Não faz mal.

Bastet me fitou com aqueles olhos amarelos, e tive a sensação de que eu só tinha piorado a situação.

— Fiz uma promessa a seu pai, Carter. Em troca de minha liberdade, ele me deu uma missão ainda mais importante que lutar contra a Serpente: proteger Sadie. E, se fosse necessário, proteger vocês *dois*.

Sadie corou.

— Bastet, isso é... Quer dizer, obrigada, é claro, mas não somos mais importantes do que lutar contra... você sabe... ele.

— Vocês não entendem — insistiu Bastet. — Os dois não são apenas o sangue dos faraós. São os filhos da realeza mais poderosos nascidos nos últimos séculos. A única chance de reconciliar os deuses e a Casa da Vida, de reaprendermos os antigos métodos, antes que seja tarde demais. Se dominarem o caminho dos deuses, poderão encontrar outros com sangue real e ensinar a *eles*. Poderão revitalizar a Casa da Vida. O que seus pais fizeram, *tudo* o que eles fizeram, foi preparar o caminho para vocês.

Sadie e eu ficamos em silêncio. Quer dizer, o que se pode responder a esse tipo de declaração? Sempre soube que meus pais me amavam, mas a ponto de *morrerem* por mim? De acreditar que isso era necessário para que Sadie e eu pudéssemos realizar feitos incríveis, do tipo salvar o mundo? Eu não queria nada disso.

— Eles não queriam deixá-los sozinhos — continuou Bastet, como se lesse minha expressão. — Não planejaram que fosse assim, mas sabiam que libertar os deuses seria perigoso. Acreditem, eles compreendiam quanto vocês dois são especiais. No início, eu os protegia porque havia prometido. Agora, mesmo sem promessa, eu os protegeria. Vocês dois são como filhotes para mim. Nunca mais os abandonarei.

Confesso que fiquei com um nó na garganta.

Nunca ninguém tinha me chamado de filhote antes. Não com esse sentido de... bem, gatinho.

Sadie fungou. Limpou alguma coisa do rosto e disse:

— Não vai nos lamber, vai?

Era bom ver Bastet sorrir novamente.

— Vou tentar resistir. E a propósito, Sadie, estou orgulhosa de você. Confrontar Anúbis no território dele... Aqueles deuses da morte podem ser tipos bastante cruéis.

Sadie deu de ombros. Ela parecia estranhamente incomodada.

— Bem, eu não o chamaria de *cruel*. Quer dizer, ele nem parece ser muito mais que um adolescente.

— Do que está falando? — protestei. — Ele tinha cabeça de chacal!

— Não, quando ele tomou a forma humana.

— Sadie... — Eu começava a ficar realmente preocupado com ela. — Quando Anúbis mudou de forma, continuou com cabeça de chacal. Era grande, assustador e, sim, bastante cruel. Como foi que você o viu?

Minha irmã ficou vermelha.

— Como um... mortal.

— Deve ter sido um encantamento — explicou Bastet.

— Não — Sadie protestou. — Não pode ter sido.

— Bem, não tem importância — decidi. — Temos a pena.

Sadie se mexeu com certo nervosismo, como se aquilo fosse *muito* importante. Depois, ela fechou a mão e a pena da verdade desapareceu.

— Não vai adiantar nada se não tivermos o nome secreto de Set.

— Estou cuidando disso. — Bastet olhou em volta, como se temesse ser ouvida por alguém em algum lugar. — Tenho um plano. Mas é perigoso.

— Qual é? — eu quis saber.

— Vamos precisar fazer uma parada. Não quero nos atrasar até estarmos mais próximos, mas fica no caminho. E não devemos demorar muito.

Tentei fazer um cálculo.

— Hoje é o segundo Dia do Demônio?

Bastet assentiu.

— O dia em que Hórus nasceu.

— E o aniversário de Set é amanhã, terceiro Dia do Demônio. Isso significa que temos cerca de vinte e quatro horas antes que ele destrua a América do Norte.

— E se ele nos pegar — acrescentou Sadie —, seu poder será ainda maior.

— Temos tempo suficiente — disse Bastet. — De Nova Orleans a Phoenix de carro, a viagem é de aproximadamente vinte e quatro horas, e já estamos na estrada há mais de cinco. Se não tivermos mais nenhuma surpresa desagradável...

— Como as que temos todos os dias?

— Sim — admitiu Bastet. — Como essas.

Eu respirei fundo. Vinte e quatro horas e tudo chegaria ao fim, de uma forma ou de outra. Ou salvamos papai e detemos Set, ou tudo terá sido em vão — não só o que Sadie e eu fizemos, mas todos os sacrifícios de nossos pais também. De repente, eu me senti como se estivesse novamente no mundo inferior, em um daqueles túneis do Primeiro Nomo, com um milhão de toneladas de pedras sobre minha cabeça. Uma pequena mudança no solo, e tudo viria abaixo.

— Bem, se precisarem de mim, estarei lá fora, brincando com objetos cortantes.

Peguei minha espada e fui para a traseira do RV.

Eu nunca tinha visto um *motor home* com varanda. A placa no alto da porta traseira avisava que o espaço não deveria ser usado com o veículo em movimento, mas saí assim mesmo.

Não era o melhor lugar do mundo para praticar com uma espada. Era pequeno demais, e duas cadeiras ocupavam quase todo o espaço. O vento frio me castigava e cada solavanco do veículo me fazia perder o equilíbrio. Mas era o único lugar onde eu podia ficar sozinho. Eu precisava pensar.

Treinei evocar minha espada do Duat e mandá-la de volta. Logo conseguia comandá-la em quase todas as tentativas, desde que não perdesse a concentração. Depois, pratiquei alguns movimentos — bloqueios, esquiva e ataque —, até Hórus não se conter e começar a me dar conselhos.

Levante mais a lâmina, ele ensinou. *Descreva um arco mais largo, Carter. A arma é desenhada para enganchar a arma do inimigo.*

Cale a boca, respondi. *Onde estava quando precisei de ajuda na quadra de basquete?*

Mas tentei segurar a espada como ele dizia ser o certo.

A estrada se estendia por longas faixas de território semiárido. De vez em quando, passávamos pelo caminhão de um fazendeiro ou por uma daquelas peruas familiares, e o motorista olhava espantado para mim: um garoto de pele morena com uma espada na varanda de um *motor home*. Eu sorria e acenava, e Khufu pisava fundo no acelerador.

Depois de uma hora de treino, minha camisa estava colada ao peito, molhada com suor gelado. Minha respiração estava pesada. Decidi me sentar e fazer um intervalo.

— Está chegando — Hórus me disse. A voz dele pareceu mais real, como se não estivesse em minha cabeça. Olhei para o lado e o vi brilhando numa aura dourada. Sentado na outra cadeira em sua armadura de couro, os pés calçando sandálias e apoiados na balaustrada da varanda. Sua espada, uma cópia fantasma da *minha*, estava apoiada na cadeira, ao lado dele.

— O que está chegando? — perguntei. — A luta contra Set?

— Isso, com certeza — confirmou Hórus. — Mas antes há outro desafio, Carter. Prepare-se.

— Ótimo. Como se eu já não tivesse desafios demais.

Os olhos de Hórus brilharam, um dourado, o outro prateado.

— Quando eu era criança, Set tentou me matar muitas vezes. Minha mãe e eu estávamos sempre fugindo, e me escondi dele até ter idade para enfrentá-lo. O Lorde Vermelho enviará as mesmas forças contra você. A próxima vai ser...

— No rio — adivinhei, lembrando a última viagem de minha alma. — Algo ruim vai acontecer em um rio. Mas qual é o desafio?

— Você precisa ficar atento... — A imagem de Hórus começou a desaparecer e o deus franziu o cenho. — O que é isso? Alguém está tentando... É um poder diferente...

Ele foi substituído pela imagem cintilante de Zia Rashid.

— Zia!

Eu me levantei, lembrando de repente que estava suado e nojento, com a aparência de alguém que fora arrastado pelo Mundo dos Mortos.

— Carter? — A imagem tremulava. Ela segurava o cajado e usava um sobretudo cinza por cima das vestes, como se estivesse em algum lugar frio. Seus cabelos curtos e negros dançavam em volta do rosto. — Graças a Tot o encontrei.

— Como chegou aqui?

— Não temos tempo para isso! Escute: estamos atrás de vocês. Desjardins, eu e os outros. Não sabemos exatamente onde vocês estão. Os feitiços de rastreamento de Desjardins não conseguem localizá-los com exatidão, mas ele sabe que estamos nos aproximando. E sabe para onde vocês vão. Phoenix.

Minha mente entrou em modo turbo.

— Então, ele finalmente acredita que Set foi libertado? Vocês vão nos ajudar?

Zia balançou a cabeça.

— Ele vem detê-los!

— *Deter-nos?* Zia, Set se prepara para explodir o continente inteiro! Meu pai... — Minha voz falhou. Odiava parecer tão amedrontado e impotente. — Meu pai está com problemas.

Zia estendeu a mão brilhante, mas era só uma imagem. Nossos dedos não podiam se tocar.

— Carter, eu sinto muito. Você precisa entender o ponto de vista de Desjardins. A Casa da Vida vem tentando manter os deuses trancafiados há séculos, para impedir que algo como *isso* aconteça. Agora que você os libertou...

— Não foi *minha* ideia!

— Eu sei, mas você está tentando enfrentar Set usando magia divina. Os deuses não podem ser controlados. Você pode acabar causando mais danos ainda. Se deixasse a Casa da Vida cuidar disso...

— Set é muito forte. E eu *posso* controlar Hórus. Posso resolver tudo isso.

Zia balançou a cabeça.

— Vai ficar mais difícil quando se aproximar de Set. Você não tem nem ideia.

— E você tem?

Ela olhou, nervosa, para a esquerda. Sua imagem ficou indistinta, como uma televisão com problemas de sinal.

— Não temos muito tempo. Mel logo vai sair do banheiro.

— Vocês têm um mago chamado Mel?

— Apenas escute. Desjardins está nos dividindo em duas equipes. O plano é cercar vocês pelas laterais. Se *minha* equipe o encontrar primeiro, acho que posso convencer Mel a suspender o ataque ou, pelo menos, adiá-lo por tempo suficiente para conversarmos. Depois, talvez possamos pensar num jeito de falar com Desjardins, convencê-lo de que precisamos agir juntos, em colaboração.

— Não me leve a mal, mas por que eu confiaria em você?

Ela comprimiu os lábios, com uma expressão verdadeiramente magoada. Em parte, eu me sentia culpado, mas também temia que tudo fosse só um truque.

— Carter... tenho algo a lhe dizer. Algo que pode ajudar, mas que precisa ser dito pessoalmente.

— Fale agora.

— Pelo bico de Tot! Você é muito teimoso!

— Sim, é uma qualidade.

Nós nos olhamos em silêncio por um instante. A imagem desaparecia, mas eu não queria que ela fosse embora. Queria conversar mais.

— Se não confia em mim, vou ter de confiar em você — decidiu Zia. — Vou dar um jeito de estar em Las Cruces, no Novo México, hoje à noite.

Se decidir me encontrar, talvez possamos convencer Mel. Então, juntos, convenceremos Desjardins. Você vai?

Queria prometer que sim, só para vê-la, mas me imaginei tentando convencer Sadie ou Bastet de que seria boa ideia.

— Não sei, Zia.

— Pense — pediu ela. — E, Carter, não confie em Amós. Se o vir... — Ela arregalou os olhos. — Mel vem vindo! — cochichou.

Zia moveu o cajado diante do próprio rosto e sua imagem desapareceu.

C
A
R
T
E
R

30. Bastet cumpre sua promessa

Horas mais tarde, acordei no sofá do RV com Bastet sacudindo meu braço.

— Chegamos — anunciou.

Eu nem imaginava quanto tempo tinha passado dormindo. Em algum momento, a paisagem plana e o tédio tinham me vencido, e comecei a ter pesadelos com pequenos magos voando à minha volta, tentando raspar minha cabeça. Em algum lugar no meio disso tudo, sonhei com Amós também. Um sonho ruim, mas nada nítido. Ainda não entendia por que Zia o tinha mencionado.

Pisquei para despertar e percebi que minha cabeça estava no colo de Khufu. O babuíno catava piolhos nela.

— Cara! — eu disse enquanto me sentava, ainda meio tonto. — Isso não é legal.

— Mas ele fez um penteado incrível — comentou Sadie.

— *Agh-agh!* — Khufu concordou.

Bastet abriu a porta do *motor home*.

— Vamos — chamou. — Daqui temos de seguir a pé.

Quando cheguei à porta, quase tive um infarto. Estávamos estacionados em uma estrada na montanha, tão estreita que se alguém espirrasse o RV desceria o barranco rolando.

Por um segundo, tive medo de já estar em Phoenix, porque a paisagem era semelhante. O sol se punha no horizonte. Cordilheiras majestosas se estendiam de um lado e do outro, e o deserto entre elas parecia infinito. Em um vale à nossa esquerda havia uma cidade sem cores — quase sem grama ou árvores, apenas areia, cascalho e prédios. A cidade, porém, era muito menor que Phoenix, e um rio largo passava ao sul, avermelhado e cintilante à luz do entardecer. O rio descrevia uma curva na base das montanhas onde estávamos, antes de continuar rumo ao norte.

— Estamos na lua — murmurou Sadie.

— El Paso, Texas — corrigiu Bastet. — E aquele é o rio Grande. — Ela inspirou profundamente o ar frio e seco. — Uma civilização ribeirinha no deserto. Muito parecida com o Egito, na verdade! Quer dizer, exceto pelo fato de que o México fica ali ao lado. Acho que este é o melhor lugar para invocar Néftis.

— Acha mesmo que ela nos dirá o nome secreto de Set? — perguntou Sadie.

Bastet refletiu.

— Néftis é imprevisível, mas ela já ficou contra o marido antes. Podemos ter esperança.

Isso não soava muito promissor. Olhei para o rio lá embaixo.

— Por que estacionamos na montanha? Por que não mais perto?

Bastet deu de ombros, como se nem tivesse pensado nisso.

— Gatos gostam de ficar no alto. Quanto mais alto, melhor. Caso tenhamos de atacar alguma coisa.

— Que bom — respondi. — Então, se precisarmos atacar, estamos bem.

— Não é tão ruim — disse Bastet. — Vamos descer até o rio percorrendo alguns quilômetros de areia, cactos e cascavéis. Só precisamos tomar cuidado com a Polícia de Fronteira, os coiotes que guiam imigrantes, os magos e os demônios... No final, invocamos Néftis.

Sadie assobiou.

— Nossa, estou muito animada!

— *Agh!* — Khufu concordou, infeliz. Ele farejou o ar e grunhiu.

— Khufu sente cheiro de problemas — traduziu Bastet. — Algo ruim vai acontecer.

— Até *eu* posso farejar isso — resmunguei, e seguimos Bastet montanha abaixo.

Sim, disse Hórus. *Eu me lembro deste lugar.*

É El Paso, falei. *A menos que goste muito de comida mexicana, duvido que tenha estado aqui.*

Eu lembro bem, insistiu ele. *O pântano, o deserto.*

Parei e olhei em volta. De repente, eu também lembrava. Uns cinquenta metros adiante, o rio se esparramava numa área pantanosa — uma teia de afluentes lentos cortando uma depressão rasa no deserto. A vegetação típica crescia nas margens. Deveria haver algum tipo de vigilância, já que aquela era uma fronteira internacional, mas eu não via nada.

Eu tinha estado ali na forma *ba*. Podia visualizar a choupana bem ali no meio do pântano, Ísis e o jovem Hórus se escondendo de Set. E rio abaixo... Sim, ali eu tinha sentido algo sombrio se movendo sob a água, esperando por mim.

Segurei o braço de Bastet quando ela estava a poucos passos da margem.

— Fique longe da água.

Ela me olhou, intrigada.

— Carter, eu sou uma *gata*. Não vou nadar. Mas, se queremos invocar uma deusa do rio, é preciso fazer isso perto da margem.

Ela falou como se aquilo fosse tão óbvio, que me senti um idiota, mas não podia evitar. Sentia que algo ruim ia acontecer.

O que é isso?, perguntei a Hórus. *Qual é o desafio?*

Mas meu deus inquilino estava silencioso, como se esperasse por algo.

Sadie jogou uma pedra na água escura e lamacenta. Ela fez barulho ao afundar.

— Parece seguro — concluiu minha irmã, já se aproximando da margem.

Khufu a segurou, hesitante. Quando chegou perto da água, ele a cheirou e rosnou.

— Viu? — observei. — Nem Khufu gosta disso.

— Deve ser alguma recordação ancestral — opinou Bastet. — O rio era um lugar perigoso no Egito. Cobras, hipopótamos, todo tipo de encrenca.

— Hipopótamos?

— Não brinque — Bastet me advertiu. — Hipopótamos podem ser *letais*.

— Foi um hipopótamo que atacou Hórus? — perguntei. — Quero dizer, nos velhos tempos, quando Set procurava por ele?

— Nunca ouvi essa história — respondeu Bastet. — Normalmente, o que se escuta é que Set começou usando escorpiões, e depois passou aos crocodilos.

— Crocodilos — repeti, e um arrepio percorreu minha espinha.

É isso?, perguntei a Hórus, que, de novo, não respondeu.

— Bastet, no rio Grande há crocodilos?

— Duvido muito. — Ela se ajoelhou na beira da água. — Agora, Sadie, se puder fazer as honras...

— Como?

— Apenas peça a Néftis que apareça. Ela era irmã de Ísis. Se estiver em algum lugar deste lado do Duat, deve ouvir sua voz.

Sadie parecia em dúvida, mas ela se ajoelhou ao lado de Bastet e tocou a água. Seus dedos criaram ondas que pareciam grandes demais, anéis de força que percorriam todo o rio.

— Oi... Néftis? — chamou ela. — Tem alguém em casa?

Ouvi um barulho rio abaixo e me virei a tempo de ver uma família de imigrantes atravessando a correnteza. Já escutara histórias sobre pessoas que todos os anos atravessam ilegalmente a fronteira, vindas do México em busca de trabalho e uma vida melhor, mas era assustador vê-las realmente na minha frente, um homem e uma mulher correndo, carregando uma menina pequena entre eles. Suas roupas estavam rasgadas e eles pareciam mais pobres que os mais miseráveis camponeses egípcios que eu já tinha visto. Olhei-os por alguns segundos, mas não pareciam ser nenhum tipo de ameaça sobrenatural. O homem me fitou com ar cansado, e foi como se chegássemos a um entendimento: nós dois já tínhamos problemas suficientes sem nos preocuparmos um com o outro.

Enquanto isso, Bastet e Sadie continuavam concentradas na água, vendo as ondas se espalharem com os dedos de minha irmã.

Bastet inclinou a cabeça, ouvindo atentamente.

— O que ela está dizendo?

— Não consigo entender — respondeu Sadie. — É muito fraco.
— Estão escutando alguma coisa? — perguntei.
— *Shhh!* — reagiram as duas ao mesmo tempo.
— *Enjaulada...* — disse Sadie. — Não, qual é a tradução desta palavra?
— Abrigada — sugeriu Bastet. — Ela está abrigada em algum lugar distante. Uma *hospedeira adormecida.* O que *isso* quer dizer?
Eu não sabia sobre o que elas estavam falando. Não conseguia ouvir nada. Khufu puxou minha mão e apontou para o rio, mais adiante.
— *Agh.*
A família de imigrantes havia desaparecido. Era impossível que eles tivessem atravessado tão depressa. Olhei para as duas margens — nenhum sinal deles —, mas a água estava mais agitada onde eles tinham passado, como se alguém a tivesse mexido com uma colher enorme. Fiquei com um nó na garganta.
— Ah, Bastet...
— Carter, mal conseguimos ouvir Néftis — respondeu ela. — Por favor.
Eu rangi os dentes.
— Tudo bem. Khufu e eu vamos dar uma olhada em algo...
— *Shhh!* — repetiu Sadie.
Assenti para Khufu, e nós dois começamos a caminhar pela margem. Ele se escondia atrás de minhas pernas e grunhia para o rio.
Olhei para trás, mas Bastet e Sadie pareciam bem. Elas ainda olhavam para a água como se vissem ali um incrível vídeo da internet.
Finalmente, chegamos ao lugar onde eu tinha visto a família, e a água se acalmara. Khufu bateu no chão e fez uma parada acrobática, o que significava que ou ele estava dançando *break* ou estava mesmo muito nervoso.
— O que é? — perguntei com o coração disparado.
— *Agh, agh, agh!* — ele reclamou.
Isso devia ser um discurso completo na língua dos babuínos, mas eu nem imaginava o que queria dizer.
— Bem, não vejo outra solução — concluí. — Se aquela família foi tragada pelo rio ou coisa parecida... tenho que encontrá-los. Vou mergulhar.
— *Agh!* — Ele se afastou da água.

— Khufu, aquelas pessoas carregavam uma criança. Se estiverem precisando de ajuda, não posso simplesmente ir embora. Fique aqui e me dê proteção.

Khufu grunhiu e bateu na própria cara em protesto por eu estar entrando na água. O rio era mais gelado e agitado do que eu havia imaginado. Concentrei-me e evoquei do Duat minha espada e a varinha. Talvez fosse imaginação, mas pareceu que o rio passou a correr mais depressa.

Eu estava no meio da correnteza quando Khufu gritou com urgência. Ele pulava na margem, apontando freneticamente para um monte de juncos.

A família estava encolhida ali, tremendo de medo, todos de olhos arregalados. Meu primeiro pensamento foi: Por que estão se escondendo de mim?

— Não vou fazer mal a vocês — prometi.

Eles me olharam confusos, e lamentei não falar espanhol.

Então, a água se agitou à minha volta e percebi que não era eu que os assustava. Meu segundo pensamento: Cara, sou muito burro.

A voz de Hórus gritou: *Pule!*

Saí da água como se arremessado por um canhão — vinte, trinta metros no ar. Eu jamais deveria ter conseguido fazer aquilo, mas foi bom, porque um monstro emergiu da água bem onde eu estava.

Tudo o que vi foram centenas de dentes: uma boca vermelha três vezes maior do que a minha. Não sei como, mas consegui me virar no ar e aterrissei em pé, na parte rasa do rio. Estava diante de um crocodilo tão grande quanto nosso RV — e aquela era só a parte que estava fora da água. A pele dele era verde-cinzenta e coberta por placas espessas, como uma armadura camuflada, e os olhos eram leitosos.

A família gritou e correu para a margem. O movimento chamou a atenção do crocodilo. Ele se virou instintivamente na direção do barulho, pressentindo presa mais interessante. Sempre achei que crocodilos fossem lentos, mas, quando ele partiu atrás dos imigrantes, percebi que nunca tinha visto nada tão rápido.

Distraia-o, Hórus me incentivou. *Ataque-o por trás.*

Em vez disso, eu gritei:

— Sadie, Bastet, socorro! — E arremessei minha varinha.

Um péssimo arremesso. A varinha caiu no rio, bem em frente ao crocodilo, depois quicou na superfície da água, como uma pedra, acertou o animal entre os olhos e voltou para minha mão.

Duvido que tenha causado algum dano, mas o bicho me olhou muito aborrecido.

Ou você pode bater nele com a varinha..., resmungou Hórus.

Ataquei, gritando para prender a atenção do animal. Pelo canto do olho, vi a família chegando a uma área segura. Khufu corria atrás deles, agitando os braços e gritando para empurrá-los para mais longe da margem. Eu não sabia se eles estavam fugindo do crocodilo ou do macaco louco, mas, desde que continuassem correndo, não fazia diferença.

Não conseguia ver o que estava acontecendo com Bastet e Sadie. Ouvi gritos e ruídos na água atrás de mim, porém, antes que eu pudesse olhar, o crocodilo atacou.

Desviei para a esquerda e o golpeei com minha espada. A lâmina ricocheteou no corpo do crocodilo. O monstro se debateu. Sua cauda teria acertado minha cabeça, mas, instintivamente, ergui a varinha e o crocodilo colidiu contra uma parede de força e caiu para trás, como se eu estivesse protegido por uma grande bolha de energia invisível.

Tentei invocar o falcão guerreiro, mas era muito difícil me concentrar com um réptil de seis toneladas tentando me rasgar ao meio com uma mordida.

De repente, ouvi Bastet gritar:

— NÃO!

E soube imediatamente, sem sequer precisar olhar, que havia algo errado com Sadie.

O desespero e a fúria transformaram meus nervos em aço. Estendi o braço com a varinha e a parede de energia projetou-se, atingindo o crocodilo com tanta força que ele foi jogado longe, fora do rio, na margem mexicana. Enquanto ele estava de costas, caído e desequilibrado, saltei e levantei a espada, que então brilhava em minhas mãos, e enterrei a lâmina na barriga do monstro. Segurei-a com força enquanto o crocodilo se debatia e se desintegrava lentamente, do focinho à ponta da cauda, até eu estar no meio de um monte enorme de areia molhada.

Virei-me e vi Bastet lutando contra um crocodilo quase tão grande quanto o que eu acabara de destruir. O réptil atacou e Bastet se jogou embaixo dele, rasgando sua garganta com as lâminas. O crocodilo desfez-se no rio até ser apenas uma nebulosa nuvem de areia. Mas o estrago estava feito: Sadie estava caída na margem do rio.

Quando cheguei lá, Bastet e Khufu já estavam ao lado dela. Havia sangue na cabeça da Sadie. Seu rosto estava pálido.

— O que aconteceu? — perguntei.

— Aquilo saiu do nada — respondeu Bastet, aflita. — A cauda do crocodilo acertou Sadie e a jogou longe. Ela não teve a menor chance. Acha que ela está...

Khufu pôs a mão na testa de Sadie e fez ruídos estranhos com a boca, uma sequência de *pops*.

Bastet suspirou aliviada.

— Khufu diz que ela vai sobreviver, mas precisamos tirá-la daqui. Aqueles crocodilos podem significar...

A voz dela sumiu. No meio do rio, a água estava fervendo. Erguendo-se dali eu vi uma figura tão horrível que tive certeza de que estávamos condenados.

— Podem significar *aquilo* — completou Bastet em tom sombrio.

Para começar, o sujeito devia ter uns seis metros de altura — e não estou me referindo a um avatar radiante. Era de carne e osso. O peito e os braços eram humanos, mas a pele era verde-clara, e ele tinha na cintura um saiote de guerra que lembrava couro de um réptil. A cabeça era de crocodilo, a boca era enorme, cheia de dentes brancos e tortos, e os olhos brilhavam com um muco verde (sim, eu sei, muito atraente). Os cabelos negros caíam em tranças até os ombros, e chifres de touro enfeitavam a cabeça. Como se tudo isso não fosse suficientemente estranho, ele parecia suar de um jeito absurdo: uma água oleosa vertia de seus poros em torrentes que formavam poças no rio.

Ele ergueu o cajado — um pedaço de madeira verde tão grande quanto um poste telefônico.

Bastet gritou "Saia!" e me puxou para trás um segundo antes de o homem-crocodilo fincar o cajado na margem do rio, exatamente onde eu estava.

— Hórus! — o monstro gritou.

A última coisa que eu queria era dizer "presente". Mas a voz do deus soou com urgência em minha cabeça. *Enfrente-o. Sobek só entende a linguagem da força. Não se deixe agarrar, ou ele o puxará para baixo e o afogará.*

Engoli o medo.

— Sobek! — gritei. — U-hu, fracote! Como vai?

O monstro mostrou os dentes. Talvez essa fosse sua versão de um sorriso simpático. Provavelmente não.

— Essa forma não serve para você, deus falcão — disse ele. — Eu vou parti-lo ao meio.

A meu lado, Bastet sacou suas lâminas.

— Não permita que ele o agarre — ela me preveniu.

— Já estou sabendo — respondi. Senti a presença de Khufu do meu lado direito, levando Sadie para o alto da margem com todo o cuidado, bem devagar. Eu precisava distrair o sujeito verde, pelo menos até eles estarem seguros. — Sobek, deus dos... crocodilos, acho. Deixe-nos em paz ou vou destruir você.

Bom, Hórus aprovou. *Destruir é bom.*

Sobek gargalhou.

— Seu senso de humor melhorou, Hórus. Você e sua gatinha vão me destruir? — Ele voltou os olhos cheios de muco para Bastet. — O que a traz ao meu reino, deusa gata? Achei que não gostasse de *água*.

Ao pronunciar a última palavra, ele apontou o cajado e produziu uma torrente de água verde. Bastet era muito rápida. Ela deu um salto e caiu atrás de Sobek com seu avatar totalmente formado: um guerreiro enorme e radiante com cabeça de gato.

— Traidor! — gritou Bastet. — Por que se alia ao caos? Seu dever é com o rei!

— Que rei? — Sobek rugiu. — Rá? Ele se foi! Osíris está morto *outra vez*, o fraco! Esse menino não pode restaurar o império. Houve um tempo em que apoiei Hórus, sim. Mas ele não tem força nessa forma. Não tem seguidores. Set oferece poder. Set oferece carne fresca. E acho que vou começar com carne de deus menor!

Ele se virou em minha direção e baixou o cajado. Eu rolei para longe do golpe, mas, com a mão livre, ele me agarrou pela cintura. Não fui suficientemente rápido. Bastet se retesou, preparando-se para investir contra o inimigo, e, antes que pudesse, Sobek largou o cajado, segurou-me com as duas mãos enormes e me afundou na água. Minha sensação foi de sufocar na escuridão verde e fria. Eu não enxergava e não conseguia respirar. Afundava cada vez mais, e as mãos de Sobek espremiam o ar para fora de meus pulmões.

É agora ou nunca!, Hórus me avisou. *Deixe-me assumir o controle.*

Não, respondi. *Prefiro morrer.*

Era estranho, mas esse pensamento me acalmou. Se eu já estivesse morto, não teria mais do que sentir medo. Então, eu podia afundar lutando.

Concentrei-me em meu poder e senti a força percorrendo meu corpo. Flexionei os braços, e as mãos de Sobek se tornaram menos opressoras. Invoquei o avatar do falcão guerreiro e fui imediatamente envolvido por uma forma dourada e brilhante tão grande quanto Sobek. Agora podia ver o monstro na água escura, os olhos mucosos arregalados de surpresa.

Escapei de suas garras e dei uma cabeçada nele, quebrando alguns de seus dentes. Depois, eu me lancei para fora da água e caí em pé na margem do rio, ao lado de Bastet, que levou um susto tão grande que quase me atingiu com suas lâminas.

— Graças a Rá! — exclamou ela.

— Sim, estou vivo.

— Não, é que quase mergulhei atrás de você. E odeio água!

Sobek então explodiu do rio, urrando de fúria. O sangue verde jorrava de uma de suas narinas.

— Não pode me derrotar! — Ele estendeu os braços, de onde chovia suor. — Sou o senhor da água! Meu suor dá origem aos rios do mundo!

Eca. Decidi nunca mais nadar em um rio. Olhei para trás, procurando por Khufu e Sadie, mas não os vi. Esperava que Khufu a tivesse levado para um lugar seguro ou, pelo menos, tivesse encontrado um esconderijo.

Sobek atacou usando o rio. Uma onda enorme me atingiu, derrubando-me no chão, mas o avatar de Bastet saltou nas costas dele. O peso não o incomodou. Ele tentou agarrá-la, sem sorte. Bastet golpeava os braços do monstro repetidas vezes, e também as costas e a nuca, mas a pele verde cicatrizava tão depressa quanto Bastet conseguia rasgá-la.

Tentei me levantar, uma proeza que, na forma avatar, é como pôr-se de pé com um colchão amarrado ao peito. Sobek finalmente conseguiu agarrar Bastet e jogá-la longe. Ela rolou pela margem do rio sem se ferir, mas sua aura azul tremulava. Era um sinal de que seu poder fraquejava.

Brincamos de pega-pega com o deus crocodilo — atacando e recuando — porém, quanto mais o feríamos, mais furioso e poderoso ele parecia ficar.

— Mais servos! — gritou ele. — Venham a mim!

Isso não podia ser bom. Outra rodada de crocodilos gigantes e estaríamos mortos.

Por que não temos servos?, reclamei com Hórus, mas ele não respondeu. Eu podia senti-lo lutando para canalizar em mim seu poder, tentando sustentar nossa magia de combate.

O punho de Sobek acertou Bastet e ela voou longe novamente. Dessa vez, quando chegou ao chão, seu avatar piscou e se apagou por um instante.

Eu investi, tentando atrair a atenção dele. Infelizmente, deu certo. Sobek se virou e me acertou com a água. Fiquei sem visão, e ele me deu um tapa tão violento que fui parar na margem do rio, rolando na vegetação.

Meu avatar entrou em colapso. Eu me sentei, atordoado, e vi Khufu e Sadie a meu lado, ela ainda desmaiada e sangrando, Khufu murmurando desesperadamente no idioma babuíno e afagando a testa dela.

Sobek saiu da água e riu para mim. Rio abaixo, mais ou menos a meio metro de distância e sob a luz pálida do anoitecer, enxerguei duas linhas fracas na superfície se aproximarem rapidamente. Os reforços de Sobek.

Bastet gritou do rio.

— Carter, depressa! Tire Sadie daqui!

O rosto de Bastet ficou pálido com o esforço, mas o avatar do guerreiro gato apareceu em volta dela mais uma vez. Porém estava fraco, quase não aparecia.

— Não! — respondi. — Você vai morrer!

Tentei invocar o falcão guerreiro, o que fez minhas entranhas queimarem de dor. Eu estava sem energia, e o espírito de Hórus estava adormecido, totalmente esgotado.

— Vá! — gritou Bastet. — E diga a seu pai que cumpri a promessa.

— NÃO!

Ela saltou sobre Sobek. Os dois lutaram, Bastet golpeando furiosamente o rosto de Sobek, enquanto ele gritava de dor. Os dois deuses caíram na água, e afundaram.

Corri até a beira da água, que borbulhava e espumava. Depois, uma explosão verde iluminou toda a extensão do rio Grande, e uma pequena criatura preta e dourada foi ejetada dali como se alguém a tivesse jogado. E caiu na grama, aos meus pés: um gato molhado, inconsciente, semimorto.

— Bastet?

Peguei o bichano com cuidado. Ele usava o colar de Bastet, mas o talismã da deusa virou pó diante de meus olhos. Não era mais Bastet. Era só Muffin.

Lágrimas ardiam em meus olhos. Sobek tinha sido derrotado, forçado a voltar para o Duat ou coisa parecida, mas ainda havia duas linhas fracas vindo em nossa direção pelo rio, e estavam suficientemente próximas agora — eu já podia ver os dorsos esverdeados e os olhos redondos dos monstros.

Aninhei o gato em meu peito e olhei para Khufu.

— Venha, temos que...

Fiquei paralisado, porque atrás de Khufu e de minha irmã, olhando para mim, havia um crocodilo diferente: totalmente branco.

Estamos mortos, pensei. E depois: Espere... Um crocodilo branco?

Ele abriu a mandíbula e atacou, bem em minha direção. Eu me virei e o vi colidir com outros dois crocodilos: os monstros verdes e gigantescos que se preparavam para me matar.

— Filipe? — chamei, surpreso, enquanto os crocodilos lutavam e se debatiam.

— Sim — respondeu uma voz masculina.

Virei-me e vi o impossível. Tio Amós estava ajoelhado ao lado de Sadie, examinando a cabeça dela com ar apreensivo e compenetrado. E me olhou com uma expressão urgente.

— Filipe vai manter os servos de Sobek ocupados, mas não por muito tempo. Venha comigo agora, e teremos uma pequena chance de sobreviver!

31. Eu entrego um bilhete de amor

SADIE

Fico feliz por Carter ter contado esse último trecho — em parte porque eu estava inconsciente quando aconteceu, em parte porque não consigo falar sobre o que Bastet fez sem me desmanchar.

Bem, mais tarde falo sobre isso de novo.

Acordei com a sensação de que alguém tinha inflado minha cabeça. Meus olhos não viam a mesma coisa. À esquerda, vi um traseiro de babuíno, à direita, meu tio Amós, que estava sumido havia muito tempo. Naturalmente, decidi me concentrar no lado direito.

— Amós?

Ele pôs uma compressa fria em minha testa.

— Descanse, criança. Você sofreu uma concussão.

Pelo menos *nisso* eu podia acreditar.

Quando meus olhos começaram a recuperar o foco, vi que estávamos ao ar livre, sob uma noite estrelada. Eu estava deitada em um cobertor sobre o que parecia ser areia fofa. Khufu estava em pé próximo a mim, seu lado rosado um pouco perto demais de meu rosto. Ele mexia o conteúdo de uma panela em uma fogueira, e o que estava cozinhando tinha cheiro de piche queimado. Carter estava sentado ali perto, em uma duna, e parecia triste e cansado segurando...

Era Muffin que eu via em seu colo?

Amós parecia o mesmo desde a última vez que o tínhamos visto, havia muito tempo. Ele vestia seu terno azul, com o casaco e o chapéu combinando. Os cabelos longos estavam trançados e os óculos redondos brilhavam à luz do fogo. Parecia descansado e cheio de energia — não como alguém que estivera aprisionado por Set.

— Como você...

— Como escapei de Set? — A expressão dele ficou sombria. — Fui tolo quando decidi ir atrás dele, Sadie. Não tinha ideia de quanto ele se tornaria poderoso. Seu espírito está ligado à pirâmide vermelha.

— Então... ele *não tem* um hospedeiro humano?

Amós balançou a cabeça.

— Ele não precisa de hospedeiro, não enquanto tiver a pirâmide. E quanto mais se aproxima o término da construção, mais forte ele fica. Estive no covil de Set sob a montanha e caí numa armadilha. Envergonho-me por reconhecer que ele me capturou sem luta.

Ele apontou para o terno, mostrando como estava em perfeitas condições.

— Nem um arranhão. Só... *bam*. Congelei como uma estátua. Set me expôs do lado de fora de sua pirâmide, como um troféu, e deixou seus demônios rirem de mim quando passavam por ali.

— Você viu papai? — perguntei.

Os ombros dele caíram.

— Ouvi os demônios conversando. O caixão está dentro da pirâmide. Eles planejam usar o poder de Osíris para aumentar a tempestade. Quando Set a desencadear ao nascer do sol, e vai ser uma explosão *fabulosa*, Osíris e seu pai serão destruídos. Osíris será exilado para as profundezas do Duat, tão fundo que não poderá voltar.

Minha cabeça começou a latejar. Eu não podia acreditar que tínhamos tão pouco tempo, e se Amós não conseguira salvar meu pai, como Carter e eu faríamos isso?

— Mas você escapou — observei, tentando me agarrar a pequenas esperanças. — Então, deve haver algum ponto fraco na defesa de Set ou...

— A magia que me congelou começou a perder força com o tempo. Concentrei minha energia e trabalhei duro para me libertar. Levei horas, mas, finalmente, consegui. Saí de lá por volta do meio-dia, quando os demônios dormiam. Foi muito fácil.

— Não parece fácil.

Amós balançou a cabeça, visivelmente perturbado.

— Set me deixou fugir. Não sei por que, mas eu não devia estar vivo. É algum truque. Tenho medo... — Ele mudou de ideia e desistiu do que ia dizer. — De qualquer maneira, meu primeiro pensamento foi achar vocês, por isso invoquei meu barco.

Ele apontou para trás. Consegui levantar a cabeça e vi que estávamos em um deserto estranho, de dunas brancas que se estendiam até onde minha visão podia alcançar. A areia sob meus dedos era tão fina e branca que poderia ser açúcar. O barco de Amós, o mesmo que tinha nos transportado do Tâmisa ao Brooklyn, estava atracado no alto de uma duna próxima, inclinado de qualquer jeito, como se tivesse sido jogado ali.

— Há um armário de suprimentos a bordo — informou. — Se quiserem roupas limpas.

— Mas onde estamos?

— Areias Brancas — Carter falou. — Novo México. É um território do governo para testes com mísseis. Amós disse que ninguém viria nos procurar aqui, e viemos para que você tivesse algum tempo para se recuperar. São sete da noite, mais ou menos, ainda dia 28. Doze horas até Set... você sabe.

— Mas...

Minha cabeça estava cheia de perguntas. Minha última lembrança era estar na margem de um rio, conversando com Néftis. A voz dela parecia vir do outro lado do mundo. Ela tinha falado em voz baixa através da correnteza — muito difícil de entender, mas insistente. Disse que estava abrigada muito longe, em um hospedeiro adormecido, o que eu não conseguia entender. Não podia aparecer pessoalmente, mas prometeu que me mandaria uma mensagem. Depois disso, a água começou a ferver.

— Fomos atacados. — Carter afagava a cabeça de Muffin e, e finalmente, notei que o amuleto, o amuleto de *Bastet*, tinha desaparecido. — Sadie, tenho más notícias.

Ele me contou o que havia acontecido e eu fechei os olhos. Comecei a chorar. Constrangedor, eu sei, mas não podia me conter. Nos últimos dias, eu tinha perdido tudo: minha casa, minha vida comum, meu pai. Quase fora morta uma dúzia de vezes. A morte de minha mãe, que eu nunca tinha conseguido superar, doía agora como uma ferida aberta. E de repente Bastet também havia partido?

Quando Anúbis me interrogou no mundo inferior, ele perguntou o que eu sacrificaria para salvar o mundo.

O que eu ainda não tinha sacrificado?, senti vontade de gritar. O que ainda me resta?

Carter se aproximou e me entregou Muffin, que ronronou em meus braços. Mas não era a mesma coisa. Não era Bastet.

— Ela vai voltar, não vai? — Olhei para Amós, como se suplicasse. — Quer dizer, ela é imortal, certo?

Amós ajeitou o chapéu na cabeça.

— Sadie... não sei. Tudo indica que ela se sacrificou para derrotar Sobek. Bastet o mandou de volta ao Duat usando a própria força vital. Poupou Muffin, o hospedeiro, provavelmente utilizando a pouca energia que ainda lhe restava. Se isso for verdade, vai ser muito difícil que volte. Talvez um dia, em alguns séculos...

— Não, não em alguns séculos! Não posso... — Minha voz se desfez num soluço.

Carter tocou meu ombro e vi que ele entendia. Não *podíamos* perder mais nada. Simplesmente não podíamos.

— Descanse agora — disse Amós. — Podemos dispor de mais uma hora, mas depois teremos de partir.

Khufu me ofereceu uma tigela de seu preparado. O líquido com pedaços desconhecidos parecia uma sopa muito suspeita. Olhei para Amós, esperando que me dissesse o que fazer, e ele assentiu, encorajando-me a aceitar a tigela.

Como não bastasse tudo o que já havia acontecido, agora eu tinha de tomar remédio de babuíno.

Bebi o caldo, que tinha um sabor tão ruim quanto o cheiro, e minhas pálpebras começaram imediatamente a pesar. Fechei os olhos e dormi.

E quando eu já pensava que tinha entendido aquele negócio de alma que deixa o corpo, a minha decidiu contrariar as regras. Bem, é *minha* alma, afinal, então acho que isso faz sentido.

Quando meu *ba* deixou o corpo, manteve a forma humana — que é melhor que a aparência galinácea —, mas continuou crescendo e crescendo, até eu me tornar um gigante sobre Areias Brancas. Muita gente já havia falado que eu tinha muito espírito (e, normalmente, não era um elogio), mas aquilo era absurdo. Meu *ba* era alto como o Monumento a Washington.

Ao sul, muitos quilômetros de deserto adiante, o vapor se erguia do rio Grande — o local da batalha na qual Bastet e Sobek tinham perecido. Mesmo alta como estava, eu não deveria ser capaz de ver toda a paisagem até o Texas, especialmente à noite, mas eu via. Ao norte, ainda mais longe, enxerguei um brilho vermelho distante e soube que era a aura de Set. Seu poder aumentava com a pirâmide prestes a ficar pronta.

Olhei para baixo. Ao lado de meu pé havia uma coleção de pontinhos: nosso acampamento. Miniaturas de Carter, Amós e Khufu estavam sentadas em torno de uma fogueira e pareciam conversar. O barco de Amós não era maior que meu dedinho do pé. Meu corpo adormecido continuava no cobertor, tão pequeno que eu poderia ter me esmagado com um passo em falso.

Eu era enorme, e o mundo era pequeno.

— É assim que os deuses enxergam as coisas — disse uma voz.

Olhei em volta, mas nada vi além da vasta extensão de dunas brancas. Depois, à minha frente, as dunas se moveram. Pensei que fosse o vento, até que uma duna inteira rolou para o lado como uma onda. Outra se moveu, e mais uma. Percebi que estava olhando para uma forma humana: um homem enorme deitado em posição fetal. Ele se levantou, espalhando areia branca em todas as direções. Eu me ajoelhei e uni as mãos em concha sobre meus companheiros, evitando que fossem soterrados. Era estranho, mas eles nem pareciam notar, quase como se a agitação não fosse mais que uma garoa.

O homem se levantou, e era pelo menos uma cabeça mais alto do que minha forma gigantesca. Seu corpo era de areia, que caía como uma cortina.

Os braços e o peito pareciam cataratas de açúcar. A areia se moveu em seu rosto até formar um sorriso vago.

— Sadie Kane — disse ele. — Estava esperando por você.

— Geb. — Não me pergunte como, mas eu soube imediatamente que aquele era o deus da terra. Talvez o corpo de areia fosse uma dica. — Trouxe algo para você.

Não fazia sentido que meu *ba* estivesse com o envelope, mas levei a mão ao bolso de minha forma fantasmagórica e tirei o bilhete de Nut.

— Sua esposa sente sua falta — eu disse.

Geb pegou o bilhete com cautela. Aproximou-o do rosto e torceu o nariz. Depois, abriu o envelope. Em vez de uma carta, o que surgiu foram fogos de artifício. Uma nova constelação brilhava no céu acima de nós: o rosto de Nut, formado por milhares de estrelas. O vento ganhou força e desfez a imagem, mas Geb suspirou satisfeito. Ele fechou o envelope e o guardou dentro do peito de areia, como se existisse um bolso onde deveria estar seu coração.

— Sou muito grato a você, Sadie Kane — disse Geb. — Há muitos milênios não via o rosto de minha adorada. Faça qualquer pedido que a terra possa oferecer, e seu desejo será atendido.

— Salve meu pai — eu disse imediatamente.

O rosto de Geb expressou surpresa.

— Ah, que filha leal! Ísis poderia aprender um pouco com você. Mas não posso atendê-la. O caminho de seu pai está ligado ao de Osíris, e problemas entre os deuses não podem ser resolvidos pela terra.

— Então talvez você possa fazer desmoronar a montanha de Set e destruir a pirâmide?

A gargalhada de Geb parecia um terremoto.

— Não posso interferir tão diretamente no que há entre meus filhos. Set também é um deles.

Quase bati o pé numa reação frustrada. Depois, lembrei que eu era um gigante e poderia esmagar todo o acampamento. Um *ba* seria capaz disso? Melhor nem tentar.

— Bem, seus favores não são muito úteis, então.

Geb deu de ombros. Soltando do corpo algumas toneladas de areia.

— Talvez eu possa dar conselhos que a ajudem a conseguir o que almeja. Vá para o lugar das cruzes.

— E onde fica isso?

— Perto. E você tem razão, Sadie Kane. Já sofreu perdas demais. Sua família padeceu. Sei como é isso. Mas, lembre-se, um pai é capaz de tudo para salvar um filho. Abri mão de minha felicidade, de minha esposa, e fui amaldiçoado por Rá para que meus filhos pudessem nascer. — Ele olhou para o céu com evidente tristeza. — E embora sinta mais e mais falta de minha amada a cada milênio, sei que nenhum de nós teria mudado sua escolha. Tenho cinco filhos que amo.

— Até Set? — perguntei, incrédula. — Ele vai destruir milhões de pessoas.

— Set é mais do que aparenta ser. Ele é nossa carne e nosso sangue.

— Não o meu.

— Não? — Geb mudou de posição, abaixando-se. Pensei que estivesse se encolhendo, mas logo percebi que ele se desfazia em dunas. — Pense bem, Sadie Kane, e aja com cuidado. O perigo a espera no lugar das cruzes, mas você também vai encontrar lá aquilo de que mais precisa.

— Será que poderia ser um pouco mais vago? — resmunguei.

Mas Geb tinha desaparecido, deixando para trás apenas uma duna mais alta que todas as outras. E meu *ba* afundou em meu corpo.

S
A
D
I
E

32. O lugar das cruzes

Acordei com Muffin aninhada junto a minha cabeça, ronronando e mastigando meus cabelos. Por um momento, pensei que estivesse em casa. Lá era comum acordar com Muffin assim. Depois, lembrei que eu *não tinha* uma casa, e que Bastet se fora. Meus olhos se encheram de lágrimas outra vez.

Não, Ísis me censurou. *Precisamos manter o foco.*

Pela primeira vez, a deusa estava certa. Eu me sentei e limpei a areia branca do rosto. Muffin miou em sinal de protesto, depois se afastou dois passos e decidiu que poderia se contentar com meu lugar no cobertor quente.

— Que bom que acordou — disse Amós. — Já íamos chamá-la.

Ainda estava escuro. Carter estava no convés do barco, retirando uma nova túnica de linho do armário de suprimentos. Khufu saltou sobre mim e fez um som parecido com o ronronar de um gato. Para minha surpresa, Muffin pulou em seus braços.

— Pedi a Khufu que levasse a gata de volta ao Brooklyn — Amós me informou. — Aqui não é lugar para ela.

Khufu grunhiu, infeliz com sua missão.

— Eu sei, velho amigo — disse Amós. A voz dele tinha uma nota severa, como se estivesse tentando se impor como o babuíno alfa. — É melhor assim.

— *Agh* — Khufu reagiu, sem encarar Amós.

Uma inquietação me invadiu. Lembrei o que Amós tinha dito: que sua libertação podia ter sido um truque de Set. E a visão de Carter: Set *esperava* que Amós nos conduzisse à montanha, para que pudéssemos ser capturados. E se Set estivesse influenciando Amós de alguma forma? Eu não gostava do fato de ele mandar Khufu para longe de nós.

Por outro lado, não via alternativa senão aceitar a ajuda de Amós. E vendo Khufu ali, segurando Muffin, não suportei a ideia de colocar um ou outro em perigo. Talvez Amós estivesse certo.

— Ele pode viajar com segurança? — perguntei. — Sozinho?

— Ah, sim — garantiu Amós. — Khufu, como todos os outros babuínos, tem sua própria magia. Ele vai ficar bem. E só por precaução...

Amós me mostrou uma figura de cera, um crocodilo.

— Isso vai ajudar, caso seja necessário.

Eu tossi.

— Um crocodilo? Depois de tudo que...

— É Filipe da Macedônia — explicou Amós.

— Filipe é de cera?

— É claro. Crocodilos de verdade são muito difíceis de manter. E eu *disse* que ele era mágico.

Amós jogou o boneco para Khufu, que o cheirou e depois o colocou em uma sacola com seus utensílios de cozinha. Khufu lançou um último olhar nervoso em minha direção, olhou temeroso para Amós, depois partiu caminhando com a sacola pendurada em um braço e Muffin aninhada no outro.

Eu não entendia como eles poderiam sobreviver ali, com ou sem magia. Esperei Khufu aparecer no topo da duna seguinte, mas nada aconteceu. Ele havia desaparecido.

— Agora, bem — disse Amós. — Pelo que Carter me falou, Set planeja desencadear a destruição amanhã, quando o sol nascer. Isso nos dá pouco tempo. O que Carter não me explicou é *como* vocês pretendem destruir Set.

Virei-me para Carter e vi que ele me prevenia com o olhar. Compreendi imediatamente, e fui obrigada a reconhecer: talvez o garoto não fosse tão burro, afinal. Ele também desconfiava de Amós.

— É melhor guardarmos isso só para nós — respondi sem rodeios. — Você mesmo disse: Set pode ter plantado uma escuta mágica em você ou algo parecido.

Amós comprimiu a mandíbula.

— Tem razão — reconheceu de má vontade. — Nem eu mesmo posso confiar em mim. Isso é muito... frustrante.

Ele soava realmente angustiado, e eu me senti culpada. Quase mudei de ideia e contei nosso plano, mas um olhar na direção de Carter me fez manter nossa decisão.

— Devíamos ir para Phoenix — sugeri. — Talvez no caminho...

Pus a mão no bolso. A carta de Nut havia desaparecido. Pensei em contar a Carter sobre minha conversa com o deus da terra, Geb, mas não sabia se seria seguro falar diante de Amós. Carter e eu estávamos juntos havia dias, trabalhando em equipe, e percebi que me ressentia um pouco com a presença de nosso tio. Não queria confiar em mais ninguém. Deus, não posso acreditar no que acabei de dizer.

— Precisamos parar em Las Cruces — disse Carter.

Não sei quem ficou mais surpreso: Amós ou eu.

— Fica perto daqui — Amós respondeu devagar. — Mas... — Ele pegou um punhado de areia, murmurou um feitiço e atirou-o ao ar. Em vez de se espalharem, os grãos flutuaram e formaram uma seta, que apontava para sudoeste, para uma cadeia de montanhas que desenhava uma silhueta escura no horizonte. — Como eu pensava. — A areia caiu na terra. — Las Cruces está fora de nosso caminho uns sessenta quilômetros, depois daquelas montanhas. Phoenix fica a noroeste.

— Percorrer sessenta quilômetros não é tão ruim — decidi. — Las Cruces... — O nome soava estranhamente familiar, mas eu não sabia por quê. — Carter, por que Las Cruces?

— Eu só... — Ele ficou tão perturbado que compreendi que a decisão tinha algo a ver com Zia. — Tive uma visão.

— Uma visão agradável? — arrisquei.

Ele me olhou com cara de quem tentava engolir uma bola de golfe, o que confirmou minhas suspeitas.

— Só acho que devemos ir para lá — respondeu ele. — Podemos encontrar algo importante.

— É muito arriscado — opinou Amós. — Não posso permitir, não com a Casa da Vida atrás de vocês. Precisamos nos manter longe das cidades.

Então, de repente... *clic*. Meu cérebro teve um daqueles momentos fabulosos quando tudo funciona perfeitamente.

— Não, Carter está certo — retruquei. — Devemos ir a Las Cruces.

Foi a vez de meu irmão parecer surpreso.

— Estou? Devemos?

— Sim.

Contei a eles sobre minha conversa com Geb.

Amós limpou um pouco de areia do paletó.

— Isso é interessante, Sadie. Mas não vejo como Las Cruces se encaixa nessa história.

— Porque é espanhol, não é? Las Cruces. *As cruzes*. Exatamente como Geb me disse.

Amós hesitou, mas assentiu, relutante.

— Entrem no barco.

— Não acha que temos pouca água para uma viagem de barco? — perguntei.

Mesmo assim, porém, eu os segui. Amós tirou o paletó e disse uma palavra mágica. Imediatamente, a roupa ganhou vida, flutuou até o leme e manejou os comandos.

Amós sorriu para mim, e um pouco daquele antigo brilho voltou aos olhos dele.

— Quem precisa de água?

O barco estremeceu e decolou.

Se Amós algum dia se cansasse da magia, poderia trabalhar como agente de turismo em barcos voadores. A paisagem na região das montanhas era simplesmente fascinante.

No início, o deserto parecera estéril e feio, comparado à exuberância verdejante da Inglaterra, mas eu começava a perceber que aquela paisagem tinha uma beleza própria, especialmente à noite. As montanhas se erguiam como ilhas escuras num mar de luzes. Eu nunca tinha visto tantas estrelas no céu, e o vento seco tinha aroma de sálvia e pinho. Las Cruces ocupava o vale abaixo de nós: um *patchwork* cintilante de ruas e bairros.

Quando nos aproximamos, vi que boa parte da cidade nada tinha demais. Podia ser Manchester, Swindon ou qualquer outro lugar, de verdade, mas Amós direcionou o barco para o sul, até uma região que era, evidentemente, mais antiga: com construções de adobe e alamedas.

Quando pousamos, eu comecei a ficar nervosa.

— Ninguém vai notar um barco voador? — perguntei. — Quer dizer, sei que é difícil enxergar a magia, mas...

— Estamos no Novo México — explicou Amós. — Aqui eles veem óvnis o tempo todo.

Aterrissamos no telhado de uma igrejinha.

Foi como voltar no tempo ou entrar no cenário de um filme do Velho Oeste. A praça da cidade era cercada por casinhas de taipa que lembravam um povoado indígena. As ruas eram iluminadas e movimentadas — parecia estar acontecendo algum tipo de festival — com ambulantes vendendo pimenta-vermelha, cobertores indígenas e outros produtos típicos da região. Uma carroça coberta estava estacionada perto de um canteiro de cactos. No coreto da praça, homens com grandes violões e voz forte tocavam música *mariachi*.

— Esta é a área histórica — informou Amós. — Acho que eles a chamam de Mesilla.

— Tem muita coisa do Egito aqui, não tem? — perguntei, em dúvida.

— Ah, as culturas antigas do México têm muito em comum com o Egito — concordou Amós, pegando do leme seu paletó. — Mas essa é uma conversa para outro dia.

— Felizmente! — resmunguei. Respirei fundo e senti no ar um cheiro desconhecido, mas delicioso, como o de manteiga derretendo em pão quente, porém mais temperado, mais suculento. — Estou... *faminta*.

Não levamos muito tempo para encontrar as *tortillas* do outro lado da praça. Eram deliciosas. Sei que Londres tem restaurantes mexicanos. Temos quase tudo lá. Mas eu nunca tinha estado em um, e duvido que servissem *tortillas* tão maravilhosas quanto aquelas. Uma mulher gorda de vestido branco fazia bolas de massa com as mãos cobertas de farinha, depois as achatava no formato de discos, fritava em uma frigideira quente e as entregava aos clientes em guardanapos de papel. Não precisavam de manteiga, de geleia, de nada. Eram tão delicadas que derretiam na boca. Fiz Amós comprar pelo menos uma dúzia, só para mim.

Carter também parecia ter gostado da comida, até que decidiu experimentar os *tamales* de pimenta-vermelha em outra barraca. Tive medo de que o rosto dele explodisse.

— Está ardendo! — anunciou ele. — Água!

— Coma mais uma *tortilla* — Amós aconselhou, tentando não rir. — A massa corta a ardência. Melhor que água.

Experimentei os *tamales* e adorei. Ardiam menos que um bom *curry*. Como sempre, Carter só estava sendo um chato.

Terminamos de comer e começamos a percorrer as ruas, procurando... bem, eu não sabia o quê, exatamente. O tempo passava depressa. O sol estava se pondo e eu sabia que aquela seria nossa última noite, a menos que detivéssemos Set. Mas eu não tinha a menor ideia de por que Geb nos mandara para aquele lugar. "Você também vai encontrar lá aquilo de que mais precisa." O que ele tinha tentado me dizer?

Estudei a multidão e vi no meio dela um rapaz alto com cabelos escuros. Um arrepio percorreu minhas costas. *Anúbis?* E se ele estivesse me seguindo, certificando-se de que eu estava segura? E se *ele* fosse aquilo de que eu mais precisava?

Ideia maravilhosa, mas não era Anúbis. Censurei-me por pensar que poderia ter toda essa sorte. Além do mais, Carter tinha visto Anúbis como um monstro com cabeça de chacal. Talvez a aparência que ele me mostrara fosse só um truque para me confundir — um truque que funcionava *muito* bem.

Eu estava pensando nisso, e imaginando se haveria ou não *tortillas* no Mundo dos Mortos, quando meus olhos encontraram os de uma garota do outro lado da praça.

— Carter. — Agarrei o braço de meu irmão e continuei olhando para Zia Rashid. — Alguém veio ver você.

Zia estava pronta para a batalha, com suas roupas largas de linho preto, empunhando varinha e cajado. Os cabelos curtos e escuros estavam para o lado, como se ela tivesse voado até ali enfrentando vento forte. Os olhos cor de âmbar pareciam tão amistosos quanto os de um jaguar.

Atrás dela havia uma barraca cheia de lembranças para turistas, e nela eu li um cartaz com a inscrição: NOVO MÉXICO — TERRA DA MAGIA. Duvido que o vendedor soubesse quanta magia havia bem ali, na frente de sua barraca.

— Você veio — disse Zia, o que me pareceu um comentário meio óbvio.

Seria minha imaginação ou ela olhava para Amós com apreensão... E até certo medo?

— Sim — respondeu Carter, nervoso. — Você deve se lembrar de Sadie. E esse é...

— Amós — completou Zia, incomodada.

Amós se curvou.

— Zia Rashid, há quantos anos. Vejo que Iskandar mandou só os melhores.

Zia pareceu ter sido atingida por uma bofetada, e só então percebi que Amós não sabia das últimas notícias.

— Ah, Amós... Iskandar está morto — revelei.

Ele me olhou, incrédulo, e nós lhe contamos a história completa.

— Entendo. Então, o novo Sacerdote-leitor Chefe é...

— Desjardins — confirmei.

— Ah. Má notícia.

Zia franziu o cenho. Em vez de se dirigir a Amós, ela falou comigo.

— Não subestime Desjardins. Ele é muito poderoso. Vai precisar da ajuda dele, de *nossa* ajuda, para desafiar Set.

— Você nunca pensou que Desjardins pode estar *ajudando* Set? — perguntei.

— Nunca! — reagiu Zia. — *Outros* podem estar, mas não Desjardins.

Ela se referia a Amós, evidentemente. Acho que isso deveria ter alimentado minhas suspeitas sobre ele, mas, em vez disso, só me deixou mais furiosa.

— Você está cega — disparei. — A primeira ordem de Desjardins como Sacerdote-leitor Chefe foi mandar nos matar. Ele está tentando nos deter, mesmo *sabendo* que Set se prepara para destruir o continente. E Desjardins estava presente naquela noite no British Museum. Se Set precisava de um corpo...

O topo do cajado de Zia explodiu em chamas.

Carter se colocou entre nós.

— Ei, ei, vocês duas, acalmem-se. Estamos aqui para conversar.

— Eu *estou* conversando — disse Zia. — Vocês precisam da Casa da Vida de seu lado. Precisam convencer Desjardins de que não representam uma ameaça.

— Rendendo-nos? — perguntei. — Não, obrigada. Prefiro não ser transformada em inseto e esmagada.

Amós pigarreou.

— Receio que Sadie esteja certa. A menos que Desjardins tenha mudado desde que o vi pela última vez, ele não é um homem que vá ouvir a voz da razão.

Zia estava furiosa.

— Carter, podemos conversar *em particular*?

Ele se mexeu, desconfortável.

— Escute, Zia... Concordo que devemos trabalhar juntos. Mas se vai tentar me convencer a me entregar à Casa...

— Há algo que precisa saber — insistiu ela. — *Precisa* saber.

O jeito como ela falou me deixou com um arrepio na nuca. Era isso o que Geb tinha tentado me falar? Seria possível que Zia tivesse a chave para derrotarmos Set?

De repente, Amós ficou tenso. Ele pegou o cajado, após invocá-lo do nada, e anunciou:

— É uma armadilha.

Zia pareceu perplexa.

— O quê? Não!

Então, todos nós vimos o que Amós pressentira. Marchando em nossa direção, vindo do extremo leste da praça, vimos o próprio Desjardins. Ele vestia roupas cor de creme e tinha nos ombros a pele de leopardo do Sacerdote-leitor Chefe. Seu cajado emitia um brilho roxo. Turistas e pedestres abriam caminho, confusos, nervosos, como se não soubessem o que estava acontecendo, mas tivessem o bom senso de se afastar.

— Para o outro lado!— indiquei.

No entanto, quando eu me virei, vi outros dois magos em vestes negras se aproximando a oeste.

Peguei minha varinha e a apontei para Zia.

— Você nos atraiu para uma armadilha!

— Não! Eu juro... — Ela baixou os olhos. — Mel. Mel deve ter contado a ele.

— É claro — resmunguei. — Agora a culpa é de Mel.

— Não há tempo para explicações — disse Amós. Ele derrubou Zia com um raio, atirando-a na barraca de suvenires.

— Ei! — protestou Carter.

— Ela é uma inimiga — disse Amós. — E já temos muitos deles.

Carter correu para perto de Zia (naturalmente), enquanto os pedestres em pânico corriam do centro da praça.

— Sadie, Carter — chamou Amós —, se a situação piorar, corram para o barco, fujam.

— Amós, não vamos abandoná-lo — avisei.

— Vocês são mais importantes. Eu posso deter Desjardins por... Cuidado!

Amós apontou o cajado para os dois magos de preto. Eles murmuravam feitiços, mas uma rajada de vento criada por Amós os desequilibrou, soprando-os para o meio de um turbilhão de areia. Eles rolaram pela rua junto com lixo, folhas e *tamales*, até o tornado em miniatura atirá-los no topo de um edifício, bem longe dali.

Do outro lado da praça, Desjardins rugiu, furioso.

— Kane!

O Sacerdote-leitor Chefe bateu com o cajado no chão. Uma fresta se abriu no pavimento e começou a se aproximar de nós. Com o alargamento da fenda, os edifícios tremeram. Reboco caía das paredes. A fissura nos teria tragado, mas a voz de Ísis soou em minha cabeça, com a palavra de que eu precisava.

Eu ergui minha varinha.

— Calma. *Hah-ri*.

Hieróglifos brilharam diante de nós.

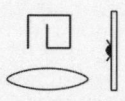

A fissura parou a centímetros de meus pés. O terremoto cessou.

Amós respirou fundo.

— Sadie, como...?

— Palavras Divinas, Kane! — Desjardins se aproximou, pálido. — A criança ousa dizer as Palavras Divinas. Ela está corrompida por Ísis, e você é acusado de ajudar os deuses.

— Para trás, Michel — avisou Amós.

Achei engraçado o primeiro nome de Desjardins ser Michel, mas estava assustada demais para rir.

Amós empunhava a varinha, pronto para nos defender.

— Precisamos deter Set. Se tivesse algum bom senso...

— O que eu faria? Eu me juntaria a vocês? Colaboraria? Os deuses nada trazem além de destruição.

— Não! — Era a voz de Zia. Com a ajuda de Carter, ela tinha se levantado. — Mestre, não podemos lutar entre nós. Não era isso o que Iskandar queria.

— Iskandar está morto! — gritou Desjardins. — Agora, afaste-se deles, Zia, ou será destruída também!

Zia olhou para Carter. Depois, ergueu o queixo e encarou Desjardins.

— Não. Precisamos agir juntos.

Olhei para Zia com um novo respeito.

— Então não os trouxe mesmo até aqui?

— Eu não minto — respondeu ela.

Desjardins ergueu seu cajado e grandes rachaduras surgiram nas construções em volta dele. Pedaços de adobe e de taipa vieram em nossa direção, mas Amós invocou o vento e os desviou.

— Crianças, saiam daqui! — gritou ele. — Os outros magos não vão ficar longe para sempre.

— Pela primeira vez, ele tem razão — Zia nos preveniu. — Mas não podemos abrir um portal...

— Temos um barco voador — Carter sugeriu.

Zia assentiu, agradecida.

— Onde?

Apontamos para a igreja, mas, infelizmente, Desjardins estava em nosso caminho.

Ele provocou uma nova chuva de pedras. Amós as desviou com vento e raios.

— Tempestade mágica! — grunhiu Desjardins. — Desde quando Amós Kane é perito nas forças do caos? Estão vendo, crianças? Como ele pode ser seu protetor?

— Cale a boca! — urrou Amós, usando o cajado para provocar uma tempestade de areia tão forte que cobriu toda a praça.

— Agora — decidiu Zia.

Contornamos Desjardins e corremos às cegas para a igreja. A tempestade de areia feria a pele e ardia nos olhos, mas conseguimos encontrar a escada e subimos para o telhado. O vento perdeu força e, do outro lado da praça, vi Desjardins e Amós ainda se encarando, envoltos em redomas de força. Amós cambaleava: o esforço era demais para ele.

— Preciso ajudar — anunciou Zia, relutante —, ou Desjardins vai matá-lo.

— Pensei que não confiasse nele — observou Carter.

— Não confio. Mas se Desjardins vencer esse duelo, estaremos perdidos. Jamais escaparemos. — Ela rangeu os dentes como se estivesse se preparando para algo realmente doloroso.

Em seguida, empunhou o cajado e murmurou um encantamento. O ar começou a esquentar. O cajado brilhou. Ela o soltou e ele explodiu em fogo, criando uma coluna de chamas de um metro de diâmetro e quatro de altura.

— Cace Desjardins — entoou ela.

Imediatamente, a coluna de fogo se ergueu do telhado e começou a se mover, devagar, mas com determinação, no rumo do Sacerdote-leitor Chefe.

Zia cambaleou. Carter e eu tivemos de segurá-la pelos braços para impedir que caísse.

Desjardins olhou para cima. Quando viu o fogo, seus olhos se arregalaram de medo.

— Zia! — gritou ele. — Como *ousa* me atacar?

A coluna desceu, passando pelos galhos de uma árvore e abrindo um buraco na copa. Pousou na rua, pairando poucos centímetros acima do pavimento. O calor era tão intenso que o fogo chamuscava o meio-fio e derretia a pavimentação. O fogo chegou a um carro estacionado e, em vez de desviar, abriu caminho partindo em duas partes a lataria.

— Bom! — gritou Amós da rua. — Muito bom, Zia!

Em desespero, Desjardins deu alguns passos para a esquerda. A coluna corrigiu seu curso. Ele atacou com água, mas o líquido evaporava antes de atingir as chamas. Ele invocou rochas, que atravessavam o fogo e caíram do outro lado em montes derretidos e fumegantes.

— O que *é aquilo?* — perguntei.

Zia estava inconsciente e Carter balançava a cabeça, perplexo. Mas Ísis falou em minha mente, admirada: *Um pilar de fogo. É o feitiço mais poderoso que um mestre do fogo pode realizar. É impossível vencê-lo, é impossível fugir. Pode ser usado para conduzir o mago que o produziu a um objetivo. Ou para perseguir um inimigo, forçando-o a correr. Se Desjardins tentar se concentrar em qualquer outra coisa, o fogo o alcançará e destruirá. Não o deixará em paz até se dissipar.*

Quanto tempo?, perguntei.

Depende da força do mago que o cria. Entre seis e doze horas.

Eu ri alto. Brilhante! Zia desmaiara criando o feitiço, mas, ainda assim era brilhante.

Esse feitiço esgotou a energia dela, Ísis revelou. *Ela não poderá fazer nenhuma outra magia até que o pilar se dissipe. Para ajudar vocês, ela ficou completamente sem forças.*

— Ela vai ficar bem — eu disse a Carter. Depois, gritei: — Amós, venha! Precisamos partir!

Desjardins continuava recuando. Era evidente que estava com medo do fogo, mas ainda não tinha desistido de nós.

— Vão se arrepender por isso! Querem brincar de deuses? Então não me dão alternativa. — Ele invocou do Duat vários espetos. Não, eram flechas. Sete flechas, acho.

Amós olhou para elas com verdadeiro horror.

— Você não ousaria! Nenhum Sacerdote-leitor jamais...

— Eu invoco Sekhmet! — Desjardins gritou.

Ele lançou as flechas ao alto, e elas começaram a girar em volta de Amós. Desjardins sorriu, satisfeito. E ainda sorria quando olhou para mim.

— Você escolheu ficar do lado dos deuses? Então, morra pelas mãos de um deus!

Ele se virou e correu. O pilar de fogo ganhou velocidade e o seguiu.

— Crianças, saiam daqui! — gritou Amós, cercado pelas flechas. — Vou tentar distraí-la!

— Quem? — perguntei. Eu sabia que já escutara o nome Sekhmet, mas tinha ouvido *muitos* nomes egípcios. — Quem é Sekhmet?

Carter olhou para mim, e mesmo depois de tudo o que tínhamos enfrentado nos últimos dias, eu jamais o tinha visto tão apavorado.

— Precisamos sair daqui — disse ele. — *Agora*.

33. Entramos no ramo dos molhos

ESTÁ ESQUECENDO UMA COISA, Hórus me disse.

Estou um pouco ocupado!, pensei de volta.

Você pode achar que é fácil guiar um barco mágico pelo céu. Mas não é. Eu não tinha o paletó animado de Amós, então eu mesmo estava na popa tentando manejar o leme, o que equivalia a mexer cimento. Não enxergava para onde íamos. Sacudíamos para a frente e para trás enquanto Sadie se esforçava para impedir que Zia, inconsciente, caísse do *Rainha Egípcia*.

É meu aniversário, Hórus insistiu. *Você precisa me dar os parabéns!*

— Parabéns! — eu gritei. — Agora cale a boca!

— Carter, o que está fazendo? — Sadie gritou, agarrando-se à amurada com uma das mãos e segurando Zia com a outra, enquanto a embarcação se inclinava para o lado. — Ficou maluco?

— Não, estava falando com... Ah, esqueça.

Olhei para trás. *Alguma coisa* se aproximava: uma figura radiante que iluminava a noite. Vagamente humanoide, definitivamente indesejável. Problemas. Tentei fazer o barco voar mais depressa.

Comprou um presente para mim?, Hórus perguntou.

Será que pode fazer algo de útil, por favor? Aquela coisa que está nos seguindo... é o que estou pensando?

Oh..., disse Hórus, parecendo entediado. *Sekhmet. O Olho de Rá, A Destruidora dos Impuros, Grande Caçadora, A Senhora do Fogo, e por aí vai.*

Ótimo, pensei. *E ela está atrás de nós porque...*

O Sacerdote-leitor tem o poder de invocá-la uma vez na vida, Hórus explicou. *É um dom muito, muito antigo, do tempo em que Rá abençoou o homem com a magia.*

Uma vez na vida, eu pensei. *E Desjardins escolheu agora?*

Ele nunca foi muito paciente.

Pensei que os magos não gostassem dos deuses!

Não gostam, Hórus confirmou. *O que mostra quanto ele é hipócrita. Mas acho que matar vocês é mais importante do que se manter fiel a um princípio. Eu entendo.*

Olhei para trás novamente. A figura se aproximava, não havia dúvida: uma mulher enorme e dourada numa radiante armadura vermelha, com um arco em uma das mãos e um cesto de flechas pendurado nas costas. E ela voava em nossa direção como um foguete.

Como a derrotamos?, perguntei.

Não derrotam, respondeu Hórus. *Ela é a encarnação da fúria do sol. Nos tempos em que Rá era ativo, ela era muito mais impressionante, mas ainda assim... é implacável. Uma matadora inata. Uma máquina de destruição.*

— Tudo bem, já entendi — gritei.

— O quê? — perguntou Sadie, falando tão alto que Zia se moveu.

— O... o quê? — Ela abriu os olhos.

— Nada — gritei de volta. — Estamos sendo seguidos por uma máquina de destruição. Volte a dormir.

Zia se sentou, aturdida.

— Uma máquina de destruição? Você não está falando de...

— Carter, para a direita! — gritou Sadie.

Eu obedeci, e uma flecha enorme passou bem perto de nós, incendiando o teto da casa de máquinas.

Levei o barco para baixo num mergulho vertiginoso, e Sekhmet passou como um raio, mas logo girou no ar com agilidade irritante e voltou a nos perseguir.

— Estamos pegando fogo — avisou Sadie.
— Já percebi — gritei.
Examinei a paisagem abaixo de nós, mas não havia lugar seguro para aterrissar, só condomínios de casas e centros comerciais.
— Morram, inimigos de Rá! — Sekhmet gritou. — Pereçam em agonia!
Ela é quase tão irritante quanto você, eu disse a Hórus.
Impossível, ele respondeu. *Ninguém supera Hórus*.
Fiz outra manobra para despistar a perseguidora.
— Ali! — gritou Zia.
Ela apontou para um complexo de fábricas com caminhões, depósitos e galpões, tudo muito iluminado. Havia uma pimenta-vermelha gigante pintada na lateral do maior galpão, e um sinal luminoso anunciava: MOLHO MÁGICO LTDA.
— Ah, por favor! — protestou Sadie. — Não é realmente mágico! É só um nome!
— Não — insistiu Zia. — Eu tenho uma ideia.
— Aquelas Sete Fitas? — supus. — As que você usou em Serket?
— Não, aquilo só pode ser feito uma vez por ano. Mas meu plano...
Outra flecha passou por nós, poucos centímetros a estibordo.
— Segurem-se!
Puxei o leme com força e virei a embarcação de cabeça para baixo pouco antes de a flecha explodir. O casco nos protegeu do impacto, mas agora todo o fundo do navio estava em chamas, e estávamos caindo.
Com o controle que ainda me restava — e era pouco —, conduzi o barco para o telhado do galpão maior, e caímos em uma pilha enorme de... alguma coisa crocante.
Arrastei-me para fora do barco e fiquei ali sentado, tonto. Felizmente, tínhamos despencado em cima de algo macio. Infelizmente, era uma montanha de seis metros de altura de pimentas-vermelhas desidratadas, e o barco as incendiou. Meus olhos começaram a arder, mas contive o impulso de esfregá-los, porque minhas mãos estavam cobertas de óleo de pimenta.
— Sadie? — gritei. — Zia?

— Socorro! — respondeu Sadie.

Ela estava do outro lado do barco, arrastando Zia para fora do casco em chamas. Conseguimos tirá-la de lá e descemos até o chão escorregando pela montanha.

O galpão parecia ser uma ampla instalação para desidratar pimentas, com trinta ou quarenta montanhas delas e fileiras de prateleiras de madeira para secá-las. O desastre envolvendo nosso barco produziu uma fumaça com aroma apimentado, e pelo buraco que tínhamos aberto no telhado eu vi a figura flamejante de Sekhmet descendo.

Corremos, abrindo caminho entre as pilhas de pimenta. [Não, Sadie, pimenta nos meus olhos não foi refresco. Fique quieta.] Nós nos escondemos atrás de uma das prateleiras de secagem, que tornavam o ar ardido como ácido clorídrico.

Sekhmet pousou e o chão do galpão estremeceu. De perto, ela era ainda mais aterrorizante. A pele brilhava como ouro puro, e a armadura e o saiote pareciam feitos de ladrilhos fixados com lava derretida. Os cabelos eram uma juba de leão. Os olhos eram felinos, mas não brilhavam como os de Bastet nem sugeriam bondade ou humor. Os olhos de Sekhmet brilhavam como suas flechas, feitos para achar e destruir. Era linda como uma explosão atômica.

— Sinto cheiro de sangue! — rugiu ela. — Vou me banquetear dos inimigos de Rá até encher minha barriga!

— Encantadora — cochichou Sadie. — Zia, você estava falando de um plano...

Zia não parecia bem. Tremia, estava pálida e parecia ter dificuldades de se concentrar em nós.

— Quando Rá... Quando ele mandou Sekhmet punir os humanos pela primeira vez, porque eles se rebelavam... Ela escapou ao controle.

— Difícil imaginar — sussurrei, vendo Sekhmet atropelar o que tinha restado de nosso barco.

— Ela começou a matar *todo mundo* — prosseguiu Zia. — Não só os maus e impuros. Nenhum outro deus conseguiu detê-la. Ela simplesmente matava e matava o dia inteiro, até se entupir de sangue. Depois, ela se retirava até o dia seguinte. As pessoas imploraram aos magos que pensassem em um plano, e...

— Ousam se esconder? — As chamas rugiram quando as flechas de Sekhmet destruíram pilha após pilha de pimentas secas. — Vou assá-los vivos!

— Correr agora — decidi. — Falar depois.

Sadie e eu levamos Zia, dividindo o peso entre nós dois. Conseguimos tirá-la do depósito segundos antes de tudo explodir em chamas e uma nuvem em forma de cogumelo e com cheiro de pimenta se formar no céu. Corremos por um estacionamento de caminhões e nos escondemos atrás de um oito eixos.

Eu espiei pela lateral, esperando ver Sekhmet sair do meio das chamas. Em vez disso, ela surgiu na forma de um imenso leão. Seus olhos queimavam e no alto de sua cabeça flutuava um pequeno disco de fogo, que era como uma miniatura do sol.

— O símbolo de Rá — murmurou Zia.

Sekhmet rugiu:

— Onde estão vocês, meus petiscos saborosos?

Ela abriu a boca e soprou um jato de ar quente que atravessou o estacionamento. Onde seu hálito tocava, o asfalto derretia, carros se desintegravam em areia e o estacionamento se transformava em um deserto estéril.

— Como ela faz isso? — sussurrou Sadie.

— Seu sopro cria os desertos — respondeu Zia. — Essa é a lenda.

— Cada vez melhor. — O medo me dava um nó na garganta, mas eu sabia que não podia mais me esconder. Invoquei minha espada. — Vou distraí-la. Vocês duas, fujam...

— Não — Zia me interrompeu. — Tem outro jeito. — Ela apontou para uma fileira de silos do outro lado do estacionamento. Cada um tinha a altura de três andares e uns vinte metros de diâmetro, com uma pimenta vermelha gigante pintada na lateral.

— Tanques de petróleo? — perguntou Sadie.

— Não — respondi. — Deve ser *salsa*, não?

Sadie me olhou, confusa.

— Isso não é um tipo de música?

— Também é uma palavra em espanhol para molho apimentado — expliquei. — É o que eles fabricam aqui.

Sekhmet soprou em nossa direção e três caminhões próximos se transformaram em pó. Nós fugimos para trás de uma parede de blocos de concreto.

— Escutem — pediu Zia, com o rosto coberto de suor. — Quando precisavam deter Sekhmet, os homens encontraram grandes tonéis de cerveja e os pintaram de vermelho com suco de romã.

— Sim, agora eu lembro — interrompi. — Disseram a Sekhmet que era sangue, e ela bebeu até desmaiar. Então, Rá conseguiu levá-la de volta ao céu. Eles a transformaram em algo mais manso. Uma deusa vaca ou coisa parecida.

— Hátor — disse Zia. — Essa é a outra forma de Sekhmet. O outro lado de sua personalidade.

Sadie balançou a cabeça, incrédula.

— Estão me dizendo que vamos pagar umas bebidas para Sekhmet e ela vai se transformar numa vaca?

— Não exatamente — respondeu Zia. — Mas *salsa* é vermelha, não é?

Percorremos o terreno da fábrica enquanto Sekhmet destruía caminhões e transformava em deserto grandes faixas do estacionamento.

— Odeio esse plano — resmungou Sadie.

— Trate de mantê-la ocupada por mais alguns segundos — eu disse. — E não morra.

— Essa é a parte mais difícil, não é?

— Um... — contei. — Dois... três.

Sadie apareceu em espaço aberto e gritou seu feitiço favorito.

— *Ha-di!*

Os hieróglifos brilharam no alto da cabeça de Sekhmet:

E tudo em volta dela explodiu. Os caminhões se despedaçaram. O ar vibrou cheio de energia. O piso se elevou, criando uma cratera de quinze metros de profundidade que engoliu a leoa.

Foi muito impressionante, mas eu não tinha tempo para admirar o trabalho de Sadie. Transformei-me num falcão e me atirei na direção dos tanques de *salsa*.

— RRAAAAAARR!

Sekhmet saltou da cratera e soprou o ar do deserto na direção de Sadie, mas ela já tinha saído dali. Ela corria em zigue-zague, escondendo-se atrás de caminhões e lançando metros e mais metros de corda mágica enquanto fugia. As cordas tremulavam no ar e tentavam se prender em volta da boca da leoa. Não conseguiram, é claro, mas irritaram a Destruidora.

— Mostre-se! — gritou Sekhmet. — Vou me alimentar de sua carne!

Empoleirado em um dos silos, concentrei todo meu poder para me transformar de falcão em avatar. Minha forma brilhante era tão pesada, que seus pés afundaram no telhado do galpão.

— Sekhmet! — urrei.

A leoa se virou e rugiu, tentando localizar a voz.

— Aqui em cima, gatinha! — chamei.

Ela me viu e abaixou as orelhas.

— Hórus?

— A menos que conheça outro cara com cabeça de falcão...

Ela andou de um lado para o outro, insegura, mas rugiu numa atitude de desafio.

— Por que fala comigo enquanto estou em minha forma colérica? Sabe que nesta forma devo destruir tudo o que encontro, inclusive você!

— Se é necessário — eu disse. — Mas, antes, talvez queira se banquetear do sangue de seus inimigos!

Enterrei minha espada no tanque e criei uma cachoeira de *salsa*. Saltei para o tanque ao lado e repeti a operação. E de novo, de novo, de novo, até que o Molho Mágico de seis silos estivesse jorrando pelo estacionamento.

— Rá-rá! — Sekhmet estava adorando. Ela se jogou na torrente de *salsa*, rolando e lambendo grandes porções do molho. — Sangue. Delicioso sangue!

Sim, aparentemente, ou os leões não são muito brilhantes, ou suas papilas gustativas não são muito desenvolvidas, porque Sekhmet não parou até estar com a barriga cheia e sua boca começar a fumegar, literalmente.

— Que gosto forte... — disse ela, caindo para o lado e piscando. — E meus olhos ardem. Que tipo de sangue é esse? Persa? Núbio?

— *Jalapeño* — respondi. — Experimente um pouco mais. Fica cada vez melhor.

Agora as orelhas também fumegavam, e ela tentava beber mais e mais. Com os olhos lacrimejando, ela começou a gaguejar.

— Eu... — Uma coluna de vapor brotava de sua boca. — Ardido... boca ardida...

— Leite é bom para isso — sugeri. — Se fosse uma vaca, talvez...

— Armadilha... — Sekhmet gemeu. — Você... armadilha...

Mas os olhos dela estavam muito pesados. Sekhmet girou num círculo e caiu deitada. Enroscando-se como uma bola, sua forma tremulou e mudou, a armadura vermelha transformando-se em porções de pele dourada, até que eu estava olhando para uma enorme vaca adormecida.

Saltei do silo e contornei com grande cuidado a deusa que dormia. Ela fazia ruídos estranhos, roncos de vaca, talvez, algo como *Muuuzzzz, muuuuzzzz*. Balancei a mão diante de seu focinho e, quando tive certeza de que ela estava apagada, eu me desfiz de meu avatar. Sadie e Zia saíram de trás de um caminhão.

— Bem — comentou Sadie —, isso foi diferente.

— Nunca mais vou comer *salsa* — decidi.

— Vocês dois foram brilhantes — Zia nos elogiou. — Mas o barco queimou. Como nós vamos chegar a Phoenix?

— *Nós?* — disparou Sadie. — Não me lembro de ter convidado você.

O rosto de Zia ficou vermelho como molho de pimenta.

— Ainda está pensando que os atraí para uma armadilha?

— Não sei. Atraiu?

Eu não podia acreditar no que ouvia.

— Sadie. — Minha voz soou perigosamente irada, até mesmo para mim. — *Chega*. Zia fez aquela coisa do pilar de fogo. Sacrificou a magia dela para nos salvar. E foi ela quem nos disse como vencer a leoa. Precisamos dela.

Sadie me encarou. Depois olhou para Zia, e para mim, e para Zia, e para mim de novo, provavelmente tentando julgar até onde podia ir.

— Tudo bem. — Ela cruzou os braços e fez um beicinho. — Mas precisamos encontrar Amós primeiro.

— Não! — gritou Zia. — Essa é uma péssima ideia.

— Ah, então podemos confiar em você, mas não em Amós?

Zia hesitou. Tive a sensação de que era *exatamente* isso que ela queria dizer, mas depois decidiu tentar uma abordagem diferente:

— Amós não ia querer que vocês esperassem. Ele disse para irmos em frente, não disse? Se sobreviveu a Sekhmet, ele nos encontrará no caminho. Se não...

Sadie a interrompeu.

— E como vamos para Phoenix? Andando?

Olhei para o outro lado do estacionamento, onde havia um caminhão ainda intacto.

— Talvez não seja necessário. — Tirei a túnica de linho que tinha pego no armário de suprimentos do barco de Amós. — Zia, Amós tinha um jeito de animar seus paletós e colocá-los no comando do barco. Conhece esse feitiço?

Ela assentiu.

— É muito simples, se tiver os ingredientes certos. Eu poderia fazer, se tivesse minha magia.

— Não pode me ensinar?

Ela comprimiu os lábios.

— A parte mais difícil é o figurino. Na primeira vez que encanta uma peça de roupa, você precisa amassar um *shabti* no tecido e dizer um feitiço para uni-los, como se fossem cera derretida. Isso requer uma estátua de argila com um espírito já imbuído nela.

Sadie e eu nos entreolhamos.

— Doughboy! — dissemos ao mesmo tempo.

CARTER

34. Doughboy nos dá uma carona

INVOQUEI A CAIXA MÁGICA do papai de volta do Duat e peguei nela nosso amigo sem pernas.

— Doughboy, precisamos conversar.

Ele abriu os olhos de cera.

— Finalmente! Tem ideia de como aquilo é abafado? Pelo menos lembraram que precisam de minha brilhante orientação.

— Na verdade, precisamos que se transforme em uma túnica. Só por um tempo.

A boca pequenina se abriu.

— Por acaso pareço uma peça de roupa? Sou o senhor do conhecimento! O todo-poderoso...

Eu o apertei contra a roupa, amassei bem, joguei-o no chão e pisei em cima.

— Zia, qual é o feitiço?

Ela disse as palavras e eu as repeti. A túnica inflou e flutuou na minha frente. Limpou-se e ajeitou a própria gola. Se roupas pudessem parecer indignadas, essa pareceria.

Sadie olhou a peça, desconfiada.

— Como isso vai dirigir um caminhão, se não tem pés para os pedais?

— Não deve ser problema — respondeu Zia. — É uma bela túnica.

Suspirei aliviado. Por um momento, imaginei que teria de animar minha calça também. Isso seria bem constrangedor.

— Leve-nos a Phoenix — ordenei.

A roupa fez um gesto para mim, que teria sido grosseiro se houvesse mãos e dedos para completá-la. Depois, flutuou até o assento do motorista.

A cabine era maior do que eu havia imaginado. Atrás dos bancos havia uma área delimitada por cortinas com uma cama de casal, que Sadie ocupou imediatamente.

— Vou deixar você e Zia a sós — ela me falou. — Só os dois e sua peça de roupa.

Minha irmã se atirou atrás das cortinas antes que eu pudesse bater nela.

A roupa nos levou para oeste pela I-10 enquanto nuvens escuras encobriam as estrelas. O ar trazia o cheiro de chuva.

Depois de muito tempo, Zia pigarreou.

— Carter, lamento sobre... Quer dizer, gostaria que as circunstâncias fossem melhores.

— Sim — concordei. — Acho que você vai ter muitos problemas com a Casa.

— Serei banida. Meu cajado será quebrado. Meu nome vai ser apagado dos livros. Serei exilada, presumindo que não me matem.

Pensei no pequeno altar de Zia no Primeiro Nomo — todas aquelas fotos de seu vilarejo e da família que ela não conseguia lembrar. Quando ela falou em ser exilada, ficou com a mesma expressão daquele dia: não havia pesar ou tristeza, mas confusão, como se ela mesma não conseguisse entender por que estava se rebelando, ou o que o Primeiro Nomo significava para ela. Zia dissera que Iskandar era sua única família. Agora, ela não tinha ninguém.

— Você poderia vir conosco — propus.

Ela olhou para mim. Estávamos sentados muito próximos, e eu tinha absoluta consciência do ombro dela encostado no meu. Mesmo com o cheiro de pimentas queimadas que parecia ter aderido à nossa pele, eu ainda sentia seu perfume egípcio. Uma pimenta seca tinha grudado em seus cabelos e, de alguma forma, isso a deixava ainda mais bonita.

Sadie está dizendo que minha cabeça estava confusa, só isso. [Sério, Sadie, eu não interrompo tanto quando você está contando a história.]

Enfim, Zia me olhou com tristeza.

— Para onde iríamos, Carter? Mesmo que você derrote Set e salve o continente, o que vai fazer? A Casa o perseguirá. Os deuses vão tornar sua vida um tormento.

— Vamos pensar em algo — prometi. — Estou acostumado a viajar. Sou bom em improvisação, e Sadie não é *tão* ruim.

— Eu ouvi isso! — A voz de Sadie soou abafada do outro lado da cortina.

— E com você — continuei —, quer dizer, você sabe, com sua magia, tudo seria mais fácil.

Zia afagou minha mão, o que provocou um arrepio que subiu meu braço.

— Você é bom, Carter. Mas não me conhece. Não de verdade. Suponho que Iskandar tenha previsto tudo isso.

— Como assim?

Ela afastou a mão da minha, o que me deixou bem triste.

— Quando Desjardins e eu voltamos do British Museum, Iskandar conversou comigo em particular. Disse que eu corria perigo. Disse que me levaria para algum lugar seguro e... — Uma ruga surgiu bem no meio de sua testa. — Isso é estranho. Não lembro.

Uma sensação gelada começou a me devorar por dentro.

— Espere. Ele a *levou* para esse lugar seguro?

— Eu... acho que sim. — Zia balançou a cabeça. — Não, não pode ter levado, é claro. Ainda estou aqui. Talvez ele não tenha tido tempo. Ele me mandou procurar por você em Nova York quase imediatamente depois.

Do lado de fora, uma chuva leve começou a cair. A roupa ligou os limpadores de para-brisa.

Não entendi o que Zia me disse. Talvez Iskandar tivesse percebido alguma mudança em Desjardins, e tenha tentado proteger sua aluna favorita. Mas algo mais nessa história me incomodava — algo que eu não conseguia identificar.

Zia olhava para a chuva como se visse coisas ruins na noite lá fora.

— O tempo está se esgotando — observou. — Ele está voltando.
— Quem?
Ela me olhou com urgência.
— O que eu precisava lhe dizer... O que você precisa saber. É o nome secreto de Set.
A tempestade desabou. Um trovão ecoou e o caminhão tremeu, sacudido pelo vento.
— Es... espere — gaguejei. — Como pode saber o nome secreto de Set? Mais ainda, como soube que precisamos dele?
— Vocês roubaram o livro de Desjardins. Desjardins nos contou. Ele disse que não tinha importância. Disse que você não poderia usar o feitiço sem o nome secreto de Set, o que é impossível conseguir.
— Então, como *você* sabe? Tot disse que só o próprio Set poderia dizê-lo, ou uma pessoa... — Minha voz desapareceu quando um terrível pensamento me ocorreu. — A pessoa mais próxima dele.
Zia fechou os olhos como se sentisse dor.
— Eu... não sei explicar, Carter. Só escuto essa voz me dizendo o nome...
— A quinta deusa — eu disse. — Néftis. Você também estava lá, no British Museum.
Zia ficou completamente perplexa.
— Não, isso é impossível.
— Iskandar disse que você estava em perigo. Ele queria levá-la para algum lugar seguro. Era isso que ele queria dizer. Você é uma deusa menor.
Ela balançou a cabeça, teimando.
— Mas ele *não* me levou. Estou aqui. Se hospedasse um deus, os magos da Casa teriam percebido há dias. Eles me conhecem muito bem. Teriam notado as mudanças em minha magia. Desjardins teria me destruído.
Ela estava certa, mas outro pensamento terrível me ocorreu.
— A menos que Set o esteja controlando — sugeri.
— Carter, você é realmente tão cego? Desjardins não é Set.
— Porque você acha que é Amós. Amós, que arriscou a vida para nos salvar, que nos mandou seguir em frente sem ele. E, também, Set não precisa de uma forma humana. Ele está usando a pirâmide.

— E você sabe disso porque...?

Eu hesitei.

— Porque Amós nos contou.

— Isso não vai nos levar a lugar nenhum — concluiu Zia. — Sei o nome secreto de Set e posso lhe dizer. Mas você precisa prometer que não vai contar a Amós.

— Ah, por favor! Além do mais, se sabe o nome, por que não pode usá-lo você mesma?

Ela balançou a cabeça, e parecia quase tão frustrada quanto eu.

— Não sei por quê... Só sei que não cabe a mim desempenhar esse papel. Tem de ser você ou Sadie: o sangue dos faraós. Se não...

O caminhão reduziu bruscamente a velocidade. Vi pelo para-brisa que um homem vestindo casaco azul estava em pé no meio da estrada, diante dos faróis. Era Amós. Suas roupas estavam em frangalhos, como se ele tivesse sido crivado de balas, mas, com exceção desse detalhe, ele parecia bem. Antes mesmo que o caminhão parasse completamente, saltei da cabine e corri para encontrá-lo.

— Amós! — gritei. — O que aconteceu?

— Eu distraí Sekhmet — respondeu ele, enfiando o dedo em um dos buracos do casaco. — Por cerca de onze segundos. Fico feliz em ver que sobreviveram.

— Havia uma fábrica de molho — comecei a explicar, mas Amós levantou a mão.

— Vamos deixar as explicações para mais tarde. Agora devemos ir.

Ele apontou para noroeste e entendi o que queria dizer. A tempestade era pior lá na frente. *Muito* pior. Uma parede negra encobria o céu da noite, as montanhas, a estrada, como se a escuridão engolisse o mundo todo.

— A tempestade de Set está se formando — comentou Amós com um brilho no olhar. — Vamos para lá?

35. Homens pedindo informações (e outros sinais do Apocalipse)

NÃO SEI COMO CONSEGUI, com Carter e Zia falando o tempo todo, mas dormi um pouco na cama do caminhão. Mesmo depois da agitação de ver Amós vivo, assim que voltamos para a estrada, eu me deitei e dormi. Suponho que um bom *ha-di* possa ter esse poder.

Naturalmente, meu *ba* aproveitou a oportunidade para viajar. Quem me dera ter um repouso *tranquilo*.

Voltei a Londres, às margens do Tâmisa. A Agulha de Cleópatra se erguia diante de mim. Era um dia cinzento, frio e calmo, e até o cheiro do lixo na maré baixa me deixava com saudades de casa.

Ísis estava a meu lado usando um vestido branco como uma nuvem, os cabelos negros trançados com diamantes. Suas asas multicoloridas apareciam e sumiam atrás dela, lembrando a aurora boreal.

— Seus pais tiveram a ideia certa — disse ela. — Bastet não estava mais conseguindo.

— Ela era minha amiga — respondi.

— Sim. Uma boa e leal servidora. Mas o caos não pode ser contido para sempre. Ele cresce. Esgueira-se pelas brechas da civilização, rompe limites. Não pode ser mantido em estado de equilíbrio. E isso é simplesmente sua natureza.

O obelisco estremeceu, brilhando levemente.

— Hoje é o continente americano — continuou Ísis — mas, a menos que os deuses sejam convocados, a menos que tenhamos de volta todo nosso poder, logo o caos destruirá todo o mundo humano.

— Estamos fazendo o melhor que podemos — insisti. — Vamos derrotar Set.

Ísis me olhou com tristeza.

— Você sabe que não é disso que estou falando. Set é só o começo.

A imagem mudou e vi Londres em ruínas. Eu tinha visto fotos horríveis do bombardeio na Segunda Guerra Mundial, mas não eram nada comparadas àquele cenário. A cidade era uma coisa só: pó e escombros por quilômetros, o Tâmisa sufocado pela espuma. A única construção em pé era o obelisco, e ele começou a rachar, os quatro lados se desprendendo como pétalas de uma flor murcha.

— Não quero ver isso — pedi.

— Vai acontecer em breve — retrucou Ísis —, como sua mãe previu. Mas, se você não pode encarar...

A cena mudou novamente. Estávamos na sala do trono de um palácio — o mesmo que eu tinha visto antes, onde Set sepultara Osíris. Os deuses estavam se reunindo, materializando-se como raios de luz penetrando no cômodo, enroscando-se nas colunas, tomando a forma humana. Um deles era Tot, com seu jaleco cheio de manchas, seus óculos de aros de metal e os cabelos arrepiados. Outro se tornou Hórus, o jovem guerreiro e orgulhoso com um olho dourado e outro prateado. Sobek, o deus crocodilo, agarrou seu cajado de água e mostrou os dentes para mim. Uma massa de escorpiões se reuniu atrás de uma coluna e saiu pelo outro lado como Serket, a deusa aracnídea de veste marrom. Então, meu coração parou, porque vi um garoto de preto nas sombras atrás do trono: Anúbis, seus olhos escuros me estudando com pesar.

Ele apontou para o trono, e vi que estava vazio. O palácio sentia falta de seu coração. A sala estava vazia e escura, e era impossível acreditar que um dia aquele tinha sido um local de celebrações.

Ísis me olhou.

— Precisamos de um governante. Hórus deve se tornar faraó. Ele precisa unir os deuses e a Casa da Vida. É a única solução.

— Não pode estar falando de Carter — respondi. — Meu irmão enrolado... um faraó? Está brincando?

— Precisamos ajudá-lo. Você e eu.

A ideia era tão ridícula que, se os deuses não estivessem olhando para mim com aquele ar tão grave, eu teria rido.

— Ajudá-lo? — repeti. — Por que ele não *me* ajuda a ser faraó?

— Já houve mulheres faraós muito fortes — reconheceu Ísis. — Hatshepsut governou bem por muitos anos. O poder de Nefertiti era igual ao do marido. Mas seu caminho é outro, Sadie. Seu poder não virá de um trono. E você sabe disso.

Olhei para o trono e percebi que Ísis tinha razão. A ideia de me sentar ali com uma coroa na cabeça, tentando governar aquele bando de deuses mal-humorados e temperamentais, não me interessava nem um pouco. Mas... Carter?

— Você se fortaleceu, Sadie — disse Ísis. — Acho que não percebe *quanto*. Logo enfrentaremos juntas o teste. E venceremos, se você mantiver sua coragem e sua fé.

— Coragem e fé — repeti. — Não são meus pontos mais fortes.

— Sua hora vai chegar — avisou Ísis. — Nós contamos com você.

Os deuses se reuniram à nossa volta, olhando para mim com expectativa. Eles começaram a se aproximar, e foram se juntando até eu não conseguir respirar, agarrando meus braços, me sacudindo...

Acordei com Zia cutucando meu ombro.

— Sadie, nós paramos.

Levei a mão à varinha numa reação instintiva.

— O quê? Onde?

Zia empurrou as cortinas em volta da cama e, do banco dianteiro, inclinou-se sobre mim, o que me enervou.

— Amós e Carter estão no posto de gasolina. Você precisa se preparar para entrar em ação.

— Por quê? — Eu me sentei e olhei pelo para-brisa, e vi a tempestade. — Ah...

O céu estava preto, era impossível dizer se era dia ou noite. Rajadas de vento carregavam muita areia, mas consegui ver que estávamos estacionados diante de um posto bastante iluminado.

— Estamos em Phoenix — informou Zia —, mas a maior parte da cidade está fechada. As pessoas estão partindo.

— Que horas são?

— Quatro e meia da manhã. A magia não está funcionando bem. Quanto mais nos aproximamos da montanha, pior fica. E o sistema de GPS do caminhão parou. Amós e Carter foram ao posto pedir informações.

Isso não soava promissor. Se dois magos do sexo masculino estavam suficientemente desesperados para parar e pedir informações, estávamos mesmo encrencados.

O vento sacudiu a cabine do caminhão, e o barulho era assustador. Depois de tudo o que havíamos enfrentado, eu me sentia tola por sentir medo de uma tempestade, mas pulei para a frente a fim de me sentar ao lado de Zia.

— Há quanto tempo eles estão lá? — perguntei.

— Não muito. Queria falar com você antes que voltassem.

Eu ergui uma sobrancelha.

— Sobre Carter? Bem, se tem dúvidas de que ele gosta de você, a gagueira pode ser uma indicação.

Zia franziu o cenho.

— Não, eu...

— Quer saber se me importo? Quanta consideração. Confesso que, no início, tive dúvidas, com você ameaçando nos matar e tudo o mais, mas decidi que você não é má, e Carter é maluco por você, então...

— Não é sobre Carter.

Franzi o nariz.

— Ai... Será que pode esquecer o que eu disse, então?

— É sobre Set.

— Deus — sussurrei. — De novo não. Ainda desconfia de Amós?

— Você está cega e não vê. Set adora mentiras e armadilhas. É sua maneira favorita de matar.

Em parte, eu sabia que ela estava certa. E você certamente vai pensar que fui tola por não ouvi-la. Mas você já esteve sentado ao lado de alguém que fala mal de um membro de sua família? Mesmo que não seja seu parente preferido, a reação natural é defendê-lo — pelo menos foi essa minha reação, talvez por eu não ter muitos familiares.

— Zia, escute, não consigo acreditar que Amós...

— Não é *Amós* — argumentou ela. — Mas Set pode dominar a mente e controlar o corpo. Não sou especialista em possessão, mas era um problema muito comum nos velhos tempos. Demônios menores já são difíceis de desalojar. Um deus grande...

— Ele *não* está possuído! *Não pode* estar.

Eu me encolhi. Uma dor forte surgiu bem no meio da palma de minha mão, um ardor de queimadura exatamente no local onde eu tinha segurado a pena da verdade pela última vez. Mas eu não estava mentindo! Acreditava *mesmo* que Amós era inocente... não?

Zia estudou minha expressão.

— Você deseja que Amós esteja bem. Ele é seu tio. E você já perdeu muitos membros da família. Eu entendo.

Queria dizer que ela não sabia de nada, mas seu tom de voz me fez suspeitar que ela já tinha sofrido... talvez mais que eu.

— Não temos escolha — eu disse. — Quanto falta para o amanhecer? Três horas? Amós conhece o melhor caminho para o interior da montanha. Com ou sem armadilha, temos de ir até lá e tentar deter Set.

Eu quase podia ver as engrenagens girando na cabeça de Zia. Ela procurava um jeito, *qualquer* jeito, de me convencer.

— Tudo bem — disse ela finalmente. — Tentei contar algo a Carter, mas não tive chance. Então, vou contar a você. Justamente aquilo de que você mais precisa para deter Set.

— Você não pode saber o nome secreto dele.

Zia me encarou. Talvez fosse a pena da verdade, mas eu tinha certeza de que ela não estava blefando.

Ela *sabia* o nome secreto de Set.

Ou, pelo menos, *acreditava* saber.

E, francamente, eu tinha ouvido trechos da conversa entre ela e Carter durante a viagem. Eu não tinha a intenção, mas era difícil *não* ouvir. Olhei para Zia e tentei acreditar que ela hospedava Néftis, mas não fazia sentido. Eu tinha falado com Néftis. Ela dissera que estava distante, em algum tipo de hospedeiro adormecido. E Zia estava bem ali, na minha frente.

— Vai dar certo — insistiu Zia. — Mas eu não posso fazer o que é necessário. Precisa ser *você*.

— Por que não usa você o nome? Porque gastou toda sua magia?

Ela ignorou a pergunta.

— Só quero que me prometa que vai usá-lo *agora*, com Amós, antes de chegarmos à montanha. Pode ser sua única chance.

— E se você estiver errada vamos perder nossa única chance. O livro desaparece assim que é usado, certo?

Zia assentiu, relutante.

— Uma vez lido, o livro desaparece e aparece em outro lugar do mundo. Mas, se você esperar mais, estaremos condenados. Se Set os atrair para sua base de poder, nunca terão força para enfrentá-lo. Sadie, por favor...

— Qual é o nome? Prometo usá-lo na hora certa.

— *Agora* é a hora certa.

Eu hesitei, esperando que Ísis me dissesse algumas palavras de sabedoria, mas a deusa estava em silêncio. Não sei se eu teria cedido. Talvez as coisas acontecessem de outro jeito se tivesse concordado com o plano de Zia. Mas, antes que eu pudesse fazer essa escolha, as portas do caminhão se abriram e Amós e Carter entraram acompanhados por uma rajada de areia.

— Estamos perto. — Amós sorria como se desse uma boa notícia. — Muito, muito perto.

36. Nossa família vira vapor

S
A
D
I
E

Menos de um quilômetro antes da montanha Camelback, encontramos um círculo de perfeita calmaria.

— O olho do furacão — deduziu Carter.

Era sinistro. Em torno da montanha girava um cilindro de nuvens negras. Rastros de fumaça ligavam os picos da Camelback às paredes do redemoinho, como raios de uma roda, mas bem acima de nós o céu estava claro e estrelado, começando a se tingir de cinza. Um novo dia se aproximava.

As ruas estavam vazias. Mansões e hotéis que ocupavam toda a área em volta da base da montanha estavam completamente escuros; mas a Camelback brilhava. Você já pôs a mão na frente de uma lanterna acesa e viu como sua pele reflete a luz vermelha? Era assim que a montanha parecia: algo muito claro e quente tentava romper a rocha.

— Nada se move nas ruas — observou Zia. — Se tentarmos subir a encosta...

— Seremos vistos — completei.

— E aquele encantamento? — Carter olhou para Zia. — Você sabe... Aquele que usou no Primeiro Nomo.

— Que encantamento? — perguntei.

Zia balançou a cabeça.

— Carter se refere a um feitiço de invisibilidade. Mas estou sem magia. E, a menos que você tenha os componentes apropriados, esse encantamento não pode ser feito assim, de imediato.

— Amós? — tentei.

Ele pensou por um instante.

— Lamento, sem invisibilidade. Mas tenho outra ideia.

Eu pensava que me transformar em ave era ruim, até Amós nos transformar em nuvens de tempestade.

Ele explicou antecipadamente o que faríamos, mas isso não me deixava menos nervosa.

— Ninguém vai notar algumas nuvens negras no meio de uma tempestade — argumentou ele.

— Mas isso é impossível — contestou Zia. — Isso é tempestade mágica, magia do *caos*. Não devemos...

Amós levantou a varinha e Zia se desintegrou.

— Não! — gritou Carter, mas em seguida ele também sumiu, substituído por uma espiral de poeira negra.

Amós se virou para mim.

— Ah, não. Muito obrigada, mas...

Puf. Eu era uma nuvem de tempestade. Sei que isso pode soar incrível para você, mas imagine seus pés e suas mãos desaparecendo, transformando-se em sopros de vento. Imagine ter seu corpo substituído por poeira e vapor e sentir um estranho frio no estômago, sem sequer *ter* um estômago. Imagine precisar de concentração simplesmente para não se dispersar e virar um nada.

Fiquei tão furiosa, que um raio de luz estalou dentro de mim.

— Não fique assim — Amós me censurou. — É só por alguns minutos. Siga-me.

Ele se desintegrou numa nuvem mais pesada e escura, e partiu para a montanha. Segui-lo não foi fácil. No início, eu só conseguia flutuar. Cada sopro de vento ameaçava levar parte de mim. Tentei girar e descobri que esse movimento ajudava a manter minhas partículas unidas. Então, eu me imaginei cheia de hélio, e de repente disparei.

Não conseguia ter certeza se Zia e Carter estavam nos seguindo ou não. Quando você é uma tempestade, sua visão não é humana. Eu podia sentir vagamente o que me cercava, mas o que eu "via" era indistinto e sem foco, cercado de eletrostática.

Eu me dirigi à montanha, que era um ímã quase irresistível para minha personalidade de tempestade. Ela brilhava com aquela mistura de calor, pressão, turbulência... Tudo o que eu podia querer.

Segui Amós até uma reentrância na encosta da montanha, mas recuperei a forma humana cedo demais. Rolei do alto e derrubei Carter.

— Ai — reclamou ele.

— Desculpe — pedi, embora estivesse muito mais preocupada em controlar meu enjoo.

Meu estômago continuava sentindo que havia uma tempestade dentro dele.

Zia e Amós estavam em pé perto de nós, espiando por uma brecha entre duas grandes pedras. A claridade vermelha do interior da montanha fazia o rosto deles parecer diabólico.

Zia olhou para nós. A julgar por sua expressão, o que ela vira não era bom.

— Só falta o piramidião.

— O quê? — perguntei.

Eu me aproximei para espiar pela fresta, e o que vi era quase tão desorientador quanto ser uma nuvem de tempestade. Toda a montanha estava oca, como Carter tinha descrito. O piso da caverna ficava uns seiscentos metros abaixo de nós. O fogo ardia em vários lugares, banhando as paredes de pedra com uma claridade cor de sangue. Uma pirâmide vermelha gigantesca ocupava a caverna, e, na base, uma multidão de demônios se movimentava como a plateia de um concerto de rock esperando pelo início do show. Bem acima deles, na altura de nossos olhos, dois barcos mágicos tripulados por demônios flutuavam lentamente, de forma cerimoniosa, na direção da pirâmide. Suspensa por um emaranhado de cordas entre os barcos ia a única parte da construção que ainda não tinha sido colocada: uma pedra triangular dourada, que seria o topo da estrutura.

— Eles sabem que venceram — comentou Carter. — Estão transformando o final do projeto em um espetáculo.

— Sim — concordou Amós.

— Bem, vamos explodir os barcos ou sei lá! — sugeri.

Amós me olhou.

— *Essa* é sua estratégia? Francamente.

Seu tom de voz fez eu me sentir completamente estúpida. Olhei para baixo, para o exército de demônios, para a pirâmide enorme... Onde eu estava com a cabeça? Não podia lutar contra aquilo. Eu era só uma menina de doze anos!

— Precisamos tentar — disse Carter. — Papai está lá.

Isso me arrancou do momento de autopiedade. Se íamos morrer, pelo menos morreríamos tentando salvar meu pai (ah, e a América do Norte também, eu acho).

— Certo — respondi. — Vamos voar até os barcos. E vamos impedir que coloquem o cume...

— O piramidião — corrigiu Zia.

— Que seja. Depois voamos para dentro da pirâmide e encontramos papai.

— E quando Set tentar impedir vocês? — perguntou Amós.

Olhei para Zia, cujo olhar me dizia para não revelar mais nada.

— Uma coisa de cada vez — respondi. — Como voamos até os barcos?

— Como tempestade — sugeriu Amós.

— Não! — todos nós respondemos.

— Não quero tomar parte em mais magia do caos — insistiu Zia. — *Não é natural*.

Amós acenou para o espetáculo no interior da montanha.

— E *isso* é natural? Você tem outro plano?

— Aves? — anunciei, odiando-me por pensar nisso. — Vou me transformar em papagaio. Carter pode ser um falcão.

— Sadie — Carter me alertou —, e se...

— Preciso tentar. — Desviei o olhar antes de perder a coragem. — Zia, já faz quase dez horas que você criou aquele pilar de fogo. Ainda está sem magia?

Zia estendeu a mão e se concentrou. No início, nada aconteceu. Depois, uma luz vermelha começou a brilhar entre seus dedos e o cajado surgiu, ainda fumegando.

— Bem na hora — aprovou Carter.

— Mais ou menos — observou Amós. — Significa que Desjardins não está mais sendo perseguido pelo pilar de fogo. Logo estará aqui, e tenho certeza de que trará reforços. Mais inimigos para nós.

— Minha magia ainda estará fraca — avisou Zia. — Não vou poder ajudar muito em um combate, mas talvez consiga invocar um transporte. — Ela mostrou o pingente de abutre que usava em Luxor.

— Nesse caso, sobro eu — concluiu Amós. — Não se preocupem. Vamos nos encontrar no barco da esquerda. Derrubamos esse primeiro, depois cuidamos do da direita. E vamos contar com o fator surpresa.

Eu não estava disposta a deixar Amós traçar nossos planos, mas sua lógica fazia sentido.

— Certo. Vamos ter de acabar com os barcos bem depressa, depois seguimos para a pirâmide. Talvez possamos lacrar a entrada, ou algo parecido.

Carter assentiu.

— Estou pronto.

No início, o plano pareceu funcionar bem. Transformar-me em papagaio não foi problema, e, para minha surpresa, assim que cheguei à proa do navio consegui voltar à forma humana, na primeira tentativa, com o cajado e a varinha em mãos. A única pessoa mais surpresa era o demônio à minha frente. Sua cabeça de canivete armou-se com o susto.

Antes que ele pudesse me atacar ou dar o alarme, eu invoquei o vento com meu cajado e soprei o demônio para fora do barco. Dois de seus parceiros se adiantaram, mas Carter apareceu atrás deles, espada em punho, e os transformou em montes de areia.

Infelizmente, Zia não foi tão discreta. Um falcão gigante com uma menina pendurada nas garras sempre chama muita atenção. Quando ela voava para o barco, demônios apontaram e gritaram. Alguns arremessaram lanças que passaram bem perto.

Mas a entrada triunfal de Zia distraiu os outros dois demônios no barco, o que permitiu que Amós surgisse atrás deles. Ele assumira a forma de um morcego de frutas, o que me trouxe más lembranças. Rapidamente, no entanto, Amós retornou à forma humana e jogou o corpo contra os demônios, lançando-os longe.

— Segurem-se! — ele nos disse.

Zia aterrissou bem a tempo de agarrar o leme. Carter e eu nos seguramos nas laterais do barco. Eu não tinha ideia do que Amós planejava, mas depois de minha última viagem em um barco voador, preferia não correr riscos. Amós começou a entoar algo, apontando o cajado para o outro barco, onde os demônios gritavam e apontavam para nós.

Um deles era alto e muito magro, de olhos negros e rosto repugnante, músculos expostos sem pele alguma.

— Aquele é o ajudante de Set — avisou Carter. — Rosto do Terror.

— Vocês! — berrou o demônio. — Peguem eles!

Amós concluiu seu feitiço.

— Fumaça — entoou ele.

No mesmo instante, o segundo barco evaporou numa névoa cinzenta. Os demônios caíram gritando. O piramidião dourado despencou até as cordas que o seguravam ficarem totalmente esticadas, e nosso barco quase virou. Inclinados, começamos a cair.

— Carter, corte as cordas! — gritei.

Ele as cortou com sua espada e o barco voltou a prumo, subindo vários metros num único instante e deixando meu estômago para trás.

O piramidião atingiu o piso da caverna com um grande estrondo. Tive a sensação de que tínhamos acabado de produzir um amontoado de panquecas de demônio.

— Até aqui tudo bem — comentou Carter, mas, como sempre, ele falou cedo demais.

Zia apontou para baixo.

— Vejam.

Todos os demônios que tinham asas — uma pequena porcentagem, mas, ainda assim, uns bons quarenta ou cinquenta deles— investiam contra nós, parecendo um enxame de vespas furiosas.

— Voem para a pirâmide — indicou Amós. — Eu vou distrair os demônios.

A entrada da pirâmide, uma porta simples entre duas colunas na base da estrutura, não estava muito longe. Era guardada por alguns poucos demônios, mas boa parte das forças de Set corria para nosso barco, gritando e atirando pedras, que caíam de volta em cima deles (ninguém disse que demônios são inteligentes).

— São muitos — argumentei. — Amós, eles vão matar você.

— Não se preocupe comigo — disse ele em tom sombrio. — Lacre a entrada quando passar.

Ele me empurrou por cima da lateral do barco, e não tive escolha senão me transformar em papagaio. Carter, na forma de falcão, já descia numa espiral até a entrada, e eu podia ouvir o abutre de Zia batendo suas grandes asas atrás de nós.

Ouvi Amós gritar: "Por Brooklyn!"

Era um velho grito de guerra. Olhei para trás e o barco explodiu em chamas, começou a se afastar da pirâmide e desceu na direção do exército de monstros. Bolas de fogo brotavam da embarcação em todas as direções e pedaços do casco despencavam. Não tive tempo para admirar a magia de Amós, ou me preocupar com o que aconteceria a ele. Amós tinha distraído a maioria dos demônios com sua pirotecnia, mas alguns deles nos notaram.

Carter e eu aterrissamos dentro da pirâmide e voltamos à forma humana. Zia caiu do nosso lado e transformou seu abutre novamente em amuleto. Os demônios estavam a poucos passos — uma dúzia de criaturas enormes com cabeça de inseto ou de dragão e com variados apêndices do tipo canivete suíço.

Carter estendeu a mão. Um punho imenso e radiante surgiu, acompanhando seu movimento — passou entre mim e Zia e fechou as portas. Carter cerrou os olhos e se concentrou, e um símbolo dourado cintilante desenhou-se nas portas como um lacre: o Olho de Hórus. As linhas brilhavam pálidas enquanto os demônios se chocavam contra a barreira, tentando entrar.

— Isso não vai detê-los por muito tempo — alertou Carter.

Fiquei muito impressionada, mas nada disse, é claro. Olhei para as portas fechadas e só conseguia pensar em Amós lá fora, no barco, cercado por um exército do mal.

— Amós sabia o que estava fazendo — disse Carter, embora não parecesse muito convencido. — Ele deve estar bem.

— Vamos — Zia nos chamou. — Não temos tempo para suposições.

O túnel era estreito, vermelho e úmido, por isso me senti como se rastejasse pela artéria de uma enorme besta. Descemos em fila única, com o túnel inclinado em cerca de quarenta graus — o que teria servido como um divertido escorregador à beira de uma piscina, mas era horrível para quem tinha de caminhar com cuidado. As paredes eram decoradas com inscrições complexas, como muitas paredes egípcias que tínhamos visto, mas Carter obviamente não estava gostando. Ele parava toda hora, olhando os desenhos com ar preocupado.

— O que é? — perguntei depois da quinta ou da sexta vez.

— Não são desenhos normais para uma tumba — respondeu ele. — Não há símbolos do pós-vida, nem imagens dos deuses.

Zia assentiu.

— Esta pirâmide não é uma tumba. É um receptáculo, um corpo para conter o poder de Set. Todas essas imagens têm o propósito de aumentar o caos e fazê-lo reinar para sempre.

Continuamos andando e prestei mais atenção aos desenhos, compreendendo o que Zia queria dizer. As imagens eram de monstros terríveis, cenas de guerra, cidades como Paris e Londres em chamas, retratos coloridos de Set e do animal Set derrotando exércitos modernos — cenas tão terríveis, que nenhum egípcio jamais as gravaria em pedra. Quanto mais caminhávamos, mais estranhas e nítidas ficavam as imagens, e mais eu me sentia enjoada.

Finalmente, chegamos ao coração da pirâmide.

Onde deveria estar a câmara de sepultamento em uma pirâmide comum, Set havia criado uma sala do trono para ele mesmo. Era do tamanho de uma quadra de tênis, e, ao redor, o piso era mais fundo, formando uma trincheira, como um fosso. Lá embaixo, um líquido vermelho borbulhava. Sangue? Lava? Ketchup do mal? Nenhuma das alternativas era boa.

A trincheira era fácil de saltar, mas eu não estava muito animada para isso, porque o piso da sala toda era entalhado com hieróglifos vermelhos —

feitiços invocando Isfet, o caos. Acima, no centro do teto, um único buraco quadrado deixava entrar a luz vermelha. Além desse espaço, era como se não existissem saídas. Ao longo de cada parede, havia quatro estátuas do animal Set, todas viradas para nós, com os dentes brancos expostos e os olhos verdes cintilando.

Mas a pior parte era o trono. Era uma coisa horrível e deformada, como uma estalagmite vermelha que tivesse crescido aleatoriamente por séculos de respingos de sedimento. E ela se formara em torno de um caixão dourado — o caixão de *papai* —, que estava enterrado na base do trono, com uma parte exposta formando um apoio para pés.

— Como vamos tirá-lo de lá? — perguntei com a voz trêmula.

Do meu lado, Carter prendeu a respiração.

— Amós?

Segui o olhar de meu irmão até a abertura vermelha no meio do teto. Um par de pernas pendia dali. Em seguida, Amós caiu, abrindo o manto como um paraquedas e planando até o chão. Suas roupas ainda fumegavam, os cabelos estavam cobertos de cinzas. Ele apontou o cajado para o teto e disse um comando. A abertura pela qual entrara estremeceu, provocando uma chuva de escombros e poeira, e a luz se apagou de repente.

Amós limpou as roupas e sorriu para nós.

— Isso deve detê-los por algum tempo.

— Como fez aquilo? — perguntei.

Ele fez um gesto para que o seguíssemos ao interior do aposento.

Carter pulou a trincheira sem hesitar. Eu não gostava daquilo, mas não o deixaria ir sem mim, por isso saltei também o fosso. Imediatamente senti um enjoo mais forte que antes, como se a sala balançasse, causando certa desorientação.

Zia foi a última a pular, observando Amós com cautela.

— Você não devia estar vivo — disse ela.

Amós riu.

— Ah, já ouvi isso antes. Agora, vamos trabalhar.

— Sim. — Eu me dirigi ao trono. — Como tiramos o caixão de lá?

— Cortando? — Carter já empunhava a espada, mas Amós ergueu a mão.

— Não, crianças. Não é disso que estou falando. Tomei providências para que ninguém nos interrompesse. Chegou o momento sobre o qual conversamos.

Um arrepio percorreu minha espinha.

— Conversamos?

De repente, Amós caiu de joelhos e começou a sofrer convulsões. Corri para perto dele, mas ele ergueu os olhos e seu rosto estava contorcido pela dor. Seus olhos encontravam-se vermelhos como lava derretida.

— *Fujam!* — ele gemeu.

Amós caiu, e um vapor vermelho se desprendeu de seu corpo.

— Temos de ir! — Zia agarrou meu braço. — Agora!

Mas eu estava paralisada, olhando horrorizada para o vapor que se desprendia de Amós e subia ao trono, tomando lentamente a forma de um homem sentado: um guerreiro vermelho em armadura de fogo, com um cajado de ferro em uma das mãos e a cabeça de um monstro canino.

— E agora — sorriu Set —, Zia vai dizer: "Eu avisei."

37. Leroy consegue sua vingança

TALVEZ EU NÃO SEJA DO TIPO QUE APRENDE DEPRESSA, CERTO?

Porque foi só naquele momento, quando me deparei com o deus Set no meio de sua sala do trono, no coração de uma pirâmide do mal, com um exército de demônios do lado de fora e o mundo prestes a explodir, que pensei: Vir aqui não foi boa ideia.

Set levantou-se do trono. Ele tinha a pele vermelha e era musculoso, usava uma armadura de fogo e seu cajado era de ferro negro. A cabeça mudava de forma, ora animal, ora humana. Em um momento, tinha o olhar faminto e as mandíbulas poderosas de meu velho amigo Leroy, o monstro do aeroporto de Washington. No outro, era um homem louro e de boa aparência, mas de rosto severo, olhos inteligentes que sugeriam humor e um meio sorriso de crueldade. Ele chutou nosso tio para fora do caminho, e Amós gemeu, o que significava que, pelo menos, estava vivo.

Eu segurava a espada com tanta força que a lâmina tremia.

— Zia estava certa — falei. — Você possuiu Amós.

Set abriu as mãos, tentando parecer modesto.

— Bem, não foi uma possessão *completa*. Os deuses podem existir em muitos lugares ao mesmo tempo, Carter. Hórus poderia ter contato, se fosse honesto com você. Tenho certeza de que ele procurava um bom monumento de guerra onde se instalar, ou uma academia militar em algum lugar, qualquer coisa, menos essa sua forma magricela. A maior parte de meu ser foi agora transferida para esta magnífica estrutura.

Ele abriu os braços, orgulhoso, mostrando a sala do trono.

— Uma porção de minha alma foi suficiente para controlar Amós Kane.

Ele levantou o dedinho e um fio de fumaça vermelha se dirigiu a Amós, penetrando em suas roupas. Meu tio arqueou as costas como se tivesse sido atingido por um raio.

— Pare! — gritei.

Corri até Amós, mas a fumaça vermelha já tinha se dissipado. Ele estava imóvel, inerte.

Set deixou cair as mãos, como se aquilo o entediasse.

— Não restou muito dele, infelizmente. Amós lutou bem. Foi muito divertido, exigiu muita energia, mais do que eu havia previsto. Aquela magia do caos... Aquilo foi ideia *dele*. Ele fez de tudo para preveni-los, para deixar claro que eu o controlava. O engraçado é que eu o forcei a usar a própria reserva de magia para fazer os feitiços. Ele quase queimou a alma tentando enviar aqueles avisos flamejantes. Transformá-los em tempestade? Francamente! Quem ainda faz isso?

— Você é uma besta! — gritou Sadie.

Set fingiu surpresa.

— É mesmo? Eu?

Ele gargalhou, enquanto Sadie tentava arrastar Amós para longe daquela situação perigosa.

— Amós estava em Londres naquela noite — comecei a dizer, esperando mantê-lo atento a mim. — Ele deve ter nos seguido até o British Museum, e desde então você o está controlando. Desjardins nunca foi o hospedeiro.

— Ah, aquele plebeu? Por favor — Set desdenhou. — Sempre preferimos sangue de faraós, como já devem saber. Mas adorei enganar vocês. Achei que o *bonsoir* foi um toque especialmente encantador.

— Você sabia que meu *ba* estava lá, observando. Forçou Amós a sabotar a própria casa para permitir a entrada dos monstros. Você o fez cair na emboscada. Por que não o fez simplesmente nos sequestrar?

Set estendeu as mãos.

— Como eu disse, Amós lutou muito. Havia certas coisas que eu não poderia tê-lo obrigado a fazer sem destruí-lo completamente, e eu não queria estragar meu novo brinquedinho tão depressa.

A raiva queimava dentro de mim. O comportamento estranho de Amós fazia sentido. Sim, ele tinha sido controlado por Set, mas lutara o tempo todo. O conflito que eu havia percebido nele era o resultado de seu esforço para nos prevenir. Ele quase tinha se destruído tentando nos salvar, e Set o descartara como um brinquedo quebrado.

Deixe-me ficar no comando, Hórus pediu. *Vamos vingar seu tio.*

Eu cuido disso, respondi.

Não! Eu preciso cuidar disso. Você não está preparado, Hórus insistiu.

Set riu como se pudesse ouvir nossa discussão.

— Ah, pobre Hórus. Seu hospedeiro ainda precisa de rodinhas, como aquelas que impedem que a criança caia enquanto está aprendendo a andar de bicicleta. Espera mesmo me desafiar com *isso*?

Pela primeira vez, Hórus e eu sentimos a mesma coisa exatamente no mesmo momento: *ódio*.

Sem pensar, levantamos a mão, expandindo nossa energia até Set. Um punho brilhante atingiu o Deus Vermelho. Ele foi jogado para trás com tanta força, que colidiu com uma coluna, que caiu em cima dele.

Por um instante, só se ouvia o ruído de escombros e terra caindo. Depois, do meio dos destroços, ouvimos uma gargalhada. Set se levantou, atirando para o lado um enorme pedaço de rocha.

— Muito bom! — rosnou ele. — Completamente inútil, mas bom! Vai ser um prazer fazê-lo em pedaços, Hórus, como fiz com seu pai. Vou sepultar todos vocês nesta câmara para aumentar o poder de minha tempestade: meus quatro preciosos irmãos. A tormenta será forte o bastante para envolver o mundo!

Eu pisquei, de repente confuso.

— Quatro?

— Ah, sim. — Os olhos de Set se voltaram para Zia, que se recolhera em silêncio para um canto da sala. — Não me esqueci de você, minha cara.

Zia me olhou com desespero.

— Carter, não se preocupe comigo. Ele só quer distrair você.

— Deusa adorável — murmurou Set — , essa forma não lhe faz jus, mas você não tinha muitas opções, não é?

Set caminhava até ela, e seu cajado começava a brilhar.

— Não! — gritei.

Eu avancei, mas Set era tão bom quanto eu em empurrões mágicos. Ele apontou para mim e me arremessou contra a parede, onde fiquei, como se um time inteiro de futebol americano me segurasse.

— Carter! — gritou Sadie. — Ela é Néftis. Pode cuidar de si mesma!

— Não!

O instinto me dizia que ela não podia ser Néftis. No início, eu pensara que sim, no entanto, quanto mais considerava essa ideia, mais ela parecia errada. Não sentia nela nenhuma magia divina, e algo me dizia que eu perceberia, se ela realmente hospedasse uma deusa.

Set ia destruí-la, a menos que eu impedisse. E, se queria me distrair, estava conseguindo. Ele caminhava para Zia, e eu me debatia contra a magia dele, mas não conseguia me libertar. Quanto mais tentava unir meu poder ao de Hórus, como fizera antes, mais o medo e o pânico me atrapalhavam.

Entregue o comando!, Hórus insistia, e nós dois disputávamos o controle de minha mente, o que me deu uma terrível dor de cabeça.

Set deu mais um passo até Zia.

— Ah, Néftis. No início dos tempos, você foi minha irmã traiçoeira. Em outra encarnação, em outra era, foi minha esposa traiçoeira. Agora, acho que você será um aperitivo saboroso. Sim, você é a mais fraca de todos nós, mas ainda é uma dos cinco, e *existe* poder em capturar o conjunto completo.

Ele fez uma pausa e riu.

— Agora, vamos consumir sua energia e sepultar sua alma, que tal?

Zia apontou a varinha. Uma esfera vermelha de energia defensiva a cercou, mas até eu podia dizer que era fraca. Set disparou um jato de areia com seu cajado e a esfera se desfez. Zia cambaleou para trás, com areia caindo dos cabelos e das roupas. Tentei me mover, mas ela gritou:

— Carter, não sou importante! Mantenha o foco! Não resista!

Ela ergueu o cajado e continuou:

— A Casa da Vida!

Zia disparou um raio de fogo contra Set — um ataque que deve ter consumido toda a energia que lhe restava. Set desviou as chamas para o lado, na direção de Sadie, que precisou levantar a varinha para proteger a si e Amós do fogo. Set puxou o ar como a uma corda invisível, e Zia voou até ele feito uma boneca de pano, direto para suas mãos.

"Não resista." Como Zia podia dizer tal coisa? Resisti como um louco, mas foi inútil. Tudo o que eu pude fazer foi olhar, impotente, enquanto Set aproximava o rosto do de Zia, examinando-a.

No início, ele pareceu triunfante, alegre, mas sua expressão mudou rapidamente. Ficou confusa. Ele franziu o cenho e seus olhos brilharam.

— Que truque é esse? Onde a escondeu?

— Você não a terá — Zia conseguiu responder, quase sufocada pelas mãos de Set.

— Onde ela está? — Set a jogou para o lado.

Zia bateu contra a parede e teria escorregado para dentro do fosso, mas Sadie gritou: "Vento!"

Uma rajada ergueu o corpo de Zia um instante antes de cair, empurrando-a no chão.

Sadie correu para tirá-la de perto da trincheira brilhante.

Set urrou.

— Isso é um truque seu, Ísis?

Ele lançou outro jato de areia contra as duas, mas Sadie levantou a varinha. A tempestade encontrou um campo de força que desviou o vento e a areia para as paredes da câmara, deixando marcas na rocha.

Não entendi por que Set estava tão zangado, mas não podia permitir que ele machucasse Sadie.

Quando a vi sozinha, protegendo Zia da ira de um deus, algo despertou dentro de mim, como um motor cuja marcha é engatada. Meu pensamento tornou-se mais rápido e nítido. A raiva e o medo não desapareceram, mas percebi que eles não eram importantes. Não me ajudariam a salvar minha irmã.

"Não resista", Zia dissera.

Ela não se referia a resistir a Set. Falava de não resistir a Hórus. O deus falcão e eu lutávamos havia dias pelo controle de meu corpo.

Mas *nenhum* de nós podia ter o comando. Essa era a resposta. Tínhamos de agir em uníssono, confiar um no outro completamente, ou ambos morreríamos.

Sim, Hórus pensou, e parou de me pressionar. Eu parei de resistir, deixando nossos pensamentos fluírem juntos. Entendi seu poder, suas lembranças e seus medos. Vi cada hospedeiro em que ele havia estado por milhares de vidas. E ele viu minha mente — tudo, até aquilo de que eu não me orgulhava.

É difícil descrever o sentimento. E eu sabia, pelas recordações de Hórus, que esse tipo de união era *muito* raro — como quando uma moeda não cai mostrando cara ou coroa, mas permanece em pé, perfeitamente equilibrada. Ele não me controlava. Eu não o usava para ter o poder. Agíamos como se fôssemos um.

Nossas vozes disseram em harmonia:

— Agora!

E os elos mágicos que nos prendiam se partiram.

Meu avatar de combate se formou à minha volta, tirando-me do chão e envolvendo-me com aquela energia dourada. Dei um passo à frente e levantei a espada. O guerreiro falcão fez o mesmo, perfeitamente sintonizado com meus desejos.

Set se virou e me olhou com frieza.

— Ah, Hórus. Conseguiu encontrar os pedais da sua bicicletinha? Mas isso não quer dizer que saiba andar nela.

— Sou Carter Kane. Sangue dos Faraós, Olho de Hórus. E agora, Set, irmão, tio, traidor, vou esmagá-lo como um inseto.

38. A Casa sente-se em casa

Era uma luta de vida ou morte, e eu me sentia ótimo.

Cada movimento era perfeito. Cada golpe era tão divertido que eu tinha vontade de gargalhar. Set cresceu até se tornar maior do que eu, e seu cajado de ferro tinha o tamanho do mastro de um barco. Seu rosto tremulava e mudava, às vezes humano, às vezes o focinho feroz do animal Set.

Lutamos, espada contra cajado, e faíscas voavam. Ele me desequilibrou, e fui jogado em uma das estátuas de animal, que caiu e quebrou. Recuperei o equilíbrio e ataquei, acertando a lâmina em um vão de sua armadura na altura do ombro. Ele urrou enquanto o sangue negro jorrava da ferida.

Set moveu o cajado e eu rolei, antes que o golpe pudesse abrir minha cabeça. O cajado bateu contra o chão. Continuamos lutando, derrubando pilares e paredes, arrancando pedaços de teto, até que percebi Sadie gritando, para chamar minha atenção.

Ela tentava impedir que Amós e Zia fossem destruídos. Tinha desenhado no chão um círculo protetor, que desviava os escombros, mas compreendi a preocupação dela: mais um pouco e a sala do trono inteira desmoronaria, esmagando todos nós. Duvidei de que Set pudesse sair muito ferido. Ele já devia estar contando com isso. *Queria* nos sepultar ali.

Eu precisava levá-lo para fora. Talvez, se tivesse tempo, Sadie conseguisse tirar o caixão com nosso pai da base daquele trono.

Então, lembrei como Bastet descrevera sua luta contra Apófis: enfrentar o inimigo pela eternidade.

Sim, Hórus concordou.

Ergui o punho e canalizei uma explosão de energia para a passagem no teto, abrindo caminho até que a luz vermelha novamente entrasse. Em seguida, soltei a espada e lancei-me contra Set. Eu o agarrei pelos ombros, tentando segurá-lo como um lutador. Ele tentava me acertar, mas o cajado era inútil a uma distância tão pequena. Grunhindo, Set largou a arma e então agarrou meus braços. Ele era muito mais forte do que eu, mas Hórus conhecia alguns movimentos muito bons. Eu me virei e consegui ficar atrás de Set, com um braço sob o dele e o outro segurando seu pescoço. Cambaleamos para a frente e quase tropeçamos no escudo de Sadie.

Agora o pegamos, pensei. *O que fazemos?*

Ironicamente, foi Amós quem me deu a resposta. Lembrei como ele tinha me transformado em uma tempestade, vencendo meu controle mental com a força de seu pensamento. Minha mente e a dele tinham travado uma batalha rápida, mas ele impôs sua vontade com absoluta confiança, imaginando-me uma nuvem escura e carregada, e eu me transformei exatamente nisso.

Você é um morcego de frutas, eu disse a Set.

Não!, a mente dele gritava, mas eu o tinha surpreendido. Podia sentir sua confusão, e a usei a meu favor. Era fácil imaginá-lo como um morcego, já que eu tinha visto Amós com essa forma quando estava possuído por Set. Imaginei meu inimigo encolhendo, ganhando asas coriáceas e um rosto ainda mais feio. Eu também encolhi até me tornar um falcão, com um morcego de frutas em minhas garras. Não havia tempo a perder: decolei buscando a abertura no teto, lutando contra o morcego e voando em círculos, tentando me esquivar de suas mordidas. Finalmente, saímos para céu aberto, e lá, junto à pirâmide vermelha, voltamos à forma de guerreiros.

Eu estava em pé na lateral inclinada, pouco confiante. O braço direito de meu avatar tremeluzia bem no lugar em que meu próprio braço estava ferido e sangrando. Set se levantou, limpando o sangue da boca.

Ele riu para mim e seu rosto adquiriu a expressão típica de um predador.

— Vai morrer sabendo que fez todo o possível, Hórus. Mas é tarde demais. Veja.

Olhei para a caverna e meu coração veio à boca. O exército de demônios enfrentava novos inimigos. Magos — dúzias deles — cercavam a pirâmide, abrindo seu caminho à força. A Casa da Vida devia ter enviado todas as tropas disponíveis, mas era ridiculamente pouco diante das legiões de Set. Cada mago estava dentro de um círculo protetor, que se movia como um foco de luz, e eles atacavam o inimigo com cajados e varinhas. Chamas, raios e tornados dizimavam a horda de demônios. Vi todo o tipo de bestas conjuradas — leões, serpentes, esfinges e até alguns hipopótamos correndo como tanques contra o inimigo. Aqui e ali, hieróglifos brilhavam no ar, causando explosões e terremotos que destruíam as hordas de Set. Contudo, mais demônios chegavam, cercando os magos em fileiras cada vez mais cerradas. Vi quando um deles foi dominado e seu círculo se rompeu num raio de luz verde. A onda inimiga o atropelou.

— É o fim da Casa — anunciou Set, satisfeito. — Eles não prevalecerão enquanto minha pirâmide estiver em pé.

Os magos pareciam saber disso. À medida que se aproximavam, lançavam cometas de fogo e raios de luz contra a pirâmide. Mas cada explosão se dissipava, inofensiva, ao colidir contra as paredes inclinadas, consumida pela aura vermelha do poder de Set.

Então, eu vi o piramidião dourado. Quatro gigantes com cabeça de serpente o tinham recuperado e o carregavam lentamente, mas determinados, no meio da confusão. Rosto do Terror, o braço direito de Set, gritava ordens para o grupo, chicoteando-os para mantê-los em movimento. Eles chegaram à base da pirâmide e começaram a subir.

Corri na direção deles, mas Set interveio, colocando-se em meu caminho.

— Acho que não, Hórus. — Ele riu. — Você não vai estragar a festa.

Nós dois invocamos nossas armas e lutamos com ainda mais ferocidade, cortando e perfurando. Descrevi um arco mortal com minha espada, mas Set se esquivou e eu acertei a rocha. O impacto provocou ondas de choque que percorreram todo meu corpo. Antes que eu pudesse me recuperar, Set pronunciou uma palavra.

— *Ha-wi!*
Ataque.

Os hieróglifos explodiram em meu rosto e me jogaram pirâmide abaixo, rolando pela superfície inclinada.

Quando minha visão clareou, vi Rosto do Terror e os gigantes com cabeça de cobra lá em cima, puxando sua carga dourada pela lateral do monumento, a poucos passos do topo.

— Não — murmurei.

Tentei me levantar, mas meu avatar estava lento.

Então, do nada, um mago saltou do meio dos demônios e desencadeou uma forte ventania. Os demônios voaram, derrubando o piramidião, e o mago tocou-o com seu cajado, impedindo-o de cair. Era Desjardins. Sua barba bifurcada e as vestes com a pele de leopardo estavam chamuscadas pelo fogo, e seus olhos transbordavam fúria. Ele pressionou o cajado contra o piramidião, e a forma dourada começou a brilhar. Mas, antes que Desjardins pudesse destruí-la, Set se ergueu atrás dele e baixou o cajado como um taco de beisebol.

Desjardins caiu, ferido e inconsciente, e rolou pela lateral da pirâmide até desaparecer no meio dos demônios. Meu coração ficou apertado. Eu nunca gostei de Desjardins, mas ninguém merecia um destino como aquele.

— Irritante — comentou Set. — Mas ineficiente. Foi a isso que a Casa da Vida se reduziu, Hórus?

Eu corri parede acima e, mais uma vez, nos enfrentamos com as armas. Lutamos muito até uma luminosidade cinzenta começar a penetrar pelas frestas da montanha, acima de nós.

Os sentidos aguçados de Hórus me avisaram que tínhamos dois minutos até que o sol nascesse, talvez menos.

A energia do deus ainda me inundava. Meu avatar estava apenas um pouco danificado, e eu atacava com força e firmeza. Mas não era suficiente para derrotar Set, que sabia disso. Ele não tinha pressa. A cada minuto, mais um mago caía no campo de batalha e o caos caminhava para a vitória.

Paciência, disse Hórus. *Lutamos contra ele durante sete anos na primeira vez.*

Mas não tínhamos nem sete minutos. Queria que Sadie estivesse ali, mas só podia esperar que ela tivesse conseguido libertar papai, Zia e Amós, e que estivesse com eles em algum lugar seguro.

Esse pensamento me distraiu. Set investiu com o cajado na direção de meus pés e, em vez de saltar, tentei recuar. O golpe acertou meu tornozelo direito, desequilibrando-me e me jogando pirâmide abaixo.

Set riu.

— Boa viagem!

Em seguida, ele pegou o piramidião.

Eu me levantei, gemendo; meus pés pareciam colados ao chão. Subi pela pirâmide com grande dificuldade. Mas, antes que eu tivesse percorrido metade da distância até o topo, Set encaixou o piramidião e completou a estrutura. Uma luz vermelha fluiu pelas paredes da pirâmide com um som que me fez pensar no maior baixo do mundo, fazendo tremer toda a montanha e entorpecendo meu corpo inteiro.

— Trinta segundos para o nascer do sol! — Set gritou com euforia. — E essa terra será minha para sempre. Não pode me deter sozinho, Hórus. Especialmente no deserto, a fonte de meu poder!

— Tem razão — respondeu uma voz próxima.

Olhei para cima e vi Sadie surgindo na abertura no teto, irradiando uma luz multicolorida, cajado e varinha brilhando nas mãos.

— Mas Hórus *não* está sozinho — anunciou ela. — E não vamos lutar no deserto.

Ela bateu com o cajado na pirâmide e gritou um nome: as últimas palavras que eu esperava ouvi-la usar como grito de guerra.

39. Zia me conta um segredo

Parabéns, Carter, por me fazer parecer tão dramática.

A verdade é menos glamourosa.

Vamos voltar um pouco na história. Quando meu irmão, o guerreiro galinha louca, transformou-se em falcão e subiu pela abertura da pirâmide com seu novo amigo, o morcego de frutas, ele me deixou bancando a enfermeira de duas pessoas muito feridas — situação que não apreciei e na qual nunca fui muito boa.

Os ferimentos do pobre Amós pareciam ser mais mágicos que físicos. Não havia uma única marca em seu corpo, mas seus olhos estavam revirados nas órbitas e ele mal respirava. Vapor se desprendeu da pele dele quando o toquei na testa, por isso decidi que era melhor deixá-lo quieto, pelo menos por ora.

Zia era outra história. O rosto dela estava mortalmente pálido, e ela sangrava, com vários cortes bastante feios na perna. Um dos braços estava torcido num ângulo bem ruim. A respiração fazia um barulho rouco, como se seu peito estivesse cheio de areia molhada.

— Aguente firme. — Rasguei um pedaço do tecido da barra de minha calça e tentei improvisar uma bandagem para a perna dela. — Talvez haja alguma magia de cura ou...

— Sadie... — Ela segurou meu pulso. — Não temos tempo para isso. Escute.

— Se eu puder conter o sangramento...
— O nome dele. Você precisa do nome dele.
— Mas você não é Néftis! O próprio Set já disse.
Ela balançou a cabeça.
— Uma mensagem... Falo com a voz dela. O nome... Dia do Mal. Set nasceu, e aquele foi um *Dia do Mal*.

Sim, era verdade, mas esse era o nome secreto de Set? O que Zia estava dizendo, sobre não ser Néftis mas falar com a voz dela... não fazia sentido. Mas, em seguida, eu me lembrei da voz no rio. Néftis dissera que me mandaria uma mensagem. E Anúbis me fizera prometer que eu ouviria Néftis.

— Zia, escute... — tentei falar, incomodada.

Foi então que a verdade me atingiu em cheio. Coisas que Iskandar tinha dito, coisas que Tot tinha dito... Tudo se encaixava, formando um todo. Iskandar queria proteger Zia. Ele me dissera que, se tivesse percebido antes que Carter e eu éramos hospedeiros de deuses, poderia ter nos protegido tanto quanto... a alguém. Como *Zia*. Agora eu entendia como ele tinha tentado protegê-la.

— Oh, céus. — Olhei para ela. — É isso, não é?

Ela parecia me entender, porque assentiu. O seu rosto se contorceu de dor, mas os olhos permaneceram firmes e intensos como sempre.

— Use o nome. Faça Set se curvar diante de sua vontade. Obrigue-o a ajudar.

— Ajudar? Ele tentou matar você, Zia. Não é do tipo que *ajuda* alguém.

— Vá. — Ela tentou me empurrar. Chamas fracas brotaram de seus dedos. — Carter precisa de você.

Essa era a única coisa que ela podia ter dito para me tirar dali. Carter estava com problemas.

— Eu volto — prometi. — Não... *hum*, não saia daqui.

Eu me levantei e olhei para a abertura no teto, odiando a ideia de me transformar novamente em papagaio. Depois, meus olhos encontraram o caixão de meu pai enterrado na base do trono. O sarcófago brilhava como alguma substância radiativa e bem perto do ponto de fusão. Se eu pudesse ao menos destruir o trono...

Primeiro precisa cuidar de Set, Ísis me avisou.

Mas se eu puder libertar papai... Dei um passo na direção do trono.

Não, Ísis insistiu. *O que talvez você veja é muito perigoso.*

Do que está falando?, pensei, irritada. Toquei o caixão dourado. No mesmo instante, fui arrancada da sala do trono para o cenário de uma visão.

Eu estava novamente no Mundo dos Mortos, no Salão do Julgamento. Os monumentos em ruínas de um cemitério em Nova Orleans tremulavam diante de meus olhos. Espíritos dos mortos se moviam na neblina, inquietos. Na base das balanças quebradas, um pequeno monstro dormia — Ammit, o Devorador. Ele abriu um olho amarelo para me estudar, depois voltou a dormir.

Anúbis saiu das sombras. Ele vestia um terno de seda preta com a gravata frouxa, como se voltasse de um funeral ou de uma convenção para coveiros realmente irresistíveis.

— Sadie, não devia estar aqui.

— Como se eu não soubesse — respondi, embora estivesse feliz por vê-lo. Na verdade, tinha vontade de suspirar de alívio.

Ele segurou minha mão e me levou ao trono vazio.

— Perdemos completamente o equilíbrio. O trono não pode ficar vazio. A restauração do Maat deve começar por aqui, por este salão.

Sua voz soava triste, como se ele me pedisse para aceitar algo terrível. Eu não entendia, mas um profundo sentimento de perda se apoderava de mim.

— Não é justo — falei.

— Não, não é. — Ele afagou minha mão. — Estarei aqui, esperando. Sinto muito, Sadie. De verdade...

Ele começou a desaparecer.

— Espere! — Tentei segurá-lo pela mão, mas sua forma se desfez na neblina do cemitério.

Voltei à sala do trono dos deuses, mas agora o lugar parecia abandonado havia séculos. O teto e metade das colunas tinham caído. Os braseiros estavam frios e enferrujados. O belo piso de mármore estava rachado como o leito seco de um rio.

Bastet estava em pé ao lado do trono vazio de Osíris. Ela sorriu para mim de um jeito meio triste, e vê-la novamente me causou uma dor quase insuportável.

— Não fique triste — ela me censurou. — Gatos não lamentam.

— Mas você não... não está morta?

— Depende. — Ela abriu os braços mostrando o espaço em volta. — O Duat está tumultuado. Os deuses estão há muito tempo sem rei. Se Set não assumir o comando, alguém o fará. O inimigo se aproxima. Não permita que minha morte seja em vão.

— Mas você vai voltar? — perguntei com a voz embargada. — Por favor, eu nem pude me despedir. Não posso...

— Boa sorte, Sadie. Mantenha as garras afiadas. — Bastet desapareceu, e o cenário mudou novamente.

Eu estava no Salão das Eras, no Primeiro Nomo, e Iskandar encontrava-se sentado aos pés do trono — mais um trono vazio —, esperando por um faraó que não existia havia dois mil anos.

— Um líder, minha querida — disse ele. — O Maat precisa de um líder.

— É demais — decidi. — São muitos tronos. Não podem esperar que Carter...

— Não sozinho — concordou Iskandar. — Mas essa é a missão de sua família. Vocês começaram o processo. Só os Kane poderão nos salvar ou nos destruir.

— Não sei do que está falando!

Iskandar abriu a mão, e com uma explosão de luz a cena mudou mais uma vez.

Eu estava novamente no Tâmisa. Devia ser madrugada, umas três da manhã, porque a margem estava deserta. A névoa obscurecia as luzes da cidade e o ar era gelado.

Duas pessoas, um homem e uma mulher, estavam encolhidos por causa do frio, de mãos dadas, diante da Agulha de Cleópatra. No início imaginei que fosse um casal qualquer namorando. Depois, com um susto, percebi que estava vendo meus pais.

Papai ergueu o rosto e fez cara feia ao olhar para o obelisco. À luz fraca dos postes, o rosto dele parecia entalhado em mármore — como os das estátuas dos faraós que ele tanto amava estudar. Ele *tinha* o rosto de um rei, pensei — orgulhoso e belo.

— Tem certeza? — perguntou ele a minha mãe. — Certeza absoluta?

Mamãe afastou do rosto os cabelos louros. Ela era ainda mais linda que nas fotos, mas parecia preocupada — com as sobrancelhas franzidas, os lábios comprimidos. Como *eu*, quando ficava aborrecida, ao me olhar no espelho e tentar me convencer de que as coisas não estavam tão ruins. Quis chamá-la, anunciar minha presença, mas não tinha voz.

— Ela me disse que é aqui que começa — respondeu mamãe. Quando ela ajeitou o casaco preto, pude ver o colar em seu pescoço: o amuleto de Ísis, *meu* amuleto. Olhei-o, impressionada, mas mamãe fechou o casaco e o amuleto desapareceu. — Se quisermos derrotar o inimigo, devemos começar pelo obelisco. Precisamos descobrir a verdade.

Papai franziu o cenho com evidente desconforto. Ele tinha desenhado um círculo protetor em torno dos dois — linhas de giz azul na calçada. Quando ele tocou a base do obelisco, o círculo começou a brilhar.

— Não gosto disso — falou meu pai. — Não quer pedir ajuda a ela?

— Não — insistiu mamãe. — Conheço meus limites, Julius. Se eu tentar novamente...

Meu coração deu um salto. As palavras de Iskandar voltaram ao meu pensamento: "Ela tinha visões que a fizeram buscar orientação em lugares pouco convencionais." Reconheci a expressão no rosto de minha mãe, e soube: ela havia entrado em comunhão com Ísis.

Por que não me disse?, tive vontade de gritar.

Meu pai evocou o cajado e a varinha.

— Ruby, se falharmos...

— Não podemos falhar — ela o interrompeu. — O mundo depende disso.

Eles se beijaram uma última vez, como se sentissem que aquele era um adeus. Depois, ergueram cajados e varinhas e começaram um encantamento. A Agulha de Cleópatra brilhou com seu poder.

Afastei a mão do sarcófago com um movimento brusco. Meus olhos estavam cheios de lágrimas.

Você conheceu minha mãe, gritei para Ísis. *Você a incentivou a abrir aquele obelisco. Você a matou!*

Esperei pela resposta. Em vez disso, uma imagem fantasmagórica surgiu diante de mim — uma projeção de meu pai, uma sombra que tremulava à luz do caixão dourado.

— Sadie. — Ele sorriu. A voz soava metálica e pouco sonora, como quando ele ligava para mim de muito longe... Egito, Austrália ou sei lá. — Não culpe Ísis pelo destino de sua mãe. Nenhum de nós entendeu exatamente o que aconteceria. Mesmo sua mãe só conseguia ver fragmentos desse futuro. Mas, quando chegou a hora, ela aceitou sua missão. A decisão foi dela.

— *Morrer?* — perguntei. — Ísis devia tê-la ajudado. Você devia tê-la ajudado. *Odeio você!*

Assim que terminei de falar, algo se rompeu dentro de mim. Comecei a chorar. Percebi que queria ter dito aquelas palavras a papai havia anos. Eu o responsabilizava pela morte de minha mãe, responsabilizava-o por me deixar. Mas, agora que eu tinha conseguido falar, toda a raiva tinha passado e eu sentia apenas culpa.

— Desculpe. — Solucei. — Eu não queria...

— Não se desculpe, minha menina corajosa. Você tem todo direito de se sentir assim. Precisava desabafar. O que está prestes a fazer... Precisa acreditar que vai agir pelas razões corretas, não porque se ressente contra mim.

— Não sei do que está falando.

Ele estendeu a mão para secar uma lágrima em meu rosto, mas seus dedos eram só luz.

— Sua mãe foi a primeira em muitos séculos a se unir a Ísis. Era perigoso, contra os ensinamentos da Casa, mas sua mãe era uma vidente. Teve uma premonição de que o caos se erguia. E a Casa fracassava. *Precisávamos* dos deuses. Ísis não era capaz de atravessar o Duat. Ela mal conseguia sussurrar, mas nos disse tudo o que pôde sobre o aprisionamento dos deuses. Ela aconselhou Ruby sobre o que deveria ser feito. Os deuses podiam se erguer novamente, dissera, mas seriam necessários muitos e *severos* sacrifícios. Achamos que o obelisco libertaria todos os deuses, mas aquilo foi só o início.

— Ísis poderia ter dado mais poder à mamãe. Ou Bastet. Bastet *ofereceu...*

— Não, Sadie. Sua mãe conhecia os próprios limites. Se tivesse tentado hospedar um deus, usar *plenamente* o poder divino, poderia ter sido consumida ou pior. Ela libertou Bastet e usou o próprio poder para fechar o portal. Sua mãe deu a vida para ganhar tempo para você.

— Para mim? Mas...

— Você e seu irmão têm o sangue mais poderoso que o de qualquer Kane nascido nos últimos três mil anos. Sua mãe estudou a linhagem dos faraós... Ela sabia que isso era verdade. Vocês têm mais chances de reaprender os antigos métodos e restabelecer a paz entre magos e deuses. Sua mãe começou o processo. Eu libertei os deuses da Pedra de Roseta. Mas restaurar o Maat é trabalho para vocês.

— Você pode ajudar. Assim que eu o libertar.

— Sadie, quando você tiver filhos, vai entender melhor tudo isso. Uma de minhas missões mais difíceis como pai, um dos meus maiores deveres, foi perceber que meus sonhos, meus objetivos e desejos são secundários aos de meus filhos. Sua mãe e eu preparamos o cenário. Mas o palco é de *vocês*. Esta pirâmide foi criada para alimentar o caos. Ela consome o poder de outros deuses e torna Set mais forte.

— Eu sei. Se eu quebrar o trono, se abrir o caixão...

— Vai me salvar, é claro. Mas o poder de Osíris, o poder contido em mim, será absorvido pela pirâmide. Isso só apressaria a destruição e daria mais poder a Set. A pirâmide precisa ser destruída, *toda* ela. E você sabe como isso deve ser feito.

Eu me preparava para dizer que *não* sabia, mas a pena da verdade me obrigava a ser sincera. A resposta estava dentro de mim — eu a vira nos pensamentos de Ísis. Sabia o que ia acontecer desde que Anúbis tinha feito aquela pergunta difícil: "Se esse for o preço da salvação do mundo, está preparada para perder seu pai?"

— Não quero — choraminguei. — Por favor.

— Osíris deve ocupar seu trono — meu pai falou. — Pela morte, vida. É o único caminho. Que o Maat a guie, Sadie. Eu amo você.

A imagem dele se dissipou.

Alguém me chamava.

Olhei para trás e vi Zia se mexendo, tentando sentar-se, agarrando a varinha sem forças.

— Sadie, o que está fazendo?

Tudo à nossa volta sacudia. Rachaduras se abriam na parede como se um gigante usasse a pirâmide como saco de pancadas.

Por quanto tempo eu ficara em transe? Não tinha certeza, mas o tempo estava acabando.

Fechei os olhos e me concentrei. A voz de Ísis falou quase imediatamente: *Agora você entende? Entende por que eu não podia dizer mais nada?*

A raiva cresceu dentro de mim, mas eu a engoli e sufoquei. *Falaremos sobre isso mais tarde. Agora, temos um deus para derrotar.*

Imaginei-me dando um passo à frente, fundindo-me à alma da deusa.

Já havia compartilhado forças com Ísis antes, mas isso era diferente. Minha determinação, minha raiva, até minha dor, tudo me dava confiança. Encarei Ísis (espiritualmente falando) e nós nos entendemos.

Vi toda sua história: os primeiros dias de luta pelo poder, os planos e os truques para descobrir o nome secreto de Rá. Vi seu casamento com Osíris, suas esperanças e os sonhos de um novo império. Depois, vi esses sonhos despedaçados por Set. Senti sua raiva e a amargura, seu orgulho e o instinto de proteger o filho, Hórus. E vi esse mesmo padrão se repetir muitas e muitas vezes ao longo de séculos, em milhares de hospedeiros diferentes.

"Os deuses têm grande poder", Iskandar dissera. "Mas só os humanos têm criatividade, a capacidade de mudar a história."

Senti também os pensamentos de minha mãe, entalhados na memória da deusa: os últimos momentos de Ruby e a escolha que ela fizera. Mamãe tinha dado a vida para desencadear uma sequência de eventos. E o próximo movimento era meu.

— Sadie! — Zia gritou novamente, agora com a voz mais fraca.

— Estou bem. Eu já vou.

Zia estudou meu rosto e não gostou do que viu.

— Você não está bem. Está abalada. Lutar contra Set nessas condições é suicídio.

— Não se preocupe, nós temos um plano.

Com isso, eu me transformei em papagaio e voei para o topo da pirâmide, pela abertura no teto.

S
A
D
I
E

40. Eu arruino um feitiço importante

Descobri que as coisas não iam tão bem lá em cima.

Carter era um montinho embolado de guerreiro galinha na parede da pirâmide. Set acabara de encaixar o piramidião e gritava:

— Trinta segundos para o amanhecer!

Na caverna lá embaixo, os magos da Casa da Vida estavam cercados por um exército de demônios, em uma luta já perdida.

A cena já teria sido suficientemente assustadora, mas agora eu a enxergava como Ísis. Como um crocodilo com os olhos na altura da linha d'água — enxergando tanto acima quanto abaixo da superfície. Vi o Duat entrelaçado com o mundo superior. Embaixo, os demônios tinham alma de fogo, por isso pareciam um exército de velas de aniversário. Onde Carter estava, no mundo mortal, havia um falcão guerreiro no Duat — não um avatar, mas o real, com cabeça de penas, um bico pontiagudo, sujo de sangue, e olhos negros e brilhantes. Sua espada brilhava com uma luz dourada. Quanto a Set... Imagine uma montanha de areia, encharcada de petróleo, incendiada, girando no maior liquidificador do mundo. Era assim que ele parecia no Duat: uma coluna de força destrutiva tão poderosa, que as pedras a seus pés ferviam e borbulhavam.

Não sei qual era minha aparência, mas me sentia poderosa. A força do Maat me inundava, as Palavras Divinas estavam a meu dispor. Eu era Sadie

Kane, sangue dos faraós. E eu era Ísis, deusa da magia, guardiã dos nomes secretos.

Enquanto Carter escalava a pirâmide com dificuldade, Set anunciou:

— Não pode me deter sozinho, Hórus, especialmente no deserto, de onde vem minha força!

— Tem razão! — gritei

Set virou-se, e ver sua expressão não tinha preço. Levantei meu cajado e a varinha, reunindo todo o meu poder mágico.

— Mas Hórus *não* está sozinho — anunciei. — E *não* vamos lutar no deserto.

Bati o cajado nas pedras do chão.

— Washington, D.C.! — gritei.

A pirâmide sacudiu. Por um momento, nada mais aconteceu.

Set pareceu perceber o que eu estava fazendo. Ele soltou um riso nervoso.

— Magia inútil, Sadie Kane. Não pode abrir um portal durante os Dias do Demônio!

— Um mortal não pode — concordei. — Mas uma deusa da magia, sim.

Acima de nós, o ar estalou com um raio de luz. O alto da caverna se transformou em um funil de areia tão grande quanto a pirâmide.

Os demônios pararam de lutar e olharam para cima, horrorizados. Os magos se interromperam no meio de encantamentos, absolutamente perplexos.

O funil girava com tanta força, que arrancava blocos da pirâmide e os sugava junto à areia. E então, como um tampão gigantesco, o portal começou a descer.

— Não! — Set urrou.

Ele lançou chamas contra o portal, depois se voltou contra mim com pedras e raios, mas era tarde demais. O portal já nos engolia.

O mundo virou de cabeça para baixo. Por um instante, imaginei se não teria cometido um terrível erro de cálculo — se a pirâmide de Set explodiria no portal, se eu passaria a eternidade flutuando no Duat, como um bilhão de pequeninas partículas de areia de Sadie. Então, com um estrondo fabuloso, surgimos no ar frio da manhã, com um céu claro e azul acima de nós. Espalhados lá embaixo eu vi os campos nevados do National Mall, em Washington.

A pirâmide vermelha ainda estava intacta, mas havia rachaduras na superfície. O piramidião dourado cintilava, tentando manter a magia, mas não estávamos mais em Phoenix. A pirâmide tinha sido arrancada de sua fonte de poder, o deserto, e diante de nós estava o portal padrão para a América do Norte, o obelisco alto e branco que era o mais poderoso ponto focal do Maat no continente: o Monumento a Washington.

Set gritou alguma frase para mim em egípcio antigo. Tive certeza de que não era um elogio.

— Vou arrancar seus membros do corpo! — gritou ele. — Eu vou...!

— Morrer? — sugeriu Carter.

Meu irmão se ergueu atrás de Set com a espada em punho. A lâmina atingiu a armadura do deus na altura das costelas — não com um golpe mortal, mas o suficiente para desequilibrá-lo e jogá-lo pirâmide abaixo. Carter correu atrás dele e, no Duat, vi arcos de energia branca que pulsavam em ondas saírem do Monumento a Washington e irem na direção do avatar de Hórus, carregando-o de força.

— O livro, Sadie! — Carter gritou enquanto corria. — Agora!

Eu devia estar atordoada por ter invocado o portal, porque Set entendeu o que Carter dizia muito mais depressa que eu.

— Não! — gritou o Deus Vermelho.

Set correu em minha direção, mas Carter o interceptou quando ele já tinha subido metade da pirâmide.

Carter se atracou com Set, contendo-o. As pedras da pirâmide estalavam e esfarelavam sob o peso de suas formas divinas. Em torno da base, demônios e magos que haviam sido sugados pelo portal começavam a recuperar a consciência.

O livro, Sadie... Às vezes, é útil ter mais alguém dentro de sua cabeça, porque uma pessoa pode "acordar" a outra. *O livro!*

Estendi a mão e invoquei o pequeno volume azul que tínhamos roubado em Paris: o livro para derrotar Set. Desdobrei o papiro: os hieróglifos estavam nítidos como letras no quadro-negro de uma pré-escola. Conjurei a pena da verdade e ela surgiu no mesmo instante, brilhando sobre as páginas.

Comecei o encantamento, pronunciando as Palavras Divinas, e meu corpo se ergueu no ar, pairando alguns centímetros acima da pirâmide. Entoei a história da criação: a primeira montanha se erguendo sobre as águas do caos, o nascimento dos deuses Rá, Geb e Nut, o surgimento do Maat e do primeiro grande império dos homens, o Egito.

O Monumento a Washington começou a brilhar com hieróglifos surgindo em suas paredes. O cume cintilou prateado.

Set tentou me atacar, mas Carter o interceptou. E a pirâmide vermelha começou a desmoronar.

Pensei em Amós e em Zia, soterrados por toneladas de pedras, e quase fraquejei, mas a voz de minha mãe soava em minha cabeça: *Continue concentrada, meu bem. Preste atenção a seu inimigo.*

Sim, concordou Ísis. *Destrua-o!*

Mas, de algum jeito, eu sabia que não era isso que minha mãe queria dizer. Ela me avisava que ficasse atenta, que observasse. Algo importante ia acontecer.

No Duat, vi a magia se formando à minha volta, criando um manto branco sobre o mundo, dando forças ao Maat e expulsando o caos. Carter e Set lutavam, movendo-se para a frente e para trás enquanto enormes fragmentos da pirâmide despencavam.

A pena da verdade brilhava, criando uma espécie de holofote que iluminava o Deus Vermelho. Conforme me aproximava do final do encantamento, minhas palavras começaram a rasgar a forma de Set em tiras.

No Duat, seu furacão de fogo se apagava, revelando uma forma de pele preta, muito magra, como um animal Set extenuado— a essência maléfica do deus. Mas, no mundo mortal, ocupando o mesmo espaço, havia um guerreiro orgulhoso em uma armadura vermelha, fulgurante em sua força e decidido a lutar até a morte.

— Eu o nomeio, Set — recitei. — Eu o nomeio Dia do Mal.

Com um estrondo furioso, a pirâmide implodiu. Set caiu com as ruínas. Tentou se erguer, mas Carter usou a espada. Set mal teve tempo de levantar o cajado. As armas se cruzaram, e Hórus forçou lentamente o inimigo, Set, a se ajoelhar.

— Agora, Sadie! — Carter gritou.

— Você tem sido meu inimigo — entoei —, e uma praga na terra.

Uma linha de luz branca percorreu toda a altura do Monumento a Washington e se alargou, formando uma fenda — um portal entre este mundo e o brilhante abismo branco onde Set seria trancafiado, onde sua força vital ficaria contida. Talvez não para sempre, mas por muito, muito tempo.

Para completar o encantamento, eu só precisava dizer mais uma frase:

"Por não merecer misericórdia, inimigo do Maat, você está exilado além da terra."

A frase devia ser recitada com absoluta convicção. A pena da verdade assim exigia. E por que eu não acreditaria naquilo? Era a verdade. Set não merecia misericórdia. Ele *era* um inimigo do Maat.

Mas eu hesitei.

"Preste atenção a seu inimigo", minha mãe tinha dito.

Olhei para o topo do monumento e, no Duat, vi fragmentos da pirâmide voando para o céu, as almas dos demônios ascendendo como fogos de artifício. Com a dispersão da magia do caos de Set, toda a força que tinha sido reunida, preparada para destruir um continente, era sugada pelas nuvens. E vi o caos tentando tomar forma. Era como um reflexo vermelho do Potomac: um enorme rio carmim, de pelo menos um quilômetro e meio de comprimento e centenas de metros de largura. Serpenteava no ar, tentando se tornar sólido, e eu sentia sua fúria e sua amargura. Não era aquilo o desejado. Não havia força do caos suficiente para o seu propósito. Para se formar da maneira apropriada, seria necessário provocar milhões de mortes, a destruição de um continente inteiro.

Não era um rio. Era uma cobra.

— Sadie! — Carter gritou. — O que está esperando?

Ele não conseguia ver o que eu via, notei. Ninguém conseguia. Só eu.

Set estava de joelhos, retorcendo-se e praguejando enquanto a energia branca o envolvia, puxando-o para a fenda.

— Perdeu a coragem, bruxa? — gritou ele. Depois, olhou para Carter. — Está vendo, Hórus? Ísis sempre foi covarde. Ela nunca conseguiu concluir a tarefa!

Carter olhou para mim, e por um momento vi dúvida em seu rosto. Hórus o instigava a uma vingança sangrenta. E eu estava hesitando. Isso havia jogado Hórus e Ísis um contra o outro antes. Eu não podia deixar que acontecesse de novo.

Mais que isso: na expressão cansada de Carter, enxerguei-o novamente como nos dias em que ia me visitar — quando éramos praticamente estranhos, forçados a ficar juntos, fingindo ser uma família feliz porque papai esperava isso de nós. Eu não queria aquilo de novo. Não voltaria a fingir. Nós *éramos* uma família e precisávamos agir juntos.

— Carter, veja! — Joguei a pena da verdade para o céu, quebrando o encanto.

— Não! — Carter gritou.

Mas a pena explodiu numa poeira prateada que se aderiu ao corpo de uma serpente, forçando-a a se tornar visível, mesmo que só por um instante.

Carter observou, boquiaberto, a serpente se retorcendo no ar, acima do Monumento a Washington, perdendo força lentamente.

Do meu lado, uma voz gritou.

— Malditos deuses!

Eu me virei e vi o seguidor de Set, Rosto do Terror, mostrando as presas, seu rosto grotesco bem perto de mim, com uma faca denteada erguida sobre minha cabeça. Só tive tempo de pensar: estou morta, até que vi com o canto do olho o brilho do metal. Escutei um baque pavoroso e o demônio parou, como se congelasse.

Carter tinha arremessado sua espada com precisão mortal. O demônio derrubou a faca, caiu de joelhos, e olhou a espada enterrada em seu corpo.

Ele tombou de costas, exalando seu último suspiro furioso. Os olhos negros fixaram-se em mim, e ele falou com uma voz completamente diferente — um som seco e áspero, como o de um réptil rastejando na areia.

— Não acabou, deusa menor. E digo isso com um mero fio de minha voz, enquanto minha essência escapa deste receptáculo enfraquecido. Imagine o que farei quando tiver uma forma completa.

Lançou-me um sorriso medonho, depois seu rosto ficou imóvel. Uma linha fina de névoa vermelha escapou de sua boca — como um verme ou uma cobra recém-saída do ovo — e subiu sinuosa para o céu, a fim de se reunir a sua origem. O corpo do demônio desintegrou-se em areia.

Olhei mais uma vez para a serpente vermelha gigantesca que se dissipava lentamente. Depois, invoquei um vento forte e a dispersei de vez.

O Monumento a Washington parou de brilhar. A fenda se fechou e o livro de encantamentos desapareceu de minha mão.

Fui na direção de Set, que ainda estava envolto em fios de energia branca. Eu tinha pronunciado seu verdadeiro nome. Ele não iria a lugar algum tão cedo.

— Vocês dois viram a serpente nas nuvens — falei. — Apófis.

Carter assentiu, atordoado.

— Apófis tentava invadir o mundo mortal, usando como portal a Pirâmide Vermelha. Se seu poder fosse desencadeado... — Ele olhou com repugnância para o monte de areia que havia sido um demônio. — O ajudante de Set, Rosto do Terror... Ele sempre esteve possuído por Apófis, e usava Set para conseguir o que queria.

— Ridículo! — Set me olhou, furioso, contorcendo-se nas amarras. — A serpente no céu era só um de seus truques, Ísis. Uma ilusão.

— Você sabe que não — respondi. — Eu poderia tê-lo enviado para o abismo, Set, mas você viu nosso real inimigo. Apófis tentava sair de sua prisão no Duat. Sua voz possuiu Rosto do Terror. Ele o estava usando.

— Ninguém me usa!

Carter dispersou sua forma de guerreiro. Ele flutuou até o chão e evocou de volta sua espada.

— Apófis queria alimentar o próprio poder com *sua* explosão, Set. Assim que ele viesse pelo Duat e nos encontrasse mortos, aposto que *você* teria sido a primeira refeição dele. O caos teria vencido.

— Eu *sou* o caos! — insistiu Set.

— Parcialmente — retruquei. — Mas ainda é um dos deuses. Sim, você é mau, implacável, cruel, sem fé, vil...

— Vai me fazer corar, irmã.

— Mas também é o deus mais poderoso. Nos velhos tempos, foi o fiel escudeiro de Rá, defendendo o barco dele contra Apófis. Rá não poderia ter derrotado a serpente sem você.

— Sou poderoso — admitiu Set. — Mas Rá se foi para sempre, graças a você.

— Talvez não para sempre. Precisamos encontrá-lo. Apófis está se recuperando, o que significa que precisamos de todos os deuses para enfrentá-lo. Até de você.

Set testou as amarras de energia branca. Quando descobriu que não podia rompê-las, sorriu para mim de um jeito frio.

— Está sugerindo uma aliança? Confiaria em mim?

Carter riu.

— Você deve estar brincando. Mas, de qualquer forma, conhecemos sua essência. Seu nome secreto. Não é isso, Sadie?

Fechei os dedos, e as amarras se apertaram em torno de Set. Ele gritou de dor. Era necessária uma grande dose de energia, e eu sabia que não poderia contê-lo assim por muito tempo, mas Set não precisava saber.

— A Casa da Vida tentou banir os deuses — falei. — Não funcionou. Se o exilássemos, não estaríamos fazendo melhor que eles. Isso não resolve nada.

— Tem toda razão — rosnou Set. — Assim, se puder soltar as amarras...

— Você ainda é cruel e vil — continuei. — Mas tem um papel a desempenhar, e vai precisar de controle. Aceito soltá-lo, *se* prometer que vai se comportar, que vai voltar ao Duat e que não causará problemas até que o chamemos de volta. E, mesmo quando for chamado, vai lutar somente contra Apófis.

— Ou eu corto sua cabeça — sugeriu Carter. — E assim o mantenho longe de tudo por um bom tempo.

Set olhou para nós dois.

— Querem que eu lute ao lado de vocês, não é? Bem, lutar é minha especialidade.

— Jure por seu nome e pelo trono de Rá — exigi. — Vai partir agora e não voltará senão quando for chamado.

— Ah, eu juro — respondeu ele, depressa demais. — Por meu nome, pelo trono de Rá e pelas estrelas de nossa mãe.

— Se nos trair — avisei —, eu tenho seu nome. Não terei misericórdia em uma segunda vez.

— Você sempre foi minha irmã favorita.

Apertei as amarras pela última vez, provocando um choque elétrico só para lembrá-lo de meu poder, depois deixei as amarras se dissolverem.

Set se levantou e mexeu os braços. Sua aparência agora era a de um guerreiro de pele e armadura vermelhas, com uma barba preta bifurcada e olhos cruéis e brilhantes. Mas, no Duat, eu via seu outro lado, um inferno de fogo contido com grande esforço, esperando para ser libertado e queimar tudo pelo caminho. Ele piscou para Hórus, depois fingiu atirar contra mim, com o dedo imitando uma arma.

— Ah, isso vai ser *bom*. Vamos nos divertir muito.

— Vá, Dia do Mal — eu disse.

Ele se transformou num pilar de sal e se dissipou.

A neve no National Mall derretera, formando um quadrado perfeito, do tamanho exato da pirâmide de Set. Em volta, dez ou doze magos ainda estavam caídos, desmaiados. Os pobrezinhos tinham começado a se levantar quando o portal se fechou, mas a explosão da pirâmide os nocauteou novamente. Outros mortais por ali também haviam sido atingidos. Um esportista que aproveitava o início da manhã para correr estava caído na calçada. Nas ruas próximas, carros parados abrigavam motoristas que pareciam cochilar na direção.

Mas nem todo mundo estava desacordado. Sirenes de polícia soavam a distância, e, como estávamos praticamente no quintal do presidente, eu sabia que logo teríamos companhia fortemente armada.

Carter e eu corremos para o centro do quadrado de neve derretida, onde Amós e Zia estavam desfalecidos na grama. Não havia sinal do trono de Set ou do caixão dourado, mas tentei banir da mente esses pensamentos.

Amós gemeu.

— O que... — Seus olhos foram invadidos pelo terror. — Set... ele... ele...

— Descanse.

Toquei a testa dele, que queimava de febre. A dor em sua mente era tão aguda que me cortava como uma lâmina. Lembrei um feitiço que Ísis havia me ensinado no Novo México.

— Quieto — sussurrei. — *Hah-ri*.

Hieróglifos brilharam discretamente no rosto dele:

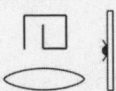

Amós voltou a dormir, mas eu sabia que a solução era temporária.

Zia estava ainda pior. Carter amparou a cabeça dela e prometeu que tudo ficaria bem, mas a menina parecia realmente mal. A pele tinha um avermelhado estranho, estava seca e áspera, como se tivesse sofrido uma terrível queimadura de sol. Na grama em torno dela, alguns hieróglifos desapareciam — restos de um círculo protetor —, e vi que entendia o que havia acontecido. Ela usava a pouca energia que lhe restava para se proteger e a Amós quando a pirâmide implodiu.

— Set? — perguntou ela, com a voz fraca. — Ele já foi?

— Sim. — Carter olhou para mim, e eu soube que os detalhes ficariam só entre nós. — Está tudo bem, graças a você. O nome secreto funcionou.

Ela assentiu, satisfeita, e seus olhos começaram a se fechar.

— Ei. — A voz de Carter falhou. — Fique acordada. Não vai me deixar sozinho com Sadie, vai? Ela não é boa companhia.

Zia tentou sorrir, mas o esforço provocou uma dor que ficou estampada em seu rosto.

— Eu nunca... nunca estive aqui, Carter. Era uma mensagem... Apenas um recipiente.

— Pare com isso. Que jeito de falar!

— Encontre-a, está bem? — Zia pediu. Uma lágrima escorreu de seu olho. — Ela iria... gostar... encontro no shopping.

Os olhos dela se desviaram dos dele e fitaram o céu, sem ver mais nada.

— Zia! — Carter agarrou a mão dela. — Pare com isso! Você não pode... Não pode...

Eu me ajoelhei ao lado dele e toquei o rosto de Zia. Estava frio como pedra. E, embora eu entendesse o que tinha acontecido, não conseguia pensar em nada para dizer, nada que pudesse consolar meu irmão. Ele fechou os olhos com força e balançou a cabeça.

E, então, aconteceu. Ao longo do caminho desenhado pela lágrima, do canto do olho até a base do nariz, o rosto de Zia trincou. Surgiram rachaduras menores, que riscavam a pele formando uma teia. A pele secou, endureceu... e se transformou em argila.

— Carter — chamei.

— O que é? — respondeu ele, infeliz.

Meu irmão olhou para cima quando uma luz azul brotou da boca de Zia e subiu ao céu. Ele recuou, assustado.

— O que... o que você fez?

— Nada — respondi. — Ela era um *shabti*. Disse que não estava realmente aqui. Disse que era só um recipiente.

Carter parecia perplexo. Mas, em seguida, uma luz fraca surgiu em seus olhos, uma pequena centelha de esperança.

— Então... a verdadeira Zia está viva?

— Iskandar a está protegendo — respondi. — Quando o espírito de Néftis juntou-se à verdadeira Zia, em Londres, Iskandar percebeu que ela estava em perigo. Ele a escondeu e a substituiu por um *shabti*. Lembre-se do que Tot disse, que um *shabti* é excelente dublê. Era isso. E Néftis me disse que estava abrigada em algum lugar, em uma hospedeira adormecida.

— Mas onde...

— Não sei — respondi.

E no estado em que Carter se encontrava, eu temia fazer a pergunta mais importante: se Zia era um *shabti* todo aquele tempo, nós realmente a conhecemos? A verdadeira Zia nunca esteve conosco. Nunca soube que incrível pessoa eu era. E nunca gostou de Carter.

Carter tocou o rosto dela, que se desfez em areia. Ele pegou a varinha de Zia, que ainda era de puro marfim, e a segurou hesitante, como se temesse que ela também se desfizesse.

— Aquela luz azul — gaguejou ele —, eu vi Zia emiti-la no Primeiro Nomo. Como os *shabti* em Memphis, eles enviaram seus pensamentos de volta a Tot. Zia devia estar em contato com seu *shabti*. Era essa a luz. Devia ser como um conjunto de memórias compartilhadas, não? Ela devia saber o que os *shabti* enfrentavam. Se a verdadeira Zia está viva em algum lugar, pode estar dominada por algum tipo de magia, adormecida ou... Precisamos encontrá-la!

Eu não sabia se seria tão simples, mas não queria discutir. Podia ver o desespero no rosto de meu irmão.

Então, uma voz familiar provocou um arrepio gelado que percorreu minhas costas.

— O que vocês fizeram?

Desjardins estava furioso. Suas vestes rasgadas ainda desprendiam a fumaça da batalha. (Carter está dizendo que não devo mencionar que a cueca cor-de-rosa de Desjardins estava aparecendo, mas estava!) Seu cajado brilhava, e os pelos da barba estavam chamuscados. Atrás dele, vi três magos igualmente rasgados, todos pareciam ter acabado de recobrar a consciência.

— Ah, que bom — murmurei. — Estão vivos.

— Vocês negociaram com Set? — perguntou Desjardins. — Vocês o deixaram escapar?

— Não temos de lhe dar explicações — grunhiu Carter.

Ele deu um passo à frente, mas eu estendi o braço e o contive.

— Desjardins — falei com toda a calma de que era capaz. — Apófis está se reerguendo, caso você tenha perdido essa parte. Precisamos dos deuses. A Casa da Vida precisa reaprender os velhos métodos.

— Os velhos métodos nos destruíram! — gritou ele.

Uma semana antes, a expressão dele teria me feito tremer. Ele brilhava de ódio, e hieróglifos resplandeciam a seu redor. Ele era o Sacerdote-leitor Chefe, e eu tinha acabado de desfazer tudo o que a Casa da Vida havia construído desde a queda do Egito. Desjardins estava a um passo de me transformar em um inseto, e esse pensamento deveria me apavorar.

Em vez disso, eu o encarei. Naquele momento, eu era mais poderosa que ele. *Muito* mais poderosa. E deixei que ele soubesse disso.

— O orgulho destruiu você — eu disse. — Ganância e egoísmo e tudo isso. É difícil seguir o caminho dos deuses. Mas faz parte da magia. Não pode simplesmente eliminá-lo.

— Está embriagada pelo poder — rosnou ele. — Os deuses a possuíram, como sempre fizeram. Logo vai esquecer que é humana. Lutaremos contra você e a destruiremos. — Ele se voltou para Carter. — E você... Sabe o que Hórus vai exigir. Jamais recuperará o trono. Com meu último suspiro...

— Poupe-o — eu disse. Depois encarei meu irmão. — Sabe o que temos de fazer?

Um lampejo de compreensão passou entre nós. Fiquei surpresa com a facilidade com que era capaz de entender meu irmão. Achei que pudesse ser influência dos deuses, mas depois percebi que era porque nós dois somos Kane, somos irmão e irmã. E Carter, deus me ajude, é também meu amigo.

— Tem certeza? — perguntou ele. — Vamos ficar sem cobertura. — Ele olhou para Desjardins. — Só mais um bom golpe com a espada?

— Tenho certeza, Carter.

Fechei os olhos e me concentrei.

Considere cuidadosamente, Ísis disse. *O que fizemos até agora é só o começo do poder que podemos ter juntas.*

Esse é o problema, respondi. *Não estou preparada para isso. Preciso chegar lá sozinha, pelo caminho mais difícil.*

É muito sábia para uma mortal, comentou Ísis. *Sabia demais.*

Imagine abrir mão de uma fortuna em dinheiro. Imagine jogar fora o colar de diamantes mais lindo do mundo. Separar-me de Ísis era mais difícil que isso, *muito* mais.

Mas não era impossível. "Conheço meus limites", minha mãe tinha dito, e agora entendo quanto ela foi inteligente.

Senti o espírito da deusa me deixar. Parte pairava em meu amuleto, mas quase tudo se deslocou para o interior do Monumento a Washington, de volta ao Duat, de onde Ísis iria... para outro lugar. Outro hospedeiro? Eu não tinha certeza.

Quando abri os olhos, Carter estava a meu lado, aparentemente dominado pela tristeza, segurando seu amuleto do Olho de Hórus.

Desjardins estava tão aturdido que por um instante desaprendeu a falar inglês.

— *C'est ne pas possible. On ne pourrait pas...*

— Sim, pudemos — retruquei. — Desistimos dos deuses por vontade própria. E você tem muito o que aprender sobre o que é possível.

Carter baixou a espada.

— Desjardins, não quero o trono. Não a menos que o mereça e o conquiste, e isso vai levar tempo. Vamos aprender a trilhar o caminho dos deuses. Vamos ensinar aos outros. Pode perder seu tempo tentando nos destruir ou pode nos ajudar.

As sirenes estavam muito mais próximas. Dava para ver as luzes dos veículos de emergência vindo de vários lugares, cercando lentamente o National Mall. Tínhamos poucos minutos antes de estar sitiados.

Desjardins olhou para os magos atrás dele, provavelmente avaliando quanto apoio poderia conseguir. Todos pareciam surpresos. Um até começou a se curvar diante de mim, mas deteve-se.

Sozinho, Desjardins poderia ter conseguido nos deter. Éramos apenas magos agora — magos muito cansados, sem treinamento formal algum.

As narinas de Desjardins se inflaram. Depois ele me surpreendeu ao baixar seu cajado.

— Já houve muita destruição hoje. Mas o caminho dos deuses deve continuar lacrado. Se desafiar novamente a Casa da Vida...

Ele deixou a ameaça pairando no ar. Bateu o cajado no chão e, com uma última explosão de energia, os quatro magos se desfizeram no vento e sumiram.

De repente, eu me sentia exausta. O terror de tudo que havia enfrentado começava a se fazer mais evidente. Sobrevivemos, mas esse era um consolo pequeno. Eu tinha perdido meus pais. Sentia muita falta deles. Não era mais uma deusa. Era só uma menina comum, sozinha com meu irmão.

Amós gemeu e começou a se sentar. Carros de polícia e vans pretas e sinistras bloqueavam as calçadas a nossa volta. As sirenes uivavam. Um helicóptero sobrevoava o rio Potomac, aproximando-se depressa. Só Deus sabia o que os mortais pensavam ter acontecido no Monumento a Washington, mas eu não queria meu rosto estampado no noticiário da noite.

— Carter, precisamos sair daqui — eu disse. — Consegue reunir magia suficiente para transformar Amós em alguma coisa pequena, um rato, talvez? Podemos voar e tirá-lo daqui.

Ele assentiu, ainda perdido.

— Mas papai... Nós não...

E olhou em volta, impotente. Eu sabia como ele se sentia. A pirâmide, o trono, o caixão dourado... tudo tinha desaparecido. Fomos tão longe para resgatar papai, e tudo para perdê-lo. E a primeira namorada de Carter estava no chão, transformada em uma pilha de cacos de argila. Isso também não ajudava. (Carter está dizendo que ela não era sua namorada de verdade. Ah, por favor!)

Mas eu não podia me prender a tudo isso. Precisava ser forte por nós dois, ou acabaríamos presos.

— Uma coisa de cada vez — retruquei. — Precisamos levar Amós para um local seguro.

— Para onde? — perguntou Carter.

Só havia um lugar em que eu conseguia pensar.

41. Paramos de gravar, por enquanto

NÃO ACREDITO QUE SADIE vai me deixar contar o final. Nossa experiência deve ter servido para ela aprender alguma lição. Ai, ela acabou de me bater. Tudo bem.

De qualquer maneira, estou feliz por Sadie ter relatado a parte anterior. Acho que ela entendeu aquilo melhor que eu. E toda a história sobre Zia não ser Zia, e papai não ter sido resgatado... Foi duro de enfrentar.

Se alguém se sentia pior do que eu, esse alguém era Amós. Eu ainda tive magia suficiente para me transformar em falcão e transformá-lo em hamster (ei, eu estava com pressa!), mas, a alguns quilômetros do National Mall, ele começou a lutar para voltar ao normal. Sadie e eu fomos forçados a aterrissar do lado de fora de uma estação ferroviária, onde Amós se transformou novamente em humano e ficou encolhido, tremendo. Tentamos conversar, mas ele mal conseguia pronunciar uma frase.

Por fim, nós o levamos para dentro da estação. Deixamos Amós dormindo em um banco enquanto Sadie e eu nos aquecíamos e víamos as notícias.

De acordo com o Canal 5, a cidade inteira de Washington estava em alerta. Havia relatos de explosões e de luzes estranhas no Monumento a Washington, mas tudo que as câmeras conseguiam mostrar era um grande quadrado de neve derretida, uma imagem bem sem graça. Os especialistas falavam em terrorismo, mas, no final, ficou claro que não tinha havido nenhum dano permanente — só algumas luzes estranhas e assustadoras. Depois de um tempo, a mídia começou a especular sobre uma estranha tempestade ou uma raríssima aurora boreal "no sul". Uma hora mais tarde, as autoridades suspenderam o alerta.

Eu queria que Bastet estivesse conosco, porque, nas condições de Amós, não dava para dizermos que era ele o adulto que nos acompanhava; mas conseguimos comprar as passagens — para nós e para nosso tio "doente" — até Nova York.

Dormi no caminho, mas não soltei o amuleto de Hórus.

Chegamos ao Brooklyn quando o sol se punha.

Encontramos a mansão queimada, o que já esperávamos, mas não tínhamos para onde ir. Vi que tínhamos feito a escolha certa quando guiamos Amós para dentro e ouvimos um conhecido: "*Agh! Agh!*"

— Khufu! — gritou Sadie.

O babuíno a abraçou e subiu em seus ombros. Ele cutucou seus cabelos, verificando se ela tinha trazido alguns piolhos bons para comer. Depois, pulou para o chão e foi buscar uma bola de basquete meio derretida. Ele grunhiu para mim com insistência, apontando para uma tabela improvisada com vigas queimadas e um cesto de roupa suja. Era um gesto de perdão, percebi. Ele tinha me perdoado por ser péssimo em seu jogo favorito, e estava se oferecendo para me ensinar. Olhando em volta, percebi que ele tinha tentado arrumar e limpar a casa à sua maneira babuína. Tirara o pó do sofá que restava, empilhara caixas de Cheerios na lareira e tinha até posto vasilhas com água fresca e comida para Muffin, que dormia, encolhida, em uma pequena almofada. Na parte mais limpa da sala de estar, sob um trecho intacto do telhado, Khufu fez três pilhas distintas de travesseiros e lençóis — camas improvisadas para nós.

Um nó se formou em minha garganta. Ao ver o cuidado com que ele se preparou para nos receber, não consegui imaginar melhor presente de boas-vindas.

— Khufu — eu disse —, você é um babuíno fabuloso.

— *Agh!* — disse ele, apontando para a bola de basquete.

— Quer me dar aulas? — perguntei. — Sim, eu mereço. Só preciso de um segundo para...

Meu sorriso se apagou quando olhei Amós.

Ele tinha se aproximado da estátua arruinada de Tot. A cabeça de íbis do deus, quebrada, jazia aos pés dele. A mão estava quebrada, e a tábua e o estilo também estavam no chão, destruídos. Amós olhava para o deus sem cabeça — o patrono dos magos —, e deduzi o que ele estava pensando: Mau presságio para quem está voltando para casa.

— Tudo bem — disse a ele. — Vamos consertar tudo.

Se Amós me ouviu, não deu qualquer sinal. Apenas caminhou até o sofá e sentou-se, cansado, segurando a cabeça entre as mãos.

Sadie me olhou com desconforto. Depois olhou em volta para as paredes enegrecidas, o teto desmoronado e os restos queimados de mobília.

— Bem — disse ela, tentando soar animada. — Que tal se *eu* jogar basquete com Khufu enquanto você limpa a casa?

Mesmo fazendo uso de magia, levamos várias semanas para pôr a casa em ordem novamente. E só para torná-la habitável. Era difícil sem Ísis e Hórus ajudando, mas ainda conseguíamos fazer mágica. Só precisávamos de muito mais concentração e mais tempo. Todo dia, eu ia dormir me sentindo como se tivesse enfrentado doze horas de trabalhos forçados, mas, no final, conseguimos reparar as paredes e o teto e remover todo o lixo, até que a casa não tinha mais cheiro de fumaça. Conseguimos até consertar a varanda e a piscina. Levamos Amós para assistir quando jogamos o crocodilo de cera na água e Filipe da Macedônia ganhou vida.

Amós quase sorriu ao ver isso. Depois, afundou em uma cadeira na varanda e olhou desolado para o horizonte de Manhattan.

Comecei a me perguntar se algum dia ele voltaria a ser como antes. Amós tinha emagrecido muito. Seu rosto parecia cansado. Na maioria dos dias ele se vestia com o roupão de banho e nem se dava o trabalho de pentear os cabelos.

— Ele foi possuído por Set — Sadie me disse certa manhã, quando mencionei quanto estava preocupado. — Tem ideia de como isso deve ser *invasivo*?

A vontade dele foi vencida. Ele agora não confia em si mesmo e... Bem, pode levar muito tempo...

Tentamos nos distrair com o trabalho. Consertamos a estátua de Tot e o *shabti* quebrado na biblioteca. Eu era melhor no trabalho pesado — mover blocos de pedra ou colocar vigas de madeira no lugar. Sadie era melhor com os detalhes, como reparar os brasões de hieróglifos nas portas. Uma vez, ela realmente me deixou impressionado: imaginou seu quarto como era antes, e pronunciou o feitiço de reparação, *ni-nehm*. Os pedaços dos móveis se atraíram e *bum*! Reforma imediata. É claro, Sadie passou as doze horas seguintes dormindo, mas mesmo assim... foi legal! Devagar e sempre, a mansão começou a parecer um lar.

À noite, eu dormia com meu apoio de cabeça encantado, o que impedia meu *ba* de perambular. Mas, às vezes, ainda tinha visões estranhas — a pirâmide vermelha, a serpente no céu ou o rosto de meu pai preso no caixão de Set. Uma vez pensei ter ouvido a voz de Zia tentando me dizer algo ao longe, mas não consegui entender o que era.

Sadie e eu mantínhamos nossos amuletos trancados em uma caixa na biblioteca. Todas as manhãs eu ia até lá para me certificar de que estavam no mesmo lugar. Eu os encontrava brilhando, quentes, e me sentia tentado — *muito* tentado — a colocar o Olho de Hórus no pescoço. Mas sabia que não podia. O poder vicia, é perigoso demais. Consegui chegar ao equilíbrio com Hórus uma vez, em circunstâncias extremas, mas sabia que, se tentasse novamente, poderia ser muito fácil me deixar dominar. Eu precisava treinar antes, tornar-me um mago mais poderoso, até me sentir preparado para lançar mão de tamanha força.

Certa noite, na hora do jantar, recebemos um visitante.

Amós tinha ido para a cama cedo, como sempre. Khufu estava assistindo à ESPN com Muffin no colo. Sadie e eu estávamos exaustos, sentados na varanda que dava para o rio. Filipe da Macedônia flutuava silencioso na piscina. Exceto pelo murmúrio da cidade, a noite estava calma.

Não sei bem como aconteceu, mas num minuto estávamos sozinhos, e no outro havia um sujeito enorme na porta. Ele era alto e magro, tinha cabelos desarrumados e pele clara, e suas roupas eram pretas, como se ele as tivesse pegado emprestado de um padre ou coisa parecida. Devia ter uns dezesseis anos e, embora eu nunca tivesse visto seu rosto, tive a estranha sensação de que o conhecia.

Sadie se levantou tão depressa, que derrubou sua vasilha de sopa de ervilha — que já é bem repugnante na tigela, mas espalhada sobre a mesa... Eca!

— Anúbis! — exclamou ela.

Anúbis? Ela devia estar brincando, porque aquele cara não era nada parecido com o deus de cabeça de chacal que eu tinha visto no Mundo dos Mortos. Ele deu um passo para a frente e minha mão buscou a varinha.

— Sadie — ele falou. — Carter. Podem vir comigo, por favor?

— É claro — respondeu ela com a voz falhando.

— Espere aí — interferi. — Aonde vamos?

Anúbis apontou para trás dele e uma porta se abriu no vazio — um retângulo inteiramente preto.

— Alguém deseja vê-los.

Sadie segurou a mão dele e se dirigiu à escuridão, o que me deixou sem alternativa senão segui-la.

O Salão do Julgamento tinha passado por uma reforma. As balanças douradas ainda dominavam o espaço, mas agora estavam inteiras. Os pilares negros ainda marchavam para a penumbra nos quatro cantos. Mas agora eu podia ver a sobreposição — a estranha imagem holográfica do mundo real —, e não era mais a visão de um cemitério, como Sadie descrevera. Era uma sala de estar branca, com pé-direito alto e janelas amplas. A porta dupla dava para uma varanda de onde se via o oceano.

Fiquei sem fala. Olhei para Sadie e notei, pelo susto estampado em seu rosto, que ela também reconhecia aquele lugar: nossa casa em Los Angeles, nas colinas do Pacífico — o último lugar onde vivemos como uma família.

— O Salão do Julgamento é intuitivo — explicou uma voz familiar. — Ele responde a lembranças fortes.

Só então notei que o trono não estava mais vazio. Sentado ali, com Ammit, o Devorador, deitado a seus pés, eu vi nosso pai.

Quase corri para ele, mas algo me impediu. Parecia o mesmo em muitos aspectos: o casaco marrom comprido, o terno amarrotado e as botas empoeiradas, a cabeça recém-raspada e a barba aparada. Seus olhos brilhavam, como sempre acontecia quando ele estava orgulhoso de nós.

Mas sua silhueta cintilava com uma luz estranha. Como o próprio ambiente, entendi que ele existia em dois mundos. Eu me concentrei, e meus olhos enxergaram um nível mais profundo do Duat.

Papai ainda estava ali, porém mais alto e mais forte, com trajes e joias de um faraó do Egito. Sua pele era de um tom escuro de azul, como o fundo do oceano.

Anúbis se aproximou e parou ao lado dele, mas Sadie e eu fomos um pouco mais cautelosos.

— Bem, aproximem-se — meu pai chamou. — Não vou mordê-los.

Ammit, o Devorador, rosnou quando chegamos mais perto, mas papai afagou sua cabeça de crocodilo e o acalmou.

— São meus filhos, Ammit. Comporte-se.

— Pa... papai? — gaguejei.

Quero ser claro: embora semanas tivessem passado desde a batalha contra Set, e apesar de eu ter estado ocupado durante todo esse tempo reconstruindo a mansão, não tinha deixado de pensar em meu pai nem por um minuto. Cada vez que via uma foto na biblioteca, lembrava as histórias que ele costumava me contar. Guardei as roupas dele em uma mala no armário de meu quarto, porque não suportava pensar que nossa vida de viagens tivesse chegado ao fim. Sentia tanta falta dele, que às vezes me virava para contar alguma coisa antes de lembrar que ele tinha nos deixado. Apesar de tudo isso, e de toda a emoção que fervia dentro de mim, tudo que consegui dizer foi:

— Você está azul.

A risada de papai soou tão normal, tão *dele*, que quebrou a tensão. O som ecoou pelo salão e até Anúbis sorriu.

— Faz parte — explicou meu pai. — Lamento não tê-los trazido aqui antes, mas as coisas têm estado... — Ele olhou para Anúbis, procurando a palavra ideal.

— Complicadas — sugeriu Anúbis.

— Complicadas. Queria dizer a vocês dois o quanto me orgulho de tudo o que fizeram, quanto os deuses são gratos...

— Espere aí — interrompeu Sadie.

Ela se aproximou do trono. Ammit grunhiu, mas Sadie rosnou de volta, o que confundiu o monstro, que acabou em silêncio.

— O *que* você é? — perguntou ela. — Meu pai? Osíris? Pelo menos está vivo?

Papai olhou para Anúbis.

— O que foi que eu disse sobre ela? Mais feroz que Ammit, eu falei.

— Não precisava me dizer. — O rosto de Anúbis tornou-se grave. — Aprendi a temer essa língua ferina.

Sadie reagiu ultrajada.

— Como disse?

— Respondendo à sua pergunta — continuou meu pai —, sou Osíris e Julius Kane. Estou vivo *e* morto, embora o termo *reciclado* se aproxime mais da verdade. Osíris é o deus dos mortos e o deus da vida nova. Para devolvê-lo ao trono...

— Você precisou morrer — concluí. — Sabia que seria assim. Hospedou *intencionalmente* Osíris, sabendo que morreria.

Eu tremia de raiva. Não tinha percebido o quanto aquilo me afetava, e não podia acreditar no que meu pai tinha feito.

— Era isso que queria dizer com "farei com que tudo fique bem outra vez"?

A expressão de meu pai não mudou. Ele ainda me olhava com orgulho e muita *satisfação*, como se tudo que eu fazia o encantasse — até meus gritos. Era irritante.

— Senti sua falta, Carter — disse ele. — Não posso nem dizer quanto. Mas fizemos a escolha certa. Todos nós fizemos. Se você me salvasse no mundo lá em cima, teríamos perdido tudo. Pela primeira vez em milênios, temos uma chance de renascer, e uma chance de deter o caos, e tudo graças a vocês.

— Tinha de haver outro jeito — retruquei. — Você podia ter lutado como mortal, sem... sem...

— Carter, quando Osíris estava vivo, ele foi um grande rei. Mas quando morreu...

— Ele se tornou mil vezes mais poderoso — completei, lembrando a história que papai costumava nos contar.

Meu pai assentiu.

— O Duat é a base para o mundo real. Se há caos aqui, ele reverbera no mundo superior. Ajudar Osíris a retomar o trono foi o primeiro passo, uma medida mil vezes mais importante que tudo o que eu poderia ter feito no mundo superior... exceto ser seu pai. E eu ainda sou seu pai.

Meus olhos ardiam. Acho que entendi o que ele dizia, mas não gostava nada daquilo. Sadie parecia ainda mais furiosa do que eu, mas ela olhava para Anúbis.

— Língua ferina? — perguntou ela.

Papai pigarreou.

— Crianças, há outra razão para minha escolha, como já devem ter imaginado.

Ele estendeu a mão e uma mulher vestida de preto apareceu a seu lado. Tinha cabelos dourados, olhos azuis e inteligentes, e um rosto que parecia familiar. Parecia Sadie.

— Mãe — chamei.

Ela olhou para Sadie, depois para mim, e seu rosto expressava espanto, como se *nós* fôssemos os fantasmas.

— Julius me contou que tinham crescido, mas não imaginei que fosse tanto. Carter, aposto que já faz a barba...

— Mãe.

— ... e sai com garotas...

— Mãe!

Já notou como em três segundos os pais conseguem passar de pessoas maravilhosas a totalmente constrangedoras?

Ela sorriu para mim, e tive de lutar com uns vinte sentimentos diferentes ao mesmo tempo. Eu tinha passado anos sonhando estar novamente com meus pais, juntos, em nossa casa em Los Angeles. Mas não assim: não era para a casa ser uma holografia, minha mãe, um espírito, e meu pai... reciclado. Era como se o mundo se movesse sob meus pés, transformando-se em areia.

— Não podemos voltar, Carter — disse mamãe, como se lesse meus pensamentos. — Mas nada está perdido, nem mesmo na morte. Lembra-se da lei da conservação?

Eu tinha seis anos quando nos sentamos na sala de estar — *esta* sala de estar — e ela leu para mim as leis da física, como outros pais leem histórias na hora de dormir. Mas eu ainda lembrava.

— Energia e matéria não podem ser criadas ou destruídas.

— Só modificadas — minha mãe concordou. — E, às vezes, modificadas para melhor.

Ela segurou a mão de papai, e tive de admitir que, mesmo ele estando azul e ela, fantasmagórica, os dois pareciam muito felizes.

— Mãe. — Sadie engoliu em seco. Pela primeira vez, a atenção dela não estava em Anúbis. — Você realmente... Foi mesmo...

— Sim, minha menina corajosa. Meus pensamentos se misturaram com os seus. Estou muito orgulhosa de você. E graças a Ísis, sinto que também a conheço. — Ela se inclinou para a frente e sorriu com ar de cumplicidade. — Também gosto de caramelos de chocolate, embora sua avó nunca tenha aprovado o hábito de guardarmos doces no armário.

Sadie sorriu aliviada.

— Eu sei! Ela é impossível!

Tive a impressão de que elas começariam uma conversa que se estenderia por horas, mas, nesse momento, o Salão do Julgamento tremeu. Papai olhou o relógio, o que me fez pensar qual seria o fuso horário do Mundo dos Mortos.

— Precisamos terminar logo — informou. — Os outros esperam por vocês.

— Outros? — perguntei.

— Um presente antes de partirem. — Papai assentiu para mamãe.

Ela se adiantou e me entregou um pacote embrulhado em linho, do tamanho da palma de minha mão. Sadie me ajudou a desembrulhá-lo, e dentro havia um novo amuleto — algo como um pilar, ou um tronco de árvore, ou...

— Isto é uma coluna? — perguntou Sadie.

— O nome é *djed* — explicou meu pai. — Meu símbolo: a espinha de Osíris.

— Argh... — resmungou Sadie.

Minha mãe riu.

— É um pouco repugnante, mas, na verdade, é um símbolo poderoso. Representa estabilidade, força...

— A espinha dorsal? — perguntei.

Mamãe deu um sorriso aprovador, e novamente tive aquela sensação surreal de que o mundo se movia. Eu não conseguia acreditar que estava ali em pé, conversando com meus pais mortos.

Mamãe fechou minha mão com o amuleto. Seu toque era quente, como o de uma pessoa viva.

— *Djed* também representa o poder de Osíris: a vida renovada das cinzas da morte. É exatamente disso que você precisará para fazer com que outras pessoas inspirem-se no sangue dos faraós e então reconstruir a Casa da Vida.

— A Casa não vai gostar disso — opinou Sadie.

— Não — concordou minha mãe, animada. — Certamente não vai.

O Salão do Julgamento tremeu novamente.

— Chegou a hora — disse meu pai. — Voltaremos a nos encontrar, crianças. Mas, até lá, cuidem-se.

— Fiquem atentos a seus inimigos — acrescentou mamãe.

— E digam a Amós... — A voz de meu pai falhou. — Lembrem meu irmão que os egípcios acreditam no poder do sol nascente. Acreditam que cada amanhecer marca o início não só de um novo dia, mas de um novo mundo.

Antes que eu pudesse compreender o que isso significava o Salão do Julgamento desapareceu, e nós ficamos com Anúbis em uma área de escuridão.

— Vou lhes mostrar o caminho — disse ele. — Esse é meu dever.

Anúbis nos conduziu a um espaço na escuridão que não parecia diferente de outro qualquer. Mas, quando ele moveu a mão para a frente, uma porta se abriu. A passagem brilhou com a luz do dia.

Anúbis se curvou a mim com formalidade. Depois fitou Sadie com um brilho travesso no olhar.

— Foi... estimulante.

Sadie corou e apontou para ele com ar acusador.

— Ainda não terminamos, senhor. Espero que cuide de meus pais. E, na próxima vez que eu estiver no Mundo dos Mortos, você e eu teremos uma conversinha.

Os lábios dele se curvaram em um sorriso.

— Estarei esperando ansioso.

Passamos pela porta e entramos no palácio dos deuses.

O lugar era exatamente como Sadie descrevera depois de suas visões: repleto de colunas de fogo, braseiros incandescentes, piso de mármore lustroso e, no centro, um trono vermelho e dourado. À nossa volta, os deuses estavam reunidos. Muitos eram apenas flashes de luz e fogo. Outros eram imagens sombrias que mudavam, de humanas a animais. Reconheci alguns: Tot fez um aparecimento rápido como um cara de cabelos desgrenhados e jaleco, e depois se transformou em uma nuvem de gás verde; Hátor, a deusa com cabeça de vaca, me olhou confusa, como se me reconhecesse vagamente do incidente com o Molho Mágico. Procurei por Bastet, mas meu coração ficou pesado. Ela não estava ali. Na verdade, muitos deuses eu nem reconhecia.

— O que foi que começamos? — murmurou Sadie.

Entendi o que ela queria dizer. A sala do trono estava cheia com centenas de deuses, maiores e menores, todos se movendo pelo palácio, criando novas formas, brilhando com sua energia. Um exército sobrenatural... E todos pareciam estar olhando para nós.

Felizmente, dois velhos amigos estavam ao lado do trono. Hórus vestia armadura completa e carregava um *khopesh*. Seus olhos delineados com *kohl* — um dourado, outro prateado — estavam mais penetrantes que nunca. Ao lado dele, Ísis cintilava em seu vestido branco, com asas de luz.

— Bem-vindos — disse Hórus.

— *Ah, oi* — respondi.

— Ele tem um jeito todo especial com as palavras — resmungou Ísis, o que fez Sadie bufar.

Hórus apontou para o trono.

— Conheço seus pensamentos, Carter, por isso acho que sei o que você vai dizer. Mas preciso perguntar mais uma vez. Vai se unir a mim? Podemos governar a terra e o céu. O Maat precisa de um líder.

— Sim, eu sei.

— Eu seria mais forte com você como hospedeiro. Você não viu nada do que pode ser a magia de combate. Podemos realizar muitas coisas, e é *seu* destino liderar a Casa da Vida. Poderá ser o rei de dois tronos.

Voltei-me para Sadie, mas ela só deu de ombros.

— Não olhe para mim. Acho a ideia horrível.

Hórus olhou-a de cara feia, mas eu concordava com Sadie. Todos aqueles deuses esperando alguém que os liderasse, todos aqueles magos que nos odiavam — a ideia de tentar comandá-los fazia meus joelhos tremerem.

— Talvez um dia — eu disse. — Muito mais tarde.

Hórus suspirou.

— Cinco mil anos e ainda não entendo os mortais. Mas... que seja.

Ele subiu ao trono e olhou em volta, para os deuses reunidos.

— Eu, Hórus, filho de Osíris, reclamo o trono dos céus como meu direito! — gritou. — O que um dia foi meu será meu novamente. Alguém aqui deseja desafiar-me?

Os deuses tremularam e brilharam. Alguns ficaram muito sérios. Um deles resmungou algo que pareceu "queijo", embora pudesse ser minha imaginação. Notei Sobek, ou outro deus crocodilo, mostrando as presas nas sombras. Mas ninguém desafiou Hórus.

O deus sentou-se no trono. Ísis entregou a ele um gancho e um mangual — os cetros gêmeos dos faraós. Ele os cruzou na altura do peito e todos os deuses se curvaram.

Quando se ergueram, Ísis caminhou em nossa direção.

— Carter e Sadie Kane, vocês fizeram muito para restaurar o Maat. Os deuses precisam reunir seu poder, e vocês ganharam tempo para nós, embora não saibamos quanto. Não será possível prender Apófis para sempre.

— Eu me contentaria com algumas centenas de anos — disse Sadie.

Ísis sorriu.

— Seja como for, hoje vocês são heróis. Os deuses têm com vocês uma dívida de gratidão, e sempre tratamos nossas dívidas com seriedade.

Hórus se levantou do trono. Piscou para mim e se ajoelhou diante de nós. Os outros deuses demonstraram desconforto, mas fizeram o mesmo. Até os deuses em forma de fogo baixaram as chamas.

Devo ter parecido muito surpreso, porque, quando se levantou, Hórus riu.

— Você está com aquela cara de quando Zia falou...

— Ah, podemos pular essa parte? — interrompi, apressado.

Deixar um deus morar em sua cabeça tinha sérias desvantagens.

— Vão em paz, Carter e Sadie — disse Hórus. — Encontrarão nosso presente amanhã.

— Presente? — perguntei, nervoso.

Se eu ganhasse mais um amuleto mágico, ia começar a suar frio.

— Você vai ver — prometeu Ísis. — Estaremos observando vocês, e esperando.

— É isso o que me assusta — disse Sadie.

Ísis moveu a mão e de repente estávamos de volta à varanda da mansão, como se nada tivesse acontecido.

Sadie me olhou de um jeito triste e pensativo.

— Animador — comentou ela.

Eu estendi a mão. O amuleto *djed* brilhava e eu o sentia quente no pacote de linho preto.

— Alguma ideia do que esta coisa faz?

Ela piscou.

— Hum? Ah, não interessa. O que achou de Anúbis? Quer dizer, como você o viu?

— Como eu... Ele parecia um garoto. Por quê?

— Um garoto mesmo ou um garoto com cabeça de cachorro?

— Acho que... Não, um garoto. Sem cabeça de cachorro.

— Eu sabia! — Sadie apontou para mim como se vencesse uma discussão. — Um garoto bonito! Eu sabia!

E com um sorriso ridículo, ela se virou e entrou na casa.

Minha irmã, como já devo ter mencionado, é um pouco estranha.

No dia seguinte, recebemos o presente dos deuses.

Acordamos e encontramos a mansão completamente reparada, mesmo os menores detalhes. Tudo o que ainda não tínhamos terminado — provavelmente o que equivaleria a mais um mês de trabalho — estava pronto.

A primeira coisa que encontrei foram as roupas novas no armário, e depois de um momento de hesitação, eu as vesti. Desci e encontrei Sadie e Khufu dançando no Grande Salão reformado. Khufu vestia uma camiseta nova dos Lakers e tinha uma bola de basquete novinha. Vassouras e baldes mágicos se ocupavam da limpeza de rotina. Sadie olhou para mim e riu — e então fez cara de susto.

— Carter, o que... o que está *vestindo*?

Desci a escada me sentindo ainda mais encabulado. O armário estava cheio de roupas diferentes, não mais aqueles pijamas de linho. Minhas roupas antigas estavam lá, limpas — uma camisa com botões, calça cáqui, mocassins. Mas também havia outras peças, e foram essas que eu escolhi: Reeboks, jeans, camiseta e casaco com capuz.

— É, hum, nada demais. Roupas confortáveis de algodão, boas para magos. Papai certamente diria que pareço um gângster.

Esperei que Sadie debochasse de mim por causa das roupas e tentei me adiantar. Ela estudou cada detalhe de minha aparência.

Depois riu, satisfeita.

— É brilhante, Carter. Você quase parece um adolescente comum! E *papai*... — Ela puxou o capuz sobre minha cabeça. — Papai ia achar que você parece um mago perfeito, porque é isso que você é. Agora venha, o café da manhã está servido na varanda.

Estávamos começando a comer, quando Amós apareceu do lado de fora da mansão, e as roupas dele eram ainda mais surpreendentes que as minhas. Estava com um terno marrom novo, de casaco e chapéu combinando. Os sapatos brilhavam, os óculos redondos eram perfeitos e os cabelos estavam trançados com contas cor de âmbar. Sadie e eu o observamos.

— O que é? — perguntou Amós.

— Nada — respondemos juntos.

Sadie olhou para mim e moveu os lábios dizendo MEU DEUS, depois voltou aos ovos que estava comendo. Eu ataquei minhas panquecas. Filipe nadava feliz em sua piscina.

Amós sentou-se conosco à mesa. Ele estalou os dedos e o café encheu sua xícara de maneira mágica. Ergui as sobrancelhas. Ele não usava magia desde os Dias do Demônio.

— Pensei em me afastar por um tempo — anunciou ele. — Ir para o Primeiro Nomo.

Sadie e eu trocamos olhares.

— Tem certeza de que é boa ideia? — perguntei.

Amós bebeu seu café. Ele olhou para o rio East como se pudesse ver Washington do outro lado.

— Lá eles têm os melhores magos curandeiros. Não vão recusar alguém que chegue pedindo ajuda... Mesmo que seja eu. Acho... acho que devo tentar.

A voz dele era frágil, como se pudesse se calar a qualquer momento. Mesmo assim, aquilo era mais do que ele havia falado em semanas.

— Acho que é uma ideia brilhante — opinou Sadie. — Vamos cuidar de tudo por aqui, não é, Carter?

— Sim, com certeza.

— Talvez eu fique longe por um bom tempo — Amós nos preveniu. — Sintam-se em casa. Porque esta aqui *é* a casa de vocês. — Ele hesitou, como se escolhesse as palavras seguintes com grande cuidado. — E acho que, talvez, vocês devam começar a recrutar. Há muitas crianças pelo mundo que têm sangue de faraós. Muitas nem sabem o que são. O que vocês disseram em Washington, sobre restabelecer o caminho dos deuses, bem, essa pode ser nossa única chance.

Sadie se levantou e beijou a testa de Amós.

— Deixe conosco, tio. Temos um plano.

— Isso soa péssimo — comentei.

Amós conseguiu sorrir. Ele afagou a mão de Sadie, depois se levantou e, antes de entrar, afagou meus cabelos.

Eu comi mais um pedaço de panqueca e fiquei pensando por que, em uma manhã tão linda, ainda me sentia triste e um pouco incompleto. Com tantas coisas melhorando de repente, o que me faltava acabava sendo ainda mais doloroso.

Sadie mexia nos ovos em seu prato, mas não os comia mais.

— Suponho que seria egoísmo fazer mais algum pedido.

Olhei para ela e percebi que estávamos pensando o mesmo. Quando os deuses disseram que tinham um presente... Bem, você pode esperar muitas coisas, mas, como Sadie acabara de dizer, não é legal ser ganancioso.

— Vai ser difícil viajar se tivermos de fazer o recrutamento — comentei cauteloso. — Dois menores desacompanhados...

Sadie assentiu.

— Sem Amós. Sem um adulto responsável. Acho que Khufu não conta.

E foi então que os deuses completaram o presente.

Uma voz soou na porta.

— Parece que vocês têm uma vaga. Um emprego.

Eu me virei e senti uma tonelada de dor sendo removida de meu peito. Apoiada à porta e vestindo um macacão de pele de leopardo, uma mulher de cabelos escuros e olhos dourados empunhava duas lâminas enormes.

— Bastet! — gritou Sadie.

A deusa gata nos lançou um sorriso brincalhão, como se planejasse todo o tipo de travessuras.

— Alguém precisa de um acompanhante maior de idade?

Alguns dias mais tarde, Sadie teve uma longa conversa por telefone com vovô e vovó Faust, em Londres. Eles não pediram para falar comigo, e eu não fiquei para ouvir a conversa. Quando Sadie voltou ao Grande Salão, tinha uma expressão distante no olhar. Tive medo — *muito* medo — de que ela estivesse com saudades de lá.

— E então? — perguntei, relutante.

— Disse a eles que estamos bem — respondeu ela. — E eles me disseram que a polícia parou de incomodá-los por conta da explosão no British Museum. Parece que a Pedra de Roseta reapareceu, intacta.

— Como num passe de mágica — sugeri.

Sadie sorriu.

— A polícia decidiu que a explosão devia ter sido provocada por gás, algum tipo de acidente. Papai foi inocentado, e nós também. Eles disseram que posso voltar para casa. Para Londres. As aulas vão começar em algumas semanas. Liz e Emma, minhas amigas da escola, têm perguntado por mim.

O único som era o crepitar do fogo na lareira. De repente, o Grande Salão me parecia ainda maior, mais vazio.

— E o que disse a eles? — perguntei finalmente.

Sadie levantou uma sobrancelha.

— Deus, às vezes você é bem burro. O que acha que eu disse?

— Ah... — Minha boca estava seca como uma lixa. — Acho que vai ser bom rever suas amigas e voltar a seu antigo quarto e...

— Carter! — Ela me deu um soco no braço. — Eu disse a eles que não posso voltar para casa, porque já *estou* em casa. Meu lugar é aqui. Graças ao Duat, posso ver minhas amigas sempre que quiser. Além do mais, você estaria perdido sem mim.

Devo ter sorrido como um idiota, porque Sadie me mandou parar de fazer cara de bobo — mas ela parecia feliz com minha reação. Acho que ela sabia que estava certa, pela menos dessa vez. Eu teria ficado perdido sem ela. [É, Sadie, também não acredito que acabei de dizer isso.]

Quando as coisas começaram a se acomodar, Sadie e eu nos dedicamos a nossa nova missão. Nosso destino era uma escola que Sadie tinha visto em um sonho. Não vou dizer qual, mas Bastet dirigiu por um bom tempo para nos levar até lá. Gravamos esta fita durante a viagem. Várias vezes as forças do caos tentaram nos deter. Várias vezes ouvimos boatos de que os inimigos começavam a caçar descendentes de faraós, tentando frustrar nossos planos.

Chegamos à escola um dia antes do início das aulas. Os corredores estavam vazios, e foi fácil entrar. Sadie e eu escolhemos um armário aleatoriamente, e ela me disse para criar uma combinação. Usando um pouco de magia, misturei os números: 13/32/33. Ei, para que mexer em time que está ganhando?

Sadie recitou um feitiço e o armário começou a brilhar. Ela guardou o embrulho lá dentro e fechou a porta.

— Tem certeza disso? — perguntei.

Ela assentiu.

— O armário está parcialmente no Duat. Vai guardar o amuleto até ser aberto pela pessoa certa.

— Mas se o *djed* cair em mãos erradas...

— Não vai — garantiu ela. — O sangue dos faraós é forte. As pessoas certas encontrarão o amuleto. Se descobrirem como devem usá-lo, seus poderes serão despertados. Precisamos acreditar que os deuses as guiarão até o Brooklyn.

— Não saberemos como treiná-los — argumentei. — Ninguém estudou o caminho dos deuses por dois mil anos.

— Vamos encontrar um jeito — respondeu Sadie. — Precisamos encontrar.

— A menos que Apófis nos encontre antes. Ou Desjardins e a Casa da Vida. Ou a menos que Set quebre a promessa. Ou que mil outras coisas deem errado.

— Sim — concordou Sadie com um sorriso. — Vai ser divertido, não vai?

Trancamos o armário e saímos dali.

Agora estamos de volta ao Vigésimo Primeiro Nomo, no Brooklyn.

Vamos mandar esta fita para algumas poucas pessoas escolhidas a dedo, para ver se ela é publicada. Sadie acredita em destino. Se a história chegou a suas mãos, provavelmente há um motivo. Procure pelo *djed*. Não vai levar muito tempo para ele despertar o poder em você. Depois, o truque é aprender a usar esse dom sem morrer.

Como eu disse no início: a história ainda não está terminada. Nossos pais prometeram que nos verão novamente, por isso sei que teremos de voltar ao Mundo dos Mortos em algum momento. Contanto que Anúbis esteja por lá, acho que Sadie vai gostar disso.

Zia está em algum lugar por aí — a verdadeira Zia. E eu pretendo encontrá-la.

Mas o principal, o mais importante, é que o caos está se reerguendo. Apófis está ganhando força. O que significa que precisamos nos fortalecer também — deuses e homens, unidos como nos velhos tempos. É a única maneira de impedir que o mundo seja destruído.

A família Kane tem muito trabalho a fazer. E você também.

Talvez queira seguir o caminho de Hórus ou de Ísis, de Tot ou de Anúbis, ou até mesmo o de Bastet. Não sei. Mas, seja qual for sua decisão, a Casa da Vida precisa de sangue novo para sobreviver.

Aqui somos nós, Carter e Sadie Kane, e vamos desligar.

Venha para o Brooklyn. Estamos esperando.

NOTA DO AUTOR

Boa parte desta história é baseada em fatos, o que me faz pensar que: ou os dois narradores, Sadie e Carter, fizeram uma pesquisa fabulosa... ou estão dizendo a verdade.

A Casa da Vida existiu, e foi parte importante da sociedade egípcia por vários milênios. Se existe ou não nos dias de hoje... Bem, isso é algo que não sei dizer. Mas é inegável que os magos egípcios foram famosos no mundo antigo, e que muitos encantamentos que eles supostamente lançavam eram exatamente como os descritos aqui.

O jeito como os narradores retratam a magia do Egito também é confirmado por evidência arqueológica. Shabti, varinhas curvas e caixas mágicas sobreviveram e podem ser vistos em muitos museus. Todos os artefatos e monumentos que Sadie e Carter mencionaram existem — exceto, talvez, a pirâmide vermelha. Existe uma "Pirâmide Vermelha" em Gizé, mas ela só é chamada assim porque as pedras brancas do revestimento original foram removidas, revelando o granito cor-de-rosa dos blocos da construção. Na verdade, o dono da pirâmide, Senefru, ficaria horrorizado se soubesse que ela agora é vermelha, a cor de Set. Quanto à pirâmide mágica mencionada na história, espero sinceramente que tenha sido destruída.

Se novos registros vierem parar em minhas mãos, eu transmitirei as informações. Até lá, só posso esperar que Carter e Sadie tenham errado em suas previsões sobre a ascensão do caos...

1ª edição	NOVEMBRO DE 2010
reimpressão	OUTUBRO DE 2024
impressão	IMPRENSA DA FÉ
papel de miolo	PÓLEN SOFT 70 G/M²
papel de capa	CARTÃO SUPREMO ALTA ALVURA 250 G/M²
tipografia	GOUDY OLDSTYLE